Meurtres
pour mémoire

CLASSICOCOLLÈGE

Meurtres pour mémoire

DIDIER DAENINCKX

Dossier par Sharmila Marius-Beaumont
Agrégée de lettres classiques

BELIN ■ GALLIMARD

Sommaire

Arrêt sur lecture 4   219
Étudier le dénouement de l'intrigue policière

Arrêt sur l'œuvre   226
Des questions sur l'ensemble du roman   226
Des mots pour mieux écrire   228
Lexique de l'enquête policière, de la violence, de la mémoire
À vous de créer   231

Groupements de textes   232
Le roman policier dans tous ses états   232
Écrire contre l'oubli   245

Autour de l'œuvre   261
Interview de Didier Daeninckx   261
Contexte historique   265
Repères chronologiques   268
Les grands thèmes de l'œuvre   269
Roman policier ou roman noir ?
Mémoire et oubli
Une écriture engagée
Fenêtres sur...   274
Des ouvrages à lire et des films à voir

Introduction

En 1984 paraît *Meurtres pour mémoire*, second roman d'un jeune auteur peu connu du grand public, Didier Daeninckx.

À première vue, l'intrigue du roman ressemble à celle d'un roman policier classique : deux meurtres mystérieux commis à plus de vingt ans d'intervalle, des indices troublants, des témoins gênants, un inspecteur opiniâtre. Mais ces deux meurtres sont intimement liés aux heures les plus sombres de l'histoire de France du xxe siècle. Haletant polar, *Meurtres pour mémoire* est aussi un virulent réquisitoire contre la lâcheté et contre l'oubli.

Le succès de cette œuvre ne s'est jamais démenti depuis sa publication. *Meurtres pour mémoire* a reçu en 1985 le grand prix de la littérature policière et a fait l'objet d'adaptations télévisée (1985) et radiophonique (2003).

*Pour Jocelyne
et Aurélie.*

En oubliant le passé,
on se condamne à le revivre.

En oubliant le passé
on se condamne à le revivre.

SAÏD MILACHE

La pluie se mit à tomber vers quatre heures. Saïd Milache s'approcha du bac d'essence afin de faire disparaître l'encre bleue qui maculait[1] ses mains. Le receveur, un jeune rouquin qui avait déjà son ordre de mobilisation en poche, le remplaçait
5 à la marge de l'Heidelberg[2].

Raymond, le conducteur de la machine, s'était contenté de ralentir la vitesse d'impression et il revenait maintenant à la cadence[3] initiale. Les affiches s'empilaient régulièrement sur la palette[4], rythmées par le bruit sec que faisaient les pinces en
10 s'ouvrant. De temps à autre Raymond saisissait une feuille, la pliait, vérifiait le repérage puis il glissait son pouce sur les aplats[5] pour s'assurer de la qualité de l'encrage.

Saïd Milache l'observa un moment et se décida à lui demander l'une des affiches de contrôle. Il s'habilla rapidement et sortit de
15 l'atelier. Le gardien faisait les cent pas devant la grille. Saïd lui tendit l'autorisation d'absence obtenue le matin en prétextant

---

1. **Maculait** : tachait.
2. **Heidelberg** : machine d'imprimerie.
3. **Cadence** : rythme.
4. **Palette** : plateau de chargement sur lequel sont posées les affiches.
5. **Aplats** : surfaces dont la teinte est uniforme.

la maladie d'un proche. Trois motifs en moins de dix jours! Il était temps que cela se termine.

Le gardien prit le papier et le mit dans sa poche.

20 — Eh bien Saïd, on dirait que tu les fabriques! Si ça continue tu n'auras même plus besoin de venir jusqu'ici, tu enverras tes bons de sortie par la poste!

Il se contraignit à sourire. Les relations avec ses compagnons de travail restaient amicales tant qu'il s'efforçait de fermer son 25 esprit à leurs incessantes remarques.

Lounès l'attendait plus haut, au coin du passage Albinel. Il lui fallait traverser le canal Saint-Denis et longer les cabanes de bois et de tôle[1] qui avaient envahi les berges. Le pont faisait une bosse et, par temps clair, on voyait le Sacré-Cœur[2] en entier, derrière 30 l'énorme cheminée en brique rouge de Saint-Gobain[3]. Il ralentissait et s'amusait à bouger la tête pour placer la basilique sur les collines de soufre entreposées dans l'enceinte de l'usine. Pour y parvenir, il se baissait parfois sans se soucier de l'étonnement des passants. En contrebas, sur le quai, une grue extrayait[4] des 35 profondeurs d'une péniche des blocs de métal qu'un Fenwick[5] emportait aussitôt vers les hangars de Prosilor[6].

Il traversa l'avenue Adrien-Agnès pour s'enfoncer dans le quadrillage serré du bidonville[7]. Quelques Français occupaient encore les maisons situées en périphérie. Deux vieilles femmes, de 40 larges cabas de toile cirée à la main, discutaient à voix haute des mérites comparés de l'huile Dulcine et de la margarine Planta. Le Café-épicerie du Breton était vide hormis un jeune garçon qui jouait au flipper.

---

1. **Tôle** : mince plaque de fer ou d'acier.
2. **Sacré-Cœur** : église située dans le XVIIIe arrondissement de Paris.
3. **Saint-Gobain** : entreprise fabriquant notamment du verre.
4. **Extrayait** : retirait.
5. **Fenwick** : chariot élévateur.
6. **Prosilor** : entreprise de sidérurgie.
7. **Bidonville** : groupe d'habitations précaires à la périphérie des grandes villes.

Chez Rosa, Chez Marius, Café de la Justice, L'Amuse-gueule,
45 le Bar du Gaz. Les cafés, restaurants, hôtels, plus misérables les
uns que les autres se succédaient maintenant. Au fil des années
les propriétaires avaient revendu leur affaire à des Algériens et
ceux-ci conservaient l'enseigne d'origine.

Seule exception, Le Djurdjura[1], dernier commerce arabe avant
50 le quartier espagnol. Saïd poussa la porte vitrée et s'avança dans
la vaste salle. L'odeur habituelle, mélange de sciure et d'humidité, montait du parquet désinfecté à l'eau de Javel. Une dizaine
d'hommes, groupés sur les chaises entourant le poêle à charbon,
observaient deux joueurs de dominos.

55 Saïd s'accouda au bar sans que personne ne prête attention
à lui.

– Lounès est arrivé ?

Le patron fit signe que non et lui servit un café.

Par la vitre Saïd pouvait voir une bâtisse imposante, la plus
60 importante du quartier en dehors des usines. À la vérité, seul un
campanile[2] équipé de trois cloches signalait qu'il ne s'agissait pas
d'un atelier supplémentaire. Il n'avait franchi qu'une seule fois
le seuil de la mission[3] Santa-Teresa-de-Jesus, invité au mariage
d'un compagnon de travail catalan[4].

65 Le carillon de la porte d'entrée fut couvert par le claquement
des dominos sur la table de Formica[5].

– Salut Saïd. Je suis en retard, le patron ne voulait pas me
laisser sortir…

Saïd se retourna et posa une main sur l'épaule de Lounès.

70 – L'essentiel, c'est que tu sois là. Passons dans le bureau, il
nous reste à peine une heure.

---

1. Djurdjura : chaîne montagneuse d'Algérie.
2. Campanile : clocher.
3. Mission : ici, bâtiment religieux catholique.
4. Catalan : qui est né en Catalogne, région du Nord-Est de l'Espagne.
5. Formica : matériau très utilisé dans les années 1960.

Ils se trouvaient à présent dans une pièce minuscule encombrée de caisses, de bouteilles. Sur une table, des piles de papiers, de factures entouraient un téléphone noir.

75 Saïd décrocha un tableau publicitaire offert par les vins Picardy. Il fit glisser le cadre ; avec d'infinies précautions, il tira une feuille dissimulée entre le carton de protection et la reproduction. Lounès s'était installé au bureau.

– Tu as vu, Reims ne tiendra pas le coup. Je suis certain qu'ils
80 se feront avoir avant la fin du championnat. Trois à un contre Sedan ! Encore un match comme ça et Lens prend la tête.

– Nous avons des choses plus sérieuses à faire que de parler football. Téléphone aux quinze chefs de groupe. Dis-leur simplement « Rex », ils comprendront. Pendant ce temps je passe
85 voir les responsables du secteur. Rejoins-moi devant Pigmy-Radio avec la voiture d'ici trois quarts d'heure. N'oublie pas de remettre la liste à sa place.

*

Saïd et Lounès garèrent la quatre-chevaux à la Villette, boulevard Mac-Donald, juste après l'arrêt du PC[1] puis ils se dirigèrent vers
90 la bouche du métro. Un vent glacé dispersait les feuilles mortes ; il ne fallut que quelques instants à la pluie fine et serrée pour traverser le tissu mince de leurs vestes. La caserne des Gardes mobiles semblait calme bien que le parc de stationnement fût entièrement occupé par les Berliet[2] bleus des Compagnies répu-
95 blicaines de sécurité.

Une rame quittait la station. Le poinçonneur[3] les fit patienter un instant avant de perforer leurs tickets. Lounès se dirigea vers le plan du réseau[4] et pointa du doigt la station Bonne-Nouvelle.

---

1. **PC** : pour « petite ceinture » ; ligne de bus qui relie toutes les portes de Paris.
2. **Les Berliet** : cars des CRS.
3. **Poinçonneur** : personne qui perforait les titres de transport pour les valider.
4. **Réseau** : ensemble des lignes du métro.

– On peut changer à Gare-de-l'Est puis à Strasbourg-Saint-Denis. Ou alors Chaussée-d'Antin direct?

– Par Chaussée-d'Antin. Ça paraît plus long mais nous n'aurons qu'un seul changement. Nous y serons plus rapidement.

À chacun de ses arrêts, le métro se remplissait d'Algériens. À Stalingrad, il était bondé; les rares Européens se lançaient des regards angoissés. Saïd souriait. Il se rappela brusquement l'affiche qu'il avait réclamée à Raymond avant de quitter l'imprimerie. Il la sortit de sa poche, la déplia avec soin avant de la montrer à Lounès.

– Regarde un peu ce que je tourne sur ma machine depuis deux jours!

Au-dessus d'une photo de Giani Esposito et de Betty Schneider un court texte présentait le premier film de Jacques Rivette dont le titre s'étalait en caractères bleus sur toute la largeur de la feuille : *Paris nous appartient.*

– Tu te rends compte, Lounès, Paris nous appartient.

– Pour un soir… Si cela ne tenait qu'à moi, je leur laisserais bien Paris. Paris et tout le reste, pour un petit village du Hodna[1].

– Je me doute de son nom…

– Alors dis-le!

Saïd devint grave.

– Ne t'en fais pas, si nous sommes là ce soir, c'est pour avoir le droit de devenir vieux à Djebel Refaa[2].

*

À dix-neuf heures vingt-cinq, le mardi 17 octobre 1961, Saïd Milache et Lounès Tougourd montaient les marches du métro Bonne-Nouvelle. Au Grand Rex on jouait *Les Canons de Navarone*;

---

1. **Hodna** : plaine des hauts plateaux algériens.
2. **Djebel Refaa** : village algérien.

moving/ screening

plusieurs centaines de Parisiens attendaient, en ordre, la séance de vingt heures.

ROGER THIRAUD

Ce n'était pas uniquement le Moyen Âge qui pesait sur la classe et lui donnait cette atmosphère languissante[1]. Les premiers froids
130 et la pluie qui assombrissaient la vieille bâtisse y étaient pour beaucoup, ainsi que le repas trop consistant pris au réfectoire[2] du lycée.

Au début du cours, Roger Thiraud se demandait avec inquiétude s'il ne fallait pas chercher l'origine de cette léthargie[3] dans l'orien-
135 tation donnée à sa leçon. Depuis que sa femme était enceinte, il se passionnait pour l'histoire de l'enfance et introduisait de fréquentes réflexions sur ce sujet, dans ses exposés.

Qui s'est jamais soucié de la condition du nourrisson au XIIIe siècle ? Personne ! Pourtant, il lui semblait que ce type de
140 recherche valait bien celles menées par des dizaines d'éminents[4] spécialistes, sur des événements aussi décisifs que la circulation des pièces de bronze dans le Bassin aquitain, ou l'évolution de la hallebarde[5] en Bas-Poitou.

Il toussa et reprit.

145 – … Après la période d'allaitement naturel (il n'osait pas dire « au sein » devant ses élèves), il n'était pas rare au XIIIe siècle de voir la nourrice, dès que le bébé perçait ses dents, mastiquer la nourriture avant de la glisser dans la bouche de l'enfant.

---

1. **Languissante** : lourde d'une attente ennuyeuse.
2. **Réfectoire** : cantine.
3. **Léthargie** : engourdissement, somnolence.
4. **Éminents** : remarquables.
5. **Hallebarde** : arme pointue et tranchante utilisée au Moyen Âge.

Les vingt-deux élèves se réveillèrent d'un coup et manifes-
150 tèrent bruyamment leur dégoût de mœurs[1] aussi répugnantes.
Roger Thiraud les laissa se détendre, puis il frappa le tableau de
l'extrémité de sa règle.

– Hubert, approchez-vous. Montez sur l'estrade et inscrivez
les titres des ouvrages suivants, que vous devrez tous, et je dis
155 bien *tous*, consulter à la bibliothèque du lycée. Premièrement *De
proprietatibus rerum* de Barthélemy l'Anglais, chapitre VI ; cela aura
l'avantage de vous familiariser davantage avec la langue latine.
Deuxièmement les *Confessions* de Guibert de Nogent. Le cours
est terminé. Nous nous reverrons vendredi à quinze heures.

160 La salle se vida à l'exception d'un jeune garçon qui recevait deux
fois la semaine une leçon particulière de latin. L'adolescent habitait
place du Caire ; ils avaient pris l'habitude de remonter ensemble
le faubourg Poissonnière en parlant des événements de la journée. Avant d'arriver aux boulevards, Roger Thiraud prétexta une
165 course chez un traiteur pour quitter le jeune garçon. Il s'engagea
dans la rue Bergère, fit rapidement le tour du pâté de maisons
qui abrite l'immeuble du journal *L'Humanité* et se retrouva sur le
boulevard. Il observa, deux cents mètres plus haut, son élève qui
traversait en courant au milieu du flot des voitures. Il marcha dans
170 cette direction avant de s'arrêter à la devanture du Midi-Minuit.
Il entra furtivement dans le hall, paya sa place et pénétra dans la
salle noire. Il tendit son ticket à l'ouvreuse[2] ainsi qu'une pièce de
vingt centimes. Le film était commencé ; il lui faudrait attendre
le début de la séance suivante pour en connaître le titre.

175 Chaque semaine, le mardi ou le mercredi, ces deux heures
de rêve récompensaient l'effort intense qu'il accomplissait pour
sauter le pas et s'asseoir dans ce lieu de perdition[3]. Pour ne pas
leur ressembler !

---

1. Mœurs : habitudes, usages d'une époque.
2. Ouvreuse : personne chargée de placer le public dans une salle de spectacle.
3. Lieu de perdition : lieu de débauche.

Il s'imaginait sans peine l'indignation de ses collègues apprenant
180 que M. Thiraud – vous savez, ce jeune professeur de latin et d'histoire dont la femme attend un enfant – fréquentait les cinémas
où l'on projette des films indignes d'un esprit scientifique.

Comment leur expliquer sa passion pour le fantastique? Aucun
d'eux ne lisait Lovecraft! À peine s'ils connaissaient Edgar Poe.
185 Alors, Boris Karloff et Donna Lee dans *Le Récupérateur de cadavres*...
Le film durait à peine une heure un quart; il sortit de la salle avec,
en tête, le nom du réalisateur. Wise, Robert Wise. Un cinéaste
à retenir.

Il hésita entre le Tabac du Matin et le self-service situé au
190 rez-de-chaussée de *L'Humanité*. On pouvait y prendre un café,
l'emporter à une table sur un plateau et, tout en dégustant le
liquide brûlant, s'amuser à reconnaître au passage les grandes
signatures du journal, les plus illustres figures du parti communiste.
Thorez, Duclos, même Aragon[1] venaient ici se restaurer entre
195 deux réunions ou attendre que leur article arrive au marbre[2].

Ce soir malheureusement, il avait trop traîné; il se contenta
d'une consommation au comptoir du Tabac. *Le Monde* titrait
sur les difficultés du traité franco-allemand et les rumeurs insistantes qui circulaient dans les couloirs du XXIIe Congrès, là-bas,
200 à Moscou[3].

Avant de traverser le boulevard Bonne-Nouvelle sous la guir-
lande lumineuse du Rex annonçant la Féerie des Eaux, il acheta
un bouquet de mimosa et deux pâtisseries. Il songea au jour
où il en faudrait trois et sourit. Tout à ses pensées, il faillit être

---

1. Maurice Thorez (1900-1964) et **Jacques Duclos** (1896-1975) : hommes politiques,
dirigeants du parti communiste français. **Louis Aragon** (1897-1982) : écrivain et
poète; il a adhéré au parti communiste et a été journaliste à *L'Humanité*.
2. Au marbre : à l'imprimerie.
3. Le 17 octobre 1961 s'ouvre à Moscou le XXIIe Congrès du parti communiste. Des
rumeurs évoquent la signature d'un traité de paix séparé entre la RDA (Allemagne
de l'Est) et l'Union soviétique. Ces rumeurs sont finalement démenties par
Khrouchtchev, premier secrétaire du parti communiste d'Union soviétique, lors de
ce Congrès pour rassurer les Occidentaux.

205 accroché par deux jeunes gens, un garçon et une fille, juchés sur une mobylette orange.

Il lui restait à grimper les quinze marches de la rue Notre-Dame-de-Bonne-Nouvelle pour se retrouver chez lui. Il regarda machinalement vers le métro, ainsi qu'il faisait quelques années 210 auparavant en attendant Muriel. Deux Algériens, le col relevé pour s'abriter du vent, apparurent au même instant. La montre de Roger Thiraud marquait dix-neuf heures vingt-cinq, le mardi 17 octobre 1961.

KAÏRA GUELANINE

Les deux moutons reculèrent, effrayés, lorsque la motocyclette 215 quitta le chemin et vint s'immobiliser au bord du terrain qui leur servait de pâture[1]. Aounit maintenait le ralenti en relançant le moteur de temps à autre. Il porta l'index et le majeur de sa main libre à la bouche, siffla longuement, puis il fit signe au jeune garçon de venir près de lui.

220 — Il faut que tu rentres tout de suite, papa a besoin de toi à la boutique.

— Et mes moutons?

— N'aie pas peur, ils ne partiront pas! Que veux-tu qu'ils fassent… qu'ils se jettent dans la Seine? Allez, monte derrière moi.

225 L'enfant s'installa sur le siège de la Flandria[2], bloqua le rebord de ses talons sur les boulons du moyeu[3] de la roue motrice et agrippa fermement l'armature de la selle. Aounit conduisait vite. Il faisait de brusques écarts pour éviter les mares d'eau, les plaques de boue. On aurait pu croire que

---

1. Pâture : lieu où l'on fait paître le bétail.
2. Flandria : marque de la mobylette d'Aounit.
3. Moyeu : partie centrale de la roue.

230 toute son attention était mobilisée mais il trouvait le moyen de parler avec son frère.

– Ce soir je vais à Paris, avec Kaïra. Ça tombe mal, il reste trois bêtes à préparer pour le mariage du fils Latrèche. Tu n'as pas d'école demain ?

235 – Non, l'instit est malade et tu sais, le mardi soir j'ai mon match. En plus, on rencontre l'équipe de l'avenue de la République.

– Sur le terrain du Cimetière des Vieux ?

– Non, aux Hirondelles. En plus, ils jouent à domicile ! Ça va pas être facile. Si je ne viens pas, ils mettront le gars d'El Oued dans 240 les buts, pour me remplacer. C'est une vraie couscoussière.

– On dit «une passoire» en français.

– Et «El Oued», tu crois que c'est français !

La mobylette s'engagea sur le chemin de halage[1] à hauteur de l'île Fleurie pour contourner les entrepôts des Papeteries Réu-245 nies. Un brouillard froid mêlé de pluie commençait à tomber ; il enveloppait déjà les éléments supérieurs de l'usine à gaz.

Ils entrèrent en trombe dans le bidonville par la rue des Prés. Les pétarades du moteur deux temps attirèrent vers eux une nuée de gamins dont chacun avait une seule idée en tête : monter à 250 l'arrière de l'engin. Aounit ralentit et se dirigea vers l'une des rares baraques de ciment. Un homme portait sur l'épaule un mouton écorché. Du pied, il ouvrit la porte où figuraient, tracées à la craie, les lettres majuscules du mot BOUCHERIE. La fenêtre de la maison faisait office de comptoir ; deux clients attendaient 255 dans la rue que le commerçant les serve. À côté, des hommes s'affairaient à colmater[2] le toit d'une masure en clouant, aux jointures des planches, des bandes de caoutchouc prélevées sur des pneus usagés.

---

1. Chemin de halage : chemin qui longe un cours d'eau pour permettre de remorquer un bateau.
2. Colmater : combler, boucher.

Aounit entra dans la boutique en poussant sa Flandria, traversa
260 la pièce et déboucha dans la cour intérieure. Cela faisait cinq ans
que son père avait acheté, pour trois cent mille anciens francs,
la baraque 247 à une famille de Gèmar qui retournait au pays[1].
À cette époque, en 1956, ils ne disposaient que de trois pièces et
de la cour. La boutique, la chambre des parents où dormaient
265 également les plus jeunes enfants et la chambre qu'il partageait
avec son frère et Kaïra. Par la suite, son père et lui avaient bâti
deux autres pièces, ce qui permettait à sa sœur aînée d'être plus
indépendante.

Kaïra l'attendait dans la cour. Elle ne ressemblait pas aux autres
270 jeunes femmes du bidonville. À vingt-cinq ans, toutes ses amies
étaient mariées depuis des années et traînaient derrière elles une
armée de marmots[2]. Cette cour, ou une autre toute semblable,
constituait leur seul univers avec le Prisunic[3] de Nanterre. Un
horizon de terrains vagues coincé entre les usines et la Seine, à
275 dix minutes d'autobus des Champs-Élysées! Kaïra connaissait des
femmes dont le dernier pas en dehors du bidonville remontait
à deux, voire trois ans.

Sa mère était ainsi. Le jour de sa mort, Kaïra s'était juré de ne
pas être une simple hypothèse de femme. Elle s'occupait de ses
280 frères et sœurs, de tout ce que nécessite la vie quotidienne de
six personnes. Les achats, la cuisine, le contrôle des leçons, le
ménage, l'entretien des vêtements, l'approvisionnement en bois,
en charbon; et par-dessus tout, de la corvée d'eau. Ces seaux
qu'il fallait remplir hiver comme été à la fontaine de la place,
285 entreposer dans la cour pour la cuisine, la lessive, la toilette, la
boutique…

Elle se tenait à son serment et, en contrepartie de cette soumission
acceptée au bonheur des siens, elle se libérait, insensiblement,

---

1. Retournait au pays : retournait dans son pays natal (ici, l'Algérie).
2. Marmots : petits enfants (familier).
3. Prisunic : chaîne de supermarchés.

du fardeau des traditions. Cette lente évolution était marquée,
290 aux yeux du voisinage, par de soudaines audaces inimaginables
de la part d'une «véritable femme algérienne».

Kaïra se souvenait du premier matin où, tremblante, elle avait
osé sortir en pantalon. Pas un blue-jean comme en portaient ses
frères mais un Tergal[1], ample, qui masquait ses formes aussi bien
295 qu'une robe. Personne ne s'était permis de réflexion à voix haute
sur son passage, à peine quelques sourires vite effacés par son
regard fixe. Elle ne ménageait pas sa fierté ; elle aurait préféré
mourir plutôt que d'avouer s'être entraînée des semaines entières
à la maison, avant d'affronter le jugement des autres.

300 Elle s'avança vers son frère, un verre à la main.

– Tiens, bois, c'est de l'orangeade. Alors, tu te décides à venir
avec nous ?

– Je me tiens à ce que je t'ai dit. Je veux bien t'accompagner
jusqu'à ton rendez-vous et je file au Club le plus vite possible. Ce
305 soir il y a Les Chats Sauvages[2] qui passent dans l'émission d'Albert
Reisner[3]. Ce qui est sûr, c'est que je louperai le début.

– Si ça t'embête de m'emmener, je prendrai le bus et le
métro.

Aounit passa ses bras autour des épaules de Kaïra, l'embrassa
310 doucement sur la joue.

– Tu es drôlement susceptible dès qu'on parle de ton
amoureux…

Elle se dégagea vivement de l'étreinte et se réfugia dans la
cuisine.

315 – Pense ce qu'il te plaît ! Pour être à Paris à sept heures et demie
avec les transports en commun il faudrait partir tout de suite. Je
dois encore rencontrer les gens des autres quartiers de Nanterre.

---

1. Tergal : pantalon en fibre synthétique.
2. Les Chats Sauvages : groupe de rock des années 1960 mené par Dick Rivers.
3. Albert Reisner : animateur d'*Âge tendre et tête de bois*, une émission télévisée
sur la musique dans les années 1960.

Sans même parler de ça, le couscous n'est pas prêt ; ce n'est pas toi qui t'occuperas de donner à manger aux petits.

320 — Oublie ce que j'ai dit, je voulais simplement te taquiner. À quelle heure ça doit se terminer ?

— Je ne sais pas, dix ou onze heures, mais ne t'inquiète pas, Saïd et Lounès me ramèneront à la maison. Ils se sont mis d'accord avec un de leurs amis qui habite rue de la Garenne, près des

325 ateliers de Simca[1]. Demain matin ils descendront à la Porte-Maillot, ils prendront le PC jusqu'à la Villette. Lounès a laissé sa voiture tout près de là.

— Ce serait plus simple que vous alliez tous ensemble, cette nuit, reprendre la voiture. Ça leur éviterait de déranger le gars

330 de la Garenne.

— Tu as peut-être raison mais nous avons des consignes. Nous serons beaucoup plus en sécurité dans le métro que dans une voiture après la surprise qu'on leur prépare !

Tout en parlant Kaïra malaxait le couscous et cassait entre

335 ses doigts les grumeaux de semoule. À l'aide d'une cuillère elle déposa quelques œufs dans une casserole d'eau bouillante, puis mit la table pour les enfants. Elle sortit trois yaourts Vitho du garde-manger grillagé suspendu au mur.

— Tu diras au père que tout est prêt.

340 Elle quitta la maison et dans la rue salua les clients de son père. Elle se dirigea vers les maisons de la Compagnie des Eaux. C'est là que logeaient les premiers habitants du bidonville. La Compagnie, on ne sait pour quelle obscure raison, avait laissé ce terrain en friche[2] en abandonnant à leur sort quatre pavillons

345 rudimentaires[3], des sortes de grosses boîtes rectangulaires en brique rouge. Plusieurs familles s'y étaient installées, avaient agrandi leurs logements en édifiant un étage au moyen de tôles

---

1. **Simca** : usine automobile.
2. **En friche** : non exploité.
3. **Rudimentaires** : peu élaborés.

et de planches. Au fil des mois et des années d'autres familles les avaient rejointes et, aujourd'hui, les pavillons formaient le centre et le point culminant[1] d'une agglomération de huttes, de gourbis[2] où vivaient cinq mille personnes : le bidonville des Prés.

Avant de monter à l'étage, Kaïra frotta une allumette et éclaira les marches disjointes. Trois femmes et un homme l'attendaient dans une pièce sommairement meublée. Ils se levèrent à son entrée, portèrent chacun leur tour la main au cœur et au front après l'avoir saluée.

– Nous disposons de peu de temps, alors écoutez bien. Notre objectif, c'est en premier lieu le pont de Neuilly. Vous avez rendez-vous à huit heures moins cinq avec ceux de Bezons, Sartrouville et Puteaux sur le quai De Dion-Bouton, en face des jardins Lebaudy. Les gens de Colombes, Courbevoie et Asnières seront de l'autre côté du pont, sur le quai Paul-Doumer, à la hauteur de l'île de la Grande-Jatte. Pour vous rendre à Neuilly, vous devez passer par Puteaux en évitant les principaux axes. Surtout faites attention à ne pas approcher du Mont-Valérien, c'est plein de flics. À mon avis l'itinéraire le plus sûr c'est la rue Carnot et les Bas-Rogers, vers l'ancien cimetière. Arrivés là, vous attendez sans bruit qu'il soit huit heures moins cinq et vous grimpez sur le pont de Neuilly. Kémal et ses hommes seront sur place, ils vous indiqueront ce qui a été décidé.

Elle se leva, mais l'homme la retint par la manche de son tricot.

– Kaïra, tu peux nous le dire, maintenant ça n'a plus d'importance. Alors, on descend où ? Sur les Champs-Élysées ?

– Qui sait ? Nous allons peut-être débaptiser la place de l'Étoile et l'appeler place du Croissant et de l'Étoile[3] !

---

1. **Culminant** : le plus élevé.
2. **Gourbis** : habitations misérables, cabanes (mot d'origine arabe).
3. **Croissant**, **Étoile** : deux symboles musulmans figurant sur le drapeau algérien.

Aounit patientait au bout de la rue. Elle parvint à sa hauteur en courant du bout des pieds sans toujours réussir à éviter les flaques d'eau et de boue. Elle serra un foulard sur ses cheveux, s'installa sur la mobylette derrière son frère et s'accrocha à sa taille. Ils traversèrent les rues de Nanterre vidées par la pluie. Au passage, elle reconnut l'usine de sable avec son tapis élévateur et bien après les jardins ouvriers le château d'eau juché sur ses quatre pieds de béton. Trois jours auparavant, une équipe venue de la cité de transit avait osé, en plein jour, escalader l'édifice pour ajouter aux trois lettres peintes en blanc OAS[1] le I et le S qui faisaient de la réserve d'eau une oasis. Ils entrèrent dans Paris par le pont de Puteaux et rattrapèrent l'avenue Foch à travers le parc de Bagatelle et le bois de Boulogne. Aounit passait ses journées à sillonner[2] la ville pour une petite entreprise de livraison ; il contourna en se dirigeant avec sûreté les carrefours les plus encombrés en début de soirée. Plus sa sœur le suppliait d'être prudent, plus il poussait le moteur. Il franchit à l'orange le dernier feu du boulevard Bonne-Nouvelle et manqua de renverser un piéton distrait qui s'avançait sur le passage clouté, les bras encombrés de fleurs et d'une boîte de gâteaux. Kaïra poussa un cri.

– Arrête-toi, Aounit, nous sommes arrivés. Saïd m'attend à la sortie du métro devant la boutique d'un photographe. Viens avec moi, au moins pour lui dire bonjour.

Aounit attacha sa mobylette à un poteau d'interdiction de stationner ; ils remontèrent le boulevard sur quelques dizaines de mètres. Il n'y avait encore personne devant le studio Muguet, mais ils durent ralentir le pas car devant eux marchait l'homme qu'ils avaient failli écraser. Heureusement, il s'engagea dans une rue qui butait à droite contre des escaliers. Au même moment,

---

1. OAS : Organisation armée secrète. Mouvement clandestin et terroriste qui tenta de s'opposer par la violence à l'indépendance de l'Algérie.
2. Sillonner : parcourir en tous sens.

Kaïra distingua le visage de Saïd qui émergeait de la bouche de métro. Son cœur s'emballa; malgré le froid, elle sentit ses joues la brûler. Elle respira profondément par le nez pour ne pas s'élancer vers lui.

À la devanture de la bijouterie qui faisait l'angle de la rue Notre-Dame-de-Bonne-Nouvelle, une imposante horloge munie d'un balancier de cuivre marquait dix-neuf heures vingt-cinq. Le 17 octobre 1961.

À cet instant précis, un coup de sifflet strident couvrit le bruit de la circulation et la rumeur confuse qui s'élevait de la foule massée sur les trottoirs.

Des centaines de musulmans disséminés dans les cafés, devant
5 les étalages des magasins, dans les rues adjacentes au boulevard, répondirent au signal et envahirent la chaussée. En quelques minutes, la manifestation s'organisa. Des pancartes hâtivement confectionnées sortirent de sous les manteaux, plus loin on déroulait une banderole NON AU COUVRE-FEU[1]. Un groupe de femmes
10 algériennes revêtues de leurs habits traditionnels se porta en tête, lançant les cris perçants que les Français connaissent sous le nom de «youyou». Sans cesser de crier, elles agitaient leurs foulards à fils dorés au-dessus de leurs cheveux. D'autres manifestants qui attendaient dans les couloirs du métro rejoignaient les premiers.
15 C'était maintenant plus d'un millier d'Algériens qui bloquaient le carrefour Bonne-Nouvelle.

Le patron du Madeleine-Bastille avait l'expérience des soirées de trouble. La vitrine d'angle de sa brasserie s'était effondrée en deux occasions. Une première fois en 1956 lors de l'attaque
20 du journal *L'Humanité*, en protestation contre l'intervention

---

1. Couvre-feu : interdiction de sortir après certaines heures.

soviétique en Hongrie[1]. La seconde fois en mai 1958, au cours d'une démonstration de force gaulliste ou anti-gaulliste[2]; il ne se rappelait plus exactement. Avec l'aide des barmans et d'une dizaine d'habitués, il rentra chaises et tables puis commença
25 à coller de larges bandes de papier gommé à l'intérieur des vitres, une technique utilisée lors des bombardements et qui avait prouvé son efficacité. En face, le journal, mieux équipé, abaissait un rideau de fer sur sa façade.

Roger Thiraud redescendit les marches de la ruelle, intrigué
30 par les clameurs. Il vit passer de nombreux musulmans et distingua nettement le slogan repris à pleine voix à trois mètres de lui. «Algérie algérienne.»

Ainsi, ils avaient osé! La guerre qui pour la grande majorité des Français avait la seule réalité d'une suite de communiqués[3],
35 tour à tour euphoriques[4] ou creux, cette guerre prenait corps au centre de Paris. Le concierge de l'immeuble s'avança, interrompu en plein repas. Il tenait une serviette de table à la main.

– C'est un comble! Ils se croient à Alger... J'espère que l'armée va rappliquer pour me virer tous ces fellouzes[5].
40 – Ils n'ont pas l'air aussi terrible que cela. Il y a même des femmes et des enfants.

– On voit bien que vous ne regardez pas les informations, monsieur le professeur. Leurs méthodes, c'est le pillage et les massacres. Leurs mousmés[6] et leurs gosses, ils s'en servent pour poser les
45 bombes. Alors, si vous voulez mon avis, pas de quartier[7].

---

1. En novembre 1956, les Soviétiques interviennent militairement en Hongrie pour noyer dans le sang un mouvement d'indépendance hongrois.
2. En mai 1958, le général de Gaulle se déclare prêt à assumer les pouvoirs de la République de façon transitoire afin de régler la crise algérienne. Des manifestations ont lieu pour le soutenir, d'autres au contraire crient à la dictature.
3. Communiqués : informations officielles transmises au public par les médias.
4. Euphoriques : enthousiastes.
5. Fellouzes : argot militaire désignant des partisans algériens («fellaga») luttant contre l'armée française pour obtenir l'indépendance de leur pays.
6. Mousmés : jeunes femmes (mot japonais).
7. Pas de quartier : pas de pitié.

Roger Thiraud s'éloigna, mal à l'aise. Saïd et ses amis se trouvaient devant le Rex. La file d'attente pour *Les Canons de Navarone* s'était désagrégée. Aounit s'affairait à ouvrir la chaîne antivol de sa Flandria. Cinq cents mètres plus bas, à mi-chemin
50 de l'Opéra, le capitaine Hernaud de la 3e Compagnie de CRS reçut l'ordre de disperser la manifestation qui se formait à Bonne-Nouvelle. Les 2e et 4e Compagnies devaient, quant à elles, renforcer la brigade de gendarmes mobiles déployée aux alentours du pont de Neuilly où on signalait d'importantes
55 concentrations de « Français musulmans ». D'autres détachements de gardiens de la paix faisaient route vers Stalingrad, la gare de l'Est et Saint-Michel. La radio du car de liaison ne cessait de rappeler les consignes. « *Brisez le mouvement, n'hésitez pas à vous servir de vos armes si la situation l'exige. Chaque homme*
60 *est fondé à juger, en cas d'engagement physique, du moyen de riposte approprié.* »

Le capitaine pressait ses hommes de s'installer dans les Berliet bleu nuit.

– N'oubliez pas d'ajuster vos lunettes. Nous commencerons
65 par les grenades, mais avec ce vent, il y a des chances qu'on en prenne plein la gueule nous aussi.

La camionnette-arsenal[1] était vide. Le règlement prévoyait qu'un quart seulement des hommes de la Compagnie disposeraient de leurs armes au début d'un engagement[2]. Il était
70 temporairement suspendu. On avait même distribué les quatre fusils lance-grenades et les huit fusils-mitrailleurs.

Le capitaine Hernaud donna le signal du départ ; la colonne remonta pleins phares et avertisseurs bloqués le boulevard Montmartre et le boulevard Poissonnière, sans se soucier des sens
75 interdits. Les camions firent halte au croisement de la rue du Sentier. Les CRS se groupèrent sous l'enseigne des Assurances

---

1. Camionette-arsenal : camionnette où sont stockées les armes et les munitions.
2. Engagement : combat de courte durée.

de Zurich, tandis qu'une dizaine d'entre eux faisaient évacuer les voitures qui les séparaient des manifestants. Quand ce fut terminé, les Berliet formèrent une barricade qui obstruait[1] tota-
80 lement la chaussée. Pendant ce temps d'autres policiers s'installaient derrière les automobiles en stationnement. De cet abri improvisé, ils lancèrent les premières grenades lacrymogènes[2]. Mais une rafale de vent rabattit les gaz contre les façades, les dispersant. Le capitaine commanda l'arrêt des tirs ; il rassembla
85 ses troupes devant les phares des camions. Les manifestants saluaient en riant l'échec de l'offensive policière, mais certains s'inquiétaient de voir cette masse de soldats, recouverte jusqu'à hauteur des genoux de cuir noir luisant, ces casques sombres séparés par une arête[3] de métal brillant, cette absence de visage
90 derrière les hublots des lunettes de motocyclistes. La lumière aveuglante des phares ne permettait pas de distinguer leurs armes. Bien entendu, ils avaient ces longues matraques de bois, grosses comme des manches de pioche et longues comme des balais, les bidules[4], et d'autres armes de poing, très courtes,
95 pleines de reflets.

Soudain, l'énorme silhouette se mit en mouvement, accompagnée d'un long cri. Doucement d'abord et gagnant de la vitesse à chaque enjambée. Il semblait que rien ne puisse l'arrêter dans son élan ; le martèlement des bottes sur les pavés
100 renforçait ce sentiment de fatalité. Les CRS qui composaient la première ligne paraissaient gigantesques, gonflés par les gilets pare-balles glissés sous leurs manteaux de cuir. Les Algériens ne réagissaient pas, comme cloués sur place par la stupeur. On sentait un réel flottement dans leurs rangs ; il était déjà trop
105 tard pour organiser la défense. Cette idée s'imposa à tous en

---

1. Obstruait : barrait.
2. Grenades lacrymogènes : grenades qui diffusent un gaz provoquant une violente irritation des yeux.
3. Arête : ligne saillante.
4. Bidules : ici, grandes matraques.

un éclair. La foule reflua d'un bloc vers le Rex où se produisit le choc. Les crosses[1] s'abattirent sur les têtes nues, mal protégées par les bras et les mains. Un policier jeta une femme à terre en la rouant de coups de galoche[2] ; il lui assena une volée de gifles et s'éloigna. Un autre frappait de toutes ses forces le ventre d'un jeune garçon avec son bidule, si fort que le bois se rompit. Il continuait en se servant du morceau le plus acéré[3]. Sa victime tendait les mains pour se protéger, essayant d'attraper le manche de bois. Il ne parvint bientôt plus à commander ses doigts brisés.

Des détonations claquèrent devant la piscine Neptuna où stationnait un car. À l'intérieur, trois agents visaient soigneusement les fuyards et ne rataient aucune cible. Une Ariane rouge et crème garée à moins de vingt mètres, derrière laquelle s'abritaient de nombreux musulmans, était criblée d'impacts. Des gens couraient en tous sens en hurlant. Dans la panique ils butaient contre les corps tombés aux terrasses des cafés parmi les tables renversées, les verres brisés, les vêtements maculés[4] de sang.

Kaïra et Saïd étaient là, pris sous le feu. Aounit gisait sur le trottoir, de l'autre côté, près de sa mobylette. Mort ou blessé. Les rafales s'espacèrent : ce fut le silence troublé par les râles[5] des agonisants. Un simple répit ! Les CRS reformèrent leurs rangs et repartirent à l'assaut. Un mouvement de foule désordonné propulsa Kaïra en première ligne, face à une sorte de robot écumant[6] qui leva sa matraque. Une peur atroce et absolue l'immobilisa, bloqua son souffle ; elle eut conscience que son sang se retirait d'un coup de son visage. Malgré le froid, sa peau hérissée se couvrit de transpiration. Elle ne pouvait quitter des yeux cet

---

1. Crosse : partie de l'arme que l'on tient pour tirer.
2. Galoche : chaussure à semelle de bois.
3. Acéré : tranchant.
4. Maculés : tachés.
5. Râles : souffles des agonisants, de ceux qui vont mourir.
6. Écumant : bavant.

être effroyable qui allait la tuer. La main s'abattit brusquement
135 mais Saïd, au prix d'un effort terrible, se porta devant elle, la
protégeant de son corps. La brutalité du choc les renversa tous
deux. Le policier n'en continuait pas moins de frapper Saïd.
Il finit par se lasser. Kaïra craignait de faire le moindre geste
pouvant laisser croire à leur agresseur qu'elle vivait encore. Saïd,
140 au-dessus, faisait de même, pensait-elle, jusqu'à l'instant où elle
identifia le liquide poisseux et âcre qui s'étalait sur son manteau.
Sa peur était douce en comparaison de l'immense douleur qui
s'empara des moindres atomes de son être. Elle releva le cadavre
de son ami en hurlant :
145 – Assassins ! Assassins !

Deux policiers s'emparèrent d'elle, la dirigèrent vers un des
autobus de la RATP réquisitionnés[1] pour assurer le transfert des
manifestants appréhendés, vers le Palais des sports et le Parc des
expositions de la porte de Versailles.
150 Seul Lounès était indemne, il tentait de disperser la foule dans
les petites rues qui jalonnent les boulevards. De nombreux passants
prêtaient main-forte aux CRS et leur désignaient les porches,
les recoins où se cachaient des hommes, des femmes rendus
stupides par l'horreur.
155 Il était près de huit heures. Sur les quais situés en contrebas
du pont de Neuilly, deux immenses colonnes formées par les
habitants des bidonvilles de Nanterre, Argenteuil, Bezons, Courbevoie, se mirent en mouvement. Des responsables du FLN[2]
les encadraient et canalisaient les groupes qui ne cessaient de
160 se joindre à eux. Ils étaient au moins six mille ; les quatre voies
du pont ne semblaient pas assez larges pour assurer l'écoule-
ment du cortège. Ils dépassèrent la pointe de l'île de Puteaux,
sous leurs pieds, et pénétrèrent dans Neuilly. Pas un ne portait

---

1. Réquisitionnés : ici, utilisés d'autorité par les forces de l'ordre.
2. FLN : Front de libération nationale. Mouvement nationaliste algérien fondé en
1954 pour conquérir l'indépendance de l'Algérie.

d'arme, le moindre couteau, la plus petite pierre dans la poche.
165 Kémal et ses hommes contrôlaient les individus suspects ; ils
avaient expulsé une demi-douzaine de gars qui rêvaient d'en
découdre[1]. Le but de la démonstration était clair : obtenir la
levée du couvre-feu imposé depuis une semaine aux seuls Français musulmans et du même coup prouver la représentativité
170 du FLN en métropole[2].

La voie était libre ; ils purent distinguer, au loin, l'Arc de
Triomphe illuminé à l'occasion de la visite officielle du shah
d'Iran et de Farah Dibah[3]. Comme à leur habitude, les femmes
prirent la tête. On voyait même des landaus entourés d'enfants.
175 Qui pouvait se douter que trois cents mètres plus bas, masqués
par la nuit, les attendait une escouade[4] de gendarmes mobiles
épaulée par une centaine de harkis[5] ? À cinquante mètres, sans
sommation[6], les mitraillettes lâchèrent leur pluie de balles. Omar,
un jeune garçon de quinze ans, tomba le premier. La fusillade
180 se poursuivit trois quarts d'heure.

*

Roger Thiraud était fasciné, horrifié à la fois par ce qui se déroulait
devant lui. Son attention restait accaparée par les corps inertes[7]
des manifestants. Un cadavre surtout, dont la tête éclatée, terrible,
barrée d'une bouche d'ombre mortelle, laissait s'échapper des

---

1. En découdre : se battre.
2. Métropole : État considéré par rapport à ses colonies, à ses territoires extérieurs ;
ici, la France métropolitaine par rapport à l'Algérie colonisée.
3. Le shah d'Iran et **Farah Dibah** : le chef d'État iranien et son épouse.
4. Escouade : groupe.
5. Harkis : militaires d'Afrique du Nord ayant servi sous le drapeau français pendant
la guerre d'Algérie (1954-1962).
6. Sans sommation : sans avertissement.
7. Inertes : immobiles, sans mouvement.

185 filets de sang pareils à des serpents liquides. En face, sur l'autre trottoir, les premiers invités du Théâtre du Gymnase se faufilaient en direction des portes vitrées que défendait une quinzaine de membres du personnel. Le directeur de la salle maudissait le sort qui entachait la soirée inaugurale[1] de *Adieu prudence* de Leslie

190 Stevens adaptée par Barillet et Grédy. Jusqu'à maintenant on avait pu cacher à Sophie Desmarets les événements qui ensanglantaient la rue, afin de ménager ses nerfs, mais les « amis » qui réclamaient la loge de la comédienne ne manqueraient pas de réduire ces efforts à néant.

195 – Ils l'ont bien cherché, lui dit un passant.

Roger Thiraud le fixa.

– Mais ils ont besoin d'être soignés, il faudrait les transporter à l'hôpital. Ils vont tous mourir !

– Si vous croyez qu'ils ont pitié des nôtres, là-bas. Et d'abord

200 ce sont eux qui ont tiré les premiers.

– Non, ne dites pas ça. Je suis ici depuis le début, je rentrais chez moi… Ils couraient comme des lapins, les mains nues, ils cherchaient à se cacher, se protéger quand la police a ouvert le feu.

205 L'homme s'éloigna en l'insultant.

Le directeur du théâtre descendit les marches du perron et interpella un gradé.

– Venez vite, il y en a au moins cinquante qui sont entrés dans la partie technique et dans les coulisses. Notre première débute

210 dans dix minutes, il faut que vous interveniez.

L'officier constitua un détachement qu'il mit en position devant le portail du local des machinistes[2] et, l'arme au poing, fit ouvrir les deux battants. Une vingtaine d'hommes apeurés, les mains sur la nuque, sortirent à la lumière des lampadaires.

---

1. Inaugurale : première.
2. Machinistes : personnes chargées de la manœuvre des décors et des accessoires de spectacles.

215   Derrière eux, dans le couloir, on préparait les coupes pour fêter le succès prévisible de *Adieu prudence*.

    Roger Thiraud fut à deux doigts d'intervenir mais il n'en trouva pas le courage. Il assista, impuissant, au tabassage en règle d'un automobiliste bloqué rue du Faubourg-Poissonnière qui portait
220 secours à un blessé, essayant de le dissimuler à l'arrière de son véhicule.

    De l'autre côté, vers l'immeuble en rotonde des PTT[1], au coin de la rue Mazagran, on rassemblait les prisonniers. De nombreux autobus étaient arrivés et se chargeaient de centaines d'Algériens
225 hagards qui tentaient, sans succès, d'éviter les coups de matraque distribués par les CRS placés en file devant les plates-formes. Il avait suffi de quelques dizaines de minutes à la RATP pour interrompre le service et affecter ses véhicules au regroupement des manifestants. Un machiniste lisait *Le Parisien* en attendant l'ordre
230 de départ. Roger Thiraud compta instinctivement le nombre de bus bondés qui passaient devant ses yeux. Douze. Il évalua à plus de mille celui des hommes pressés les uns contre les autres, debout, blessés.

    Un photographe accompagnait les policiers dans les actions les
235 plus dures. À intervalles réguliers, les éclairs du flash révélaient autant de tableaux sanglants.

    Un autre homme observait la scène depuis le début de la manifestation. Il n'avait pas bougé de l'encoignure[2] du café Le Gymnase. Bien qu'il soit revêtu de l'uniforme des CRS, il ne
240 semblait pas être concerné par l'activité de ses collègues et se contentait, tout simplement, de fixer l'endroit précis où se trouvait Roger Thiraud. Il jugea le moment venu et sortit de l'ombre. Il traversa le boulevard, s'approcha d'un pas mesuré de la rue Notre-Dame-de-Bonne-Nouvelle ; sans se soucier du froid et de
245 la pluie, il enleva son lourd manteau de cuir qu'il plaça sur son

---

1. **PTT** : Postes et Télécommunications.
2. **Encoignure** : angle.

bras gauche. Du même geste il ramena son casque sur son front et s'assura que ses lunettes étaient bien en place. À hauteur de la rue Thorel, il fit une halte puis sortit un Browning de son étui. Il n'avait pas choisi cette arme à la légère. Le modèle 1935 restait le pistolet d'ordonnance[1] le plus répandu au monde ; il faisait encore aujourd'hui la renommée et le succès de la Fabrique nationale d'Herstal[2].

Il éjecta le chargeur muni de ses treize cartouches et le ré-enclencha d'un coup sec contre sa paume. Cette crosse lui était familière ; à vingt mètres de distance il plaçait le contenu du magasin dans une cible de dix centimètres de côté. Il reprit sa marche après avoir placé le Browning dans sa main gauche, sous le manteau de cuir. Ce n'était pas la première fois, mais il ne pouvait s'empêcher de trembler, de serrer les dents. Il lui fallait, par-dessus tout, réprimer cette envie de fuir, de laisser les choses inabouties. Marcher, continuer à avancer, ne plus penser…

Il distinguait maintenant les traits de Roger Thiraud et revit en mémoire le jeu de photos qu'on lui avait confié. Le même front large, les lunettes d'écaille, jusqu'à cette curieuse chemise aux pointes de col boutonnées.

Comme lors des missions précédentes, tout se décida en un instant, trop vite pour qu'il comprenne pourquoi il venait de se porter à la gauche du professeur. Le moindre de ses mouvements correspondait à ce qu'il fallait faire, inéluctablement, pour remplir la mission. Rien ne pouvait l'arrêter. C'était comme s'il avait déjà accompli l'irréparable. Sa main droite se dissimula une fraction de seconde sous le cuir et réapparut crispée sur la crosse du pistolet. Roger Thiraud ne prêtait pas attention à lui ; l'homme en profita pour se placer derrière. Brusquement, il lui coinça la tête avec son bras droit.

---

1. Ordonnance : militaire.
2. Herstal : commune de Belgique où étaient fabriquées de nombreuses armes.

Le manteau vint se coller sur le visage du professeur qui laissa tomber son bouquet de fleurs et le paquet de gâteaux. Il agrippa désespérément la main de son agresseur pour lui faire lâcher
280 prise. Mais l'homme, méthodiquement, appliqua le canon de l'arme sur la tempe droite de Roger Thiraud, introduisit le majeur dans le pontet[1] et appuya sur la détente. Il repoussa le corps en avant, recula. Le professeur s'effondra sur le trottoir, le crâne éclaté.
285 L'homme rangea son arme, posément, enfila son manteau et disparut par les escaliers de la rue Notre-Dame-de-Bonne-Nouvelle.

*

Au petit matin il ne restait plus sur les boulevards que des milliers de chaussures, d'objets, de débris divers qui témoignaient de la
290 violence des affrontements. Le silence s'était établi, enfin. Une équipe de secours envoyée par la préfecture de police recherchait les blessés et les cadavres. On ne s'embarrassait pas de gestes inutiles, ni de problèmes de conscience, les corps étaient entassés pêle-mêle, sans distinction.
295 – Hé, par ici, c'est le quinzième de crevé dans le coin. Pas très joli, il a pris une balle en pleine tête ! Bon, vous venez m'aider ?
Ils retournèrent le corps.
– Oh, merde, c'est pas un bicot[2] ! On dirait un Français.
Le chef d'équipe était bien embarrassé par sa découverte ; il
300 décida de se couvrir en prévenant son supérieur.
Le lendemain, mercredi 18 octobre 1961, les journaux titraient sur la grève de la SNCF et de la RATP, pour l'augmentation

---

1. **Pontet** : partie qui entoure la détente d'une arme à feu.
2. **Bicot** : terme injurieux et raciste pour désigner un Arabe nord-africain.

des salaires. Seul *Paris Jour* consacrait l'ensemble de sa une aux
événements de la nuit précédente :

LES ALGÉRIENS MAÎTRES DE PARIS
PENDANT TROIS HEURES

Vers midi, la préfecture communiqua son bilan et annonçait
trois morts (dont un Européen), soixante-quatre blessés et onze
mille cinq cent trente-huit arrestations.

Un quiz pour commencer

Cochez les bonnes réponses.

❶ *Où l'action du roman se déroule-t-elle dans les chapitres 1 et 2 ?*
- ☐ À Paris, au métro Bonne-Nouvelle.
- ☐ À Toulouse, au Capitole.
- ☐ À Bruxelles.

❷ *À quelle date l'action du roman commence-t-elle ?*
- ☐ Le 17 octobre 1942.
- ☐ Le 17 octobre 1961.
- ☐ Le 17 octobre 1983.

❸ *Pourquoi Saïd, Lounès, Aounit et Kaïra se retrouvent-ils à Paris ?*
- ☐ Pour aller au cinéma.
- ☐ Pour rencontrer Roger Thiraud.
- ☐ Pour se rendre à une manifestation organisée par le FLN.

❹ *Pourquoi des milliers d'Algériens se rassemblent-ils à Paris ?*
- ❏ Pour protester contre la guerre d'Algérie.
- ❏ Pour obtenir la levée du couvre-feu imposé aux Algériens.
- ❏ Pour exiger l'indépendance de l'Algérie.

❺ *Qui est Roger Thiraud ?*
- ❏ Un activiste politique.
- ❏ Un dangereux criminel.
- ❏ Un paisible professeur d'histoire et de latin.

❻ *Que fait Roger Thiraud dans ces deux premiers chapitres ?*
- ❏ Il assiste par hasard à ces événements.
- ❏ Il organise la manifestation.
- ❏ Il participe à la manifestation.

❼ *De quelle manière les forces de l'ordre se comportent-elles ?*
- ❏ Elles n'interviennent pas et laissent la manifestation se dérouler paisiblement.
- ❏ Elles répriment violemment les manifestants sans défense.
- ❏ Elles arrêtent les manifestants armés et dangereux.

❽ *Comment Roger Thiraud est-il tué ?*
- ❏ Il est assassiné par un inconnu en marge de la manifestation.
- ❏ Il est victime d'une bavure policière.
- ❏ Il est tué par un manifestant algérien.

❾ *Comment peut-on qualifier le bilan des victimes communiqué par la préfecture de Paris ?*
- ❏ Conforme à la réalité.
- ❏ Très inférieur à la réalité.
- ❏ Très supérieur à la réalité.

Des questions pour aller plus loin

☞ Étudier le début du roman

Une foule de personnages

❶ Comment décririez-vous Saïd Milache, Roger Thiraud et Kaïra Guelanine (métier, caractère, lieu de vie)? Ces trois personnages sont-ils décrits physiquement?

❷ Qui est le «piéton distrait [...] les bras encombrés de fleurs» (p. 27, l. 395-396) que manquent de renverser Aounit et Kaïra? Pourquoi n'est-il pas nommé?

❸ Au début du chapitre 2, relevez tous les éléments qui contribuent à créer l'impression d'une foule compacte.

❹ «On sentait un réel flottement dans leurs rangs; [...] Cette idée s'imposa à tous en un éclair» (pp. 32-33, l. 103-106). Quelle est la nature grammaticale de «on»? Qui représente-t-il?

❺ Quels sont les propos et les réactions des personnages secondaires du chapitre 2 face aux événements (le concierge, le passant témoin qui s'adresse à Roger Thiraud, l'équipe de secours)? Quelle société l'auteur dépeint-il?

Le meurtre de Roger Thiraud

❻ Relevez les éléments composant le portrait physique du meurtrier de Roger Thiraud. Pour quelle raison ne sont-ils pas plus nombreux? Quel portrait moral peut-on esquisser de ce meurtrier?

❼ En quoi peut-on dire que le meurtre de Roger Thiraud est mis en scène? Relevez les éléments du texte qui justifient votre réponse.

❽ Selon quel point de vue le meurtre de Roger Thiraud est-il raconté? Est-ce habituel dans les romans policiers?

❾ Quels éléments du meurtre de Roger Thiraud restent mystérieux pour le lecteur ? À la lecture de la fin du chapitre 2, peut-on penser qu'une enquête sera ouverte sur les événements du 17 octobre 1961 ?

❿ Dans quelle mesure le pluriel « meurtres » dans le titre du roman est-il justifié à la lecture du chapitre 2 ? Pour autant, s'agit-il d'un début « classique » de roman policier ?

Une manifestation meurtrière

⓫ Relevez les éléments qui contribuent à ancrer les événements des deux premiers chapitres dans la réalité des années 1960 (objets, noms des cafés et des théâtres, journaux, titres de films, allusions à des événements internationaux).

⓬ Quels sont les termes qui caractérisent les forces de l'ordre à la page 32 ? Quelle impression l'auteur cherche-t-il à créer ?

⓭ Dans la description de la manifestation et de sa répression au chapitre 2 (de « La foule reflua » à « Assassins! », pp. 33-34, l. 106-145), relevez le champ lexical du bruit et de la violence.

⓮ Quelles sonorités reviennent constamment dans le passage suivant : « Les rafales s'espacèrent : ce fut le silence troublé par les râles des agonisants. Un simple répit ! Les CRS reformèrent leurs rangs et repartirent à l'assaut » (p. 33, l. 125-128) ? Qu'évoquent-elles ?

⓯ « Roger Thiraud était fasciné, horrifié à la fois par ce qui se déroulait devant lui » (p. 35, l. 181-182) : quelle figure de style est employée pour décrire les sentiments de Roger Thiraud ?

⓰ Dans quelle mesure le bilan de la manifestation communiqué par la préfecture (p. 40) contraste-t-il avec le récit de la manifestation fait dans le chapitre 2 ? Qu'est-ce que l'auteur tente de dénoncer ?

> **Rappelez-vous !**
>
> Le point de vue est interne lorsque les faits sont perçus à travers les yeux d'un personnage.
>
> Le point de vue est externe lorsque les faits sont présentés de manière objective et extérieure aux personnages.
>
> Le point de vue est omniscient lorsque le narrateur en sait plus et en dit plus que ce que savent les personnages. Il connaît leurs pensées, leur passé et leur avenir.

De la lecture à l'écriture

Des mots pour mieux écrire

❶ **Complétez chacune de ces phrases avec les mots qui conviennent et accordez-les si nécessaire :** criblé, maculé, inerte, indemne, apeuré.

a. Face au comportement des CRS, les manifestants étaient _____.

b. Son tablier était _____ de sauce quand il faisait la cuisine.

c. Il fut le seul à sortir _____ de ce combat sanglant.

d. Les cadavres étaient _____ de balles.

e. Son corps était _____, je pensais qu'il dormait.

❷ **Cherchez les différents sens du mot** manifestation **dans le dictionnaire. Proposez trois mots de la même famille et utilisez chacun d'eux dans une phrase de votre invention.**

À vous d'écrire

❶ Réécrivez la scène du meurtre de Roger Thiraud de son propre point de vue. Vous tiendrez compte du fait qu'il ne voit jamais son agresseur préparer son crime.
Consigne. Vous emploierez des verbes de perception (vision, ouïe, odorat...) et utiliserez le vocabulaire des sentiments et des sensations. Vous rédigerez votre récit à la troisième personne du singulier.

❷ Rédigez un dialogue entre deux manifestants, avant l'intervention des CRS. Le premier assure qu'il ne faut pas avoir peur de la police dans la mesure où la manifestation est pacifique, tandis que le second est convaincu que des représailles sont à craindre.
Consigne. Vous prendrez soin de respecter la ponctuation et les caractéristiques du dialogue. Vous ferez apparaître la stratégie argumentative des deux interlocuteurs.

Du texte à l'image

➡ Photographies de la manifestation du 17 octobre 1961 à Paris.
(Images reproduites en début d'ouvrage, au verso de la couverture.)

👁 Lire l'image

❶ Observez ces deux photographies en noir et blanc. Dans quelles circonstances (lieu, moment, événement) ont-elles été prises selon vous ?
❷ Sur la photographie du haut, qui sont les personnes présentes au premier plan ? Et sur la photographie du bas ? Décrivez leur attitude.
❸ Quel est le lien entre ces deux photographies ?

🖼 Comparer le texte et l'image

❹ Retrouvez un passage du roman que ces photographies pourraient illustrer.

❺ Quelles sont les concordances et les différences entre le texte de Didier Daeninckx et ces deux photographies ?

❻ Comment sont habillées les personnes qui apparaissent sur la photographie du haut ? Relevez un extrait dans le groupement de textes sur la guerre d'Algérie (pp. 252-260) qui évoque ces tenues vestimentaires.

✏ À vous de créer

❼ Proposez une légende pour ces deux photographies.

❽ Rédigez un article de presse décrivant l'événement illustré par ces photographies. D'une trentaine de lignes, votre article sera structuré en trois paragraphes.

À la demande de sa mère, Bernard éteignit le poste de télévision. Le présentateur du journal de treize heures se fondit en un point lumineux et disparut.

– Tu peux te servir de la télécommande, maman, on a pris
5 ce modèle exprès, comme cela tu n'as pas besoin de te lever. Il suffit d'appuyer sur les touches…

Muriel Thiraud se contenta de remuer la tête, elle continua de fixer le téléviseur qui lui renvoyait le reflet assombri de la pièce et de son visage.

10 Elle ne quittait pratiquement jamais ce fauteuil dans lequel, vingt ans plus tôt, elle avait appris la mort de son mari. Seul l'enfant qui distendait[1] son ventre lui avait interdit alors de se laisser mourir. Dès que Bernard vint au monde, elle s'en désintéressa et vécut en recluse, dans les trois pièces de la rue Notre-Dame-de-
15 Bonne-Nouvelle. Elle ne s'approchait jamais de la fenêtre pour ne pas apercevoir, trois étages plus bas, les marches de l'escalier où, un matin d'octobre 1961, on ramassa le corps de son mari.

Bernard Thiraud fut élevé par ses grands-parents ; adolescent il se consacra tout naturellement à l'étude de l'histoire. Au cours
20 d'une conférence sur «Les peurs de l'Occident», il avait rencontré Claudine Chenet ; elle commençait, à cette époque, une thèse[2]

---

1. Distendait : étirait.
2. Thèse : doctorat, diplôme universitaire.

dont le sujet, «La Zone de Paris[1] en 1930», fut le prétexte à de multiples promenades.

25   – Tu sais très bien qu'elle ne s'habitue pas à ces gadgets, Bernard. Il est temps de partir, si nous attendons une heure de plus, l'autoroute sera bouchée. Je ne supporte pas de rouler au pas pendant des kilomètres…

Bernard s'approcha de sa mère et l'embrassa.

– Nous serons de retour dans un mois. Au plus tard début
30 septembre. J'ai laissé notre adresse et notre téléphone au Maroc chez la concierge. S'il y a un problème, n'hésite pas à nous appeler ; enfin, pas avant une semaine. Nous devons nous arrêter un jour ou deux à Toulouse et ensuite il faut traverser l'Espagne.

35   Claudine serra la main de sa future belle-mère. Ils sortirent de l'appartement sans que Muriel Thiraud n'esquisse le moindre geste. Dans l'escalier Claudine ne put s'empêcher de dire :

– Je ne m'y ferai jamais ! J'ai l'impression de m'adresser à un fantôme.

40   Pour toute réponse, Bernard lui passa le bras autour du cou. La voiture, une Volkswagen au bleu délavé, était garée plus haut, vers la rue Saint-Denis. Claudine s'installa au volant et traversa Paris vers la porte de Saint-Cloud. Elle se glissa dans le flot des vacanciers. Après le tunnel, elle ouvrit le toit et mit la radio.

45   Quelques ralentissements se produisirent jusqu'à la sortie de Montlhéry, provoqués la plupart du temps par des caravaniers ou des poids lourds. Claudine conduisait à vive allure en occupant la voie de gauche. Ils firent une halte à Pons, «la cité du biscuit», vers sept heures, puis reprirent la route en direction
50 de Bordeaux. Ils passèrent la nuit à l'Hôtel de la Presse, porte Dijeaux, non loin de la Garonne.

---

1. La Zone de Paris : faubourgs misérables qui se sont constitués sur les anciennes fortifications parisiennes.

Le lendemain, ils durent s'arrêter entre Damazan et Lavardac sur la A 61[1] : à chaque coup de frein, la Coccinelle[2] plongeait sur la droite, vers le bas-côté. Bernard essaya de plaisanter.

55 – C'est normal, les voitures allemandes, ça déporte toujours !

Il ne s'agissait que d'un réglage et ils arrivèrent en vue de Toulouse à l'heure du déjeuner qu'ils prirent chez Vanel[3] : cassolette d'escargots aux noix, civet de coq au vin de Cahors.

– Cela nous fera un souvenir et nous aidera à supporter la
60 cuisine marocaine.

– Pas d'impérialisme[4] culinaire, Bernard, tu ne sais pas de quoi tu parles. Je te promets d'agréables surprises à ce sujet.

– J'ai hâte d'y être. Je ne pense pas en avoir pour plus de deux jours, ici. Quelques dossiers à consulter cet après-midi au Capi-
65 tole[5] et demain toute la journée à la préfecture.

– Tu ne veux toujours pas me dire ce que tu cherches ?

Il sortit une Gitane du paquet, l'alluma avant de répondre, feignant[6] l'ironie :

– Non, je m'occupe d'histoires dangereuses ; une mystérieuse
70 organisation s'agite dans l'ombre. Laisse-moi te protéger par l'ignorance.

Ils quittèrent le restaurant. Claudine monta dans la voiture et se dirigea vers la place Occitane, à deux pas de l'église Saint-Jérôme. Elle entra dans l'hôtel. Bernard rejoignit la mairie à travers la
75 vieille ville. Il accéda au Capitole par les jardins. Les terrasses des cafés étaient bondées ; il renonça à boire un rafraîchissement. Il pénétra dans l'hôtel de ville. Dans ce hall, une hôtesse lui indiqua

---

1. A 61 : autoroute entre Bordeaux et Toulouse.
2. La Coccinelle : modèle mythique de voiture fabriqué par le constructeur allemand Volkswagen.
3. Vanel : restaurant gastronomique toulousain.
4. Impérialisme : domination culturelle, politique, économique d'un État sur un autre État.
5. Le Capitole : bâtiment qui abrite la mairie de Toulouse.
6. Feignant : simulant, imitant.

la salle des archives. À dix-sept heures trente, on dut le prévenir de la fermeture des portes.

80   – Alors, cette enquête aux ramifications[1] internationales? lui demanda Claudine alors qu'il prenait une douche.

    – Je suis sur une piste… cela se confirmera peut-être demain, à la préfecture. Par contre, j'ai appris une anecdote intéressante. Figure-toi qu'il y a quarante-deux ans, c'est ici, à Toulouse, que
85 le conseil de guerre de la 17e région militaire a prononcé la déchéance[2] et la condamnation à mort d'un certain Charles de Gaulle[3]. Le 7 juillet 1940.

    – Envoie-le à Lucien Jeunesse, pour *Le jeu des mille francs*[4]…

    – C'est malin. Et toi qu'as-tu fait?

90   – Je t'ai attendu.

Elle le poussa sur le lit en riant.

Bernard Thiraud se réveilla très tôt. Il arriva à la préfecture bien avant le fonctionnaire le plus ponctuel. Il patienta au comptoir d'un café de la rue de Metz et sortit dès l'arrivée du concierge.

95 Il était seul dans la bibliothèque administrative. De temps à autre, un employé passait, les bras chargés de cartons, de registres[5] noirs, ou bien alors de piles de revues. La salle restait ouverte en permanence; il demanda la permission de téléphoner en entendant les cloches de la cathédrale toute proche qui son-
100 naient midi. Le réceptionniste du Mercure décrocha et appela la chambre douze.

    – Claudine, cette fois je suis extrêmement sérieux. Je tiens le bon bout. Ne m'attends pas pour déjeuner. La salle de consultation ferme à six heures, je pense y travailler jusque-là.

---

1. Ramifications : divisions, prolongements.
2. Déchéance : perte des droits et des fonctions.
3. Le 7 juillet 1940, le général de Gaulle qui s'était exilé à Londres afin de rallier à sa cause ceux qui voulaient résister à l'Occupation allemande fut condamné à mort pour trahison par un conseil de guerre réuni à Toulouse.
4. *Le jeu des mille francs* : célèbre émission radiophonique animée notamment par Lucien Jeunesse.
5. Registres : cahiers sur lesquels on inscrit des chiffres, des noms, des actes.

105 – Je suis contente pour toi. Mais ne tarde pas trop.

Ce furent les dernières paroles qu'ils échangèrent. À dix-huit heures dix, Bernard Thiraud descendit les marches de la préfecture et remonta la rue de Metz en direction de la place de l'Esquirol. Un homme, assis dans une Renault 30 noire, quitta son volant. Il
110 le prit en filature. Bernard avait hâte de raconter sa découverte à Claudine, il pressait le pas. Il emprunta la rue du Languedoc sur une centaine de mètres, par la droite il contourna l'église Saint-Jérôme. À l'animation des larges avenues commerçantes, succédaient le calme des rues bordées d'hôtels particuliers, sou-
115 vent délabrés[1], et les hauts murs des jardins. Pratiquement plus de boutiques, si ce n'étaient des devantures[2] remplies d'objets religieux et d'antiquités. Soudain il n'y eut plus personne, pas une voiture ; Bernard sentit la présence de l'homme qui le suivait. Il se retourna, le vit à deux mètres de lui qui fouillait dans sa
120 poche et en sortait un pistolet. Bernard, intrigué, n'avait pas peur de ce vieil homme d'une soixantaine d'années, essoufflé ; il chercha autour de lui la raison qui le poussait à exhiber une arme. Avant qu'il ne comprenne, la première balle se ficha dans son épaule et le fit chanceler. Le tireur se rapprocha encore,
125 à le toucher. Il sentait son haleine. Bernard ne trouvait pas la force de lutter, la seconde balle lui traversa le cou. Il s'effondra tandis que son assassin lui vidait les six dernières cartouches du chargeur dans le dos.

L'homme s'enfuit dans le dédale[3] des petites rues de la vieille
130 ville. Les passants alertés par les coups de feu ne trouvèrent que le cadavre de Bernard Thiraud allongé sur le trottoir.

*

---

1. **Délabrés** : qui tombent en ruine, qui sont en mauvais état.
2. **Devantures** : vitrines.
3. **Dédale** : labyrinthe.

Après six mois passés en Lozère, au commissariat de Marvejols, à la suite des remous[1] provoqués par l'affaire Werbel, j'avais obtenu une mutation à Toulouse dans un poste de quartier, rue Carnot. D'habitude je faisais tourner la boutique en équipe avec le commissaire Matabiau mais celui-ci, prioritaire pour le choix des dates de vacances, coulait des jours paisibles sur une plage corse. C'est ce moment précis que les employés des pompes funèbres mirent à profit pour engager l'épreuve de force avec leur employeur. Une grève de croque-morts en pleine vague de chaleur ! Les incidents étaient inévitables et je me retrouvai pris entre deux feux : d'un côté les familles éplorées[2], de l'autre des grévistes décidés. La mairie de Toulouse ne se mouillait pas et jouait la carte du pourrissement. Au Capitole, on espérait bien recevoir l'appui de l'opinion publique, on se fichait de voir la police dans le rôle du tampon[3]. Un matin de juillet, des bagarres, opposant parents de défunts et fossoyeurs, éclatèrent au cimetière de Rapas, près des pièces mortuaires où plusieurs dizaines de cercueils attendaient en ordre de trouver l'abri d'une fosse.

Je disposai mes hommes devant les portes des chambres réfrigérées du funérarium[4] où les employés, dépassés par le nombre et la vigueur hystérique[5] de leurs assaillants endeuillés, s'étaient réfugiés. À six heures et demie nous étions toujours au milieu des tombes.

Un gréviste me tapa sur l'épaule.

– Je vais essayer de leur parler, d'expliquer les raisons de notre action, inspecteur, si vous parvenez à les calmer. Leurs morts ne risquent rien, nous assurons le service minimum…

---

1. Remous : agitation.
2. Éplorées : qui sont en pleurs, qui ont du chagrin.
3. Dans le rôle du tampon : dans le rôle de celle qui atténue les oppositions, les chocs.
4. Funérarium : lieu où le corps est conservé jusqu'à l'enterrement.
5. Hystérique : délirante, proche de la folie.

160   Le gars semblait croire à son discours ; habitué à véhiculer les cadavres, il ne comprenait pas qu'en face de lui les manifestants, tout éplorés qu'ils soient, n'en étaient pas moins vivants.

     – Restez tranquille et, si vous avez la clef de ce bâtiment, bouclez à double tour. Qu'est-ce que vous voulez, au juste ? Je peux tenter
165 de les raisonner.

     Il n'avait jamais entendu une phrase plus stupéfiante.

     – Un flic qui se fait notre porte-parole !!! Vous plaisantez ?

     – Ce n'est pas mon genre. Mais je ne pense pas qu'un cimetière soit l'endroit idéal pour les règlements de comptes. Ce n'est pas
170 eux et encore moins la police qui arrangeront vos affaires. Alors, ça ne sert à rien de continuer ce cinéma.

     – Nous réclamons seulement une prime d'insalubrité[1], comme les égoutiers[2]. Les vieux, avant, lorsqu'ils exhumaient[3], pas de problèmes, dans la boîte ils trouvaient dix kilos d'os en poudre.
175 Aujourd'hui on sort les macchabées[4] des années soixante. L'âge d'or du plastique… Je ne vous fais pas de dessin mais les os, je vous jure, on ne les voit plus souvent ! Des trucs comme ça, c'est pas bon pour le carafon[5]. Près de la moitié des gars embauchés se tirent au bout de deux, trois jours. Ils préfèrent crever de faim
180 que gagner cinq mille francs dans ces conditions. Trois cents balles de prime, c'est pas le bout du monde !

     Un agent en tenue interrompit notre conversation.

     – Inspecteur Cadin, le brigadier Lardenne vous demande à la voiture radio. Il a reçu un appel du commissariat au sujet d'un
185 meurtre dans le quartier Saint-Jérôme.

     Le fossoyeur était sincèrement consterné.

     – Une famille de plus sur les bras !…

---

1. Insalubrité : ce qui est contraire à la santé et à l'hygiène.
2. Égoutiers : personnes chargées de l'entretien des égouts.
3. Exhumaient : sortaient les corps de leurs sépultures.
4. Macchabées : cadavres (familier).
5. Carafon : tête (familier).

Je traversai le cimetière, la voiture était garée près de la porte du carré des indigents[1], un espace envahi par les ronces, planté de six ou sept croix de fer chavirées[2]. Sur un monticule de terre fraîchement remuée, un vase de porcelaine blanche et quelques fleurs.

Je poussai le battant… Le brigadier Lardenne, affalé sur le siège avant gauche de la Renault 16, était occupé à percer le secret des 43 252 003 274 489 856 000 combinaisons possibles de son Rubik Cube[3].

– Alors, vous y arrivez ?

Il se redressa et fourra le jeu dans sa poche.

– Une face et demie, inspecteur, et je bloque. Mon fils réussit les yeux fermés, ils font des concours dans sa classe, en sixième.

– Très intéressant. Et à part cela ?

Il devint aussi rouge que la surface complète du cube.

– Oui, enfin non, des passants ont découvert le corps d'un jeune gars. Tué à coups de revolver ou de pistolet. L'équipe de Bourrassol est sur place, c'est à deux pas de la rue du Languedoc.

– Prenez le volant, on y va. Branchez la sirène, sinon, avec tous ces vacanciers, nous n'y sommes pas avant la tombée de la nuit.

Le brigadier-chef Bourrassol connaissait son métier ; les différents services impliqués lors d'une affaire criminelle étaient déjà en pleine action.

– Inspecteur Cadin, je suis heureux de vous voir. J'ai laissé le corps dans la position initiale ; rien n'a été touché pendant votre absence.

– Très bien, Bourrassol. Vos premières constatations ?…

– C'est minime. Pas de témoins oculaires[4]. Une dizaine d'habitants ont entendu les détonations. L'un d'eux a vu une silhouette

---

1. Indigents : pauvres.
2. Chavirées : renversées.
3. Rubik Cube : casse-tête en trois dimensions qui consiste à rétablir toutes les faces colorées d'un cube en plastique.
4. Témoins oculaires : qui ont vu la scène du crime ou le meurtrier.

qui s'éloignait vers la rue de Metz, voilà. Enfin, on continue de ratisser. Il a reçu près de dix balles dans le dos, à mon avis du 9 mm parabellum[1]. J'ai ses papiers, sûrement un touriste de
220 passage.

Pour appuyer son affirmation il me tendit un passeport français et un portefeuille en cuir marron. Les pièces d'identité étaient établies au nom de Bernard Thiraud, étudiant; né le 20 décembre 1961 à Paris, domicilié au 5 de la rue Notre-Dame-de-Bonne-
225 Nouvelle dans le IIᵉ arrondissement. Une carte d'étudiant délivrée par la faculté de Jussieu et diverses photos d'une même jeune femme étaient glissées dans les pochettes transparentes du portefeuille. Le soufflet contenait huit mille francs en traveller's chèques[2] et une note de chez Vanel datée de la veille,
230 pour deux couverts.

– Au moins il n'aura pas regretté son dernier repas. Quatre cent trente francs à deux! Bourrassol, recherchez donc la personne qui tenait l'autre fourchette. Et passez un coup de fil au Service des égouts; dites-leur de vérifier les bouches d'évacuation dans
235 un rayon de cent cinquante mètres, on ne sait jamais, le tueur s'est peut-être débarrassé de son arme dans le coin.

– Inspecteur, ce n'est pas si facile. Ils refusent à chaque fois de nous aider, aux égouts…

– Ils se croient au-dessus des lois, ceux-là. En plus ils touchent
240 une prime, ce n'est pas comme les fossoyeurs!

– Vous dites, inspecteur Cadin?

– Je me comprends. Laissez pour les égoutiers, je m'en charge.

*

---

1. **9 mm parabellum** : arme à feu.
2. **Traveller's chèques** : chèques de voyage payables en espèces dans n'importe quel établissement bancaire d'un pays étranger.

Le lendemain matin, à neuf heures, le directeur des Services
245   techniques de la ville pénétra dans mon bureau et me rendit un
sac plastique contenant une arme.

– Voilà le résultat, inspecteur, vous n'avez qu'à demander. Un
employé communal l'a repêché dans un collecteur[1] de la rue
Croix-Baragnon. Le courant n'est pas puissant à cet endroit…

250   – On peut donc supposer que le lieu de la découverte correspond grosso modo à l'endroit choisi par le meurtrier pour
jeter son pistolet.

– C'est un pistolet? Je n'ai jamais su la différence entre revolver
et pistolet.

255   – Élémentaire, ça fonctionne par couples. Pistolet-chargeur
et revolver-barillet[2]. Votre gars n'y a pas touché? On leur avait
bien expliqué comment procéder.

Je saisis l'arme par le canon, sans la sortir de sa protection, et
l'examinai.

260   – Nous avons affaire à un professionnel.

Mon interlocuteur ne dissimula pas son étonnement. Il devait
se nourrir de Conan Doyle et de Richard Freeman[3].

– Comment voyez-vous ça?

Je le lui expliquai au risque de briser l'admiration naissante
265   dont j'étais l'objet.

– Il s'agit d'un Llama Especial modèle 11. Un pistolet aussi
répandu que notre Unique L. À la limite, on s'en fout qu'il y en
ait cinquante au mètre carré, chaque arme a ses caractéristiques
et les laboratoires sont équipés pour les faire parler. Ce qui pose
270   problème avec les Llama Especial, c'est qu'ils sont fabriqués par
Gabilondo, à Vitoria. Si, en plus, vous savez que cette usine est
située dans la province de Guipúzcoa, en plein Pays basque, vous
commencez à vous faire une idée.

---

1. Collecteur : tuyau d'égout.
2. Barillet : mécanisme cylindrique d'un revolver.
3. Conan Doyle (1859-1930), **Richard Freeman** (1862-1943) : écrivains anglais,
auteurs de romans policiers.

– Pas la moindre…

275 – En 1972 un commando de l'ETA[1] a attaqué un camion rempli de ce type d'armes. Trois cents pistolets ont disparu. On ne connaît pas les filières, mais le milieu[2] français utilise de temps à autre des flingues qui proviennent de ce braquage. Systématiquement nous mettons la main sur l'arme munie de ses numéros de référence.

280 On vérifie sur la liste établie par la Guardia Civil[3] et ça correspond. Pas besoin d'aller plus loin, on tombe en ligne directe sur l'usine de Vitoria ! Le labo peut passer directement à la recherche des empreintes, mais on ne se procure pas un pistolet vierge pour y coller ses doigts… Merci tout de même, monsieur le directeur

285 technique, ça nous permet d'avancer.

Il me tendit la main avec respect et s'inclina légèrement. Sur le palier je ne résistai pas à l'envie de le déconcerter un peu plus.

– Merci encore et à charge de revanche. Si un crime se présente, dans vos services ou chez vous, n'hésitez pas à faire appel

290 à moi.

Le brigadier Bourrassol lui succéda dans le bureau. Je ne l'avais jamais vu perdre ni son calme ni son sourire. Il n'en était pas de même, paraît-il, quand il travaillait au commissariat du Mirail, la ville nouvelle construite à la périphérie de Toulouse. On lui

295 reprochait le tabassage en règle de deux jeunes délinquants au Narval, le café du centre commercial.

– On ne s'est pas foulé pour débusquer la môme. En mangeant chez Vanel avant-hier, ils ont demandé l'adresse d'un hôtel au patron. Il les a envoyés au Mercure Saint-Georges, à cent mètres

300 du lieu du crime. On ne lui a rien dit, elle vous attend. Ou alors, on l'amène ici ?

– Non, en route. Dites à Lardenne de s'occuper de la boutique et laissez-lui nos coordonnées.

---

1. **ETA** : groupement armé militant pour l'indépendance du Pays basque.
2. **Le milieu** : équivalent de la mafia, réseau de malfaiteurs.
3. **La Guardia Civil** : la police espagnole.

La direction de l'hôtel se serait dispensée de notre visite ; on me
305 demanda de garer la voiture blanc et noir au fond du parking.
On n'hésita pas à mettre un salon particulier à notre disposition,
par souci de discrétion.

Claudine Chenet n'avait manifestement pas assez dormi ;
deux cernes noirs soulignaient ses yeux. Elle se leva en nous
310 voyant.

– Qu'est-il arrivé à Bernard ? Je veux savoir…

J'aspirai une longue bouffée d'air.

– Il est mort, assassiné. Ça s'est produit hier soir, peu après
dix-huit heures, non loin de l'hôtel.

315 Une lassitude immense s'imprima sur ses traits[1] ; je dus tendre
l'oreille pour comprendre ce qu'elle murmurait.

– Mais pourquoi ? Pourquoi ?

– Je suis là pour le découvrir, mademoiselle. À quelle heure
vous a-t-il quittée ?

320 – Très tôt le matin. Je dormais encore ; avant huit heures, probablement. Vérifiez à la réception. Il faisait des recherches à la
préfecture et il m'a téléphoné à midi pour m'avertir qu'il ne
rentrerait pas déjeuner.

– Quel type de recherches ?

325 – Il ne voulait pas me le dire ; il se contentait de plaisanter en me
faisant croire qu'il traquait une organisation internationale.

– Il est malheureusement possible que ce ne soit pas une
plaisanterie. Avez-vous rencontré des connaissances à Toulouse
depuis avant-hier ?

330 – Non, inspecteur, personne. Nous nous rendions au Maroc
pour les vacances. Nous avons fait un détour par Toulouse, mais
c'est la première fois que je mets les pieds ici. Bernard également.
La première et la dernière.

– Vous êtes sortie au cours de l'après-midi ou de la soirée
335 d'hier ?

---

1. **Ses traits** : son visage.

Elle esquissa un sourire désabusé[1].

– Je me doutais que vous en arriveriez là. La réponse est non. J'ai déjeuné au restaurant de l'hôtel, voyez les serveurs, crudités, tournedos[2], fraises à la crème. Ensuite j'ai lu sur le balcon, au soleil.

– Et vous ne vous êtes pas inquiétée de sa disparition ! Votre ami doit rentrer à six heures du soir et le lendemain matin, à huit heures et demie, mes hommes vous trouvent occupée à manger des croissants, la mine à peine défaite. J'ai toutes les raisons de m'étonner, mademoiselle Chenet, il s'agit d'un crime.

Elle porta les mains à son front et éclata en sanglots.

– Ça lui arrivait parfois de ne pas revenir de la nuit. À Paris…

– Vous viviez ensemble ?

– Oui, nous *vivions*, c'est le terme qui convient. Depuis six mois Bernard habitait chez moi. Certains soirs de déprime il disparaissait et rentrait au petit matin, sans explications. Sa mère en est responsable, enfin je veux dire, de ce manque de confiance en lui. Lorsqu'il est né, son père venait de mourir dans des circonstances dramatiques. Je n'en sais pas plus, sinon que cette disparition a sérieusement affecté[3] la mère de Bernard. Elle ne sort jamais de son appartement et j'ai dû l'entendre prononcer trois phrases, au total, au cours d'une dizaine de visites.

– Très bien. Nous allons emmener les affaires personnelles de votre ami. Le brigadier Bourrassol vous signera un reçu. Bien sûr, vous devez demeurer à Toulouse pendant quelques jours, pour les besoins de l'enquête. Le plus pénible reste à accomplir. Il faut m'accompagner à la morgue, pour reconnaître le corps, avant l'autopsie[4].

---

1. **Désabusé** : qui a perdu ses illusions.
2. **Tournedos** : tranche de filet de bœuf.
3. **Affecté** : touché, peiné.
4. **Autopsie** : dissection et examen d'un cadavre pour déterminer les causes de sa mort.

*

365   Pendant notre absence, un témoin s'était présenté. Lardenne le fit patienter dans le couloir, devant la porte vitrée de mon bureau. Il s'agissait d'un homme de trente-cinq ou quarante ans, habillé d'un pantalon de cuir, d'une veste à carreaux multicolores et chaussé de superbes bottes mexicaines. Le parfait zozo[1] !

370   Je balançai à Lardenne, les dents serrées :

– Bravo, c'est carnaval. Je souhaite pour vous qu'il ne me fasse pas perdre mon temps.

    Avant de pousser la porte j'observai mon rocker vieillissant : il avait tiré un peigne de sa poche et le glissait dans ses cheveux

375 en aplatissant de la main. Avec la paume il vrilla la mèche sur son front. Je le priai de s'asseoir.

– Alors, vous avez des révélations à faire au sujet du meurtre de ce jeune Parisien.

    Il leva les bras, tordit le cou et d'une voix haut perchée parvint

380 à articuler :

– Pas si vite, comme vous y allez. J'ai remarqué ce garçon l'autre soir lorsqu'il sortait de la préfecture. Mon quartier général est situé en face, au bar, chez Verdier. C'est le seul coin où on peut jouer au Pachinko.

385   Lardenne ne se doutait pas encore de ce qui l'attendait quand j'en aurais fini avec ce guignol.

– Je l'ignorais, et ça consiste en quoi, le Pachinko ?

    Il parut heureux de rencontrer un néophyte[2] attentif.

– Une machine à sous d'origine japonaise, un peu comme

390 un flipper. On achète des billes en acier au comptoir et on les enfourne dans l'orifice d'une boîte accrochée au mur. Avec les poignées, on dirige les billes à travers les obstacles. Si on atteint la cible, on gagne d'autres billes…

---

1. **Zozo** : garçon naïf, niais ; personne qui manque de sérieux.
2. **Néophyte** : personne inexpérimentée, novice.

– Oui, et ensuite ?

395 Il me regarda sans comprendre…

– Eh bien ensuite, on recommence !

– C'est formidable. Alors retournez jouer aux billes. J'ai autre chose à faire que d'écouter vos histoires.

– Mais monsieur l'inspecteur, je l'ai réellement vu, ce garçon,
400 il n'était pas seul.

Je sursautai.

– Pas seul ! Expliquez-vous.

– Voilà, j'avais fini ma partie et je m'apprêtais à sortir quand le Parisien quitte la préfecture. J'aime bien regarder les beaux
405 gars et on ne peut pas dire que celui-là était désagréable. J'avais l'intention de le suivre quand j'ai remarqué qu'un autre homme le filait. Un mec plein de fric, en tout cas il roulait en Renault 30 TX, une bagnole noire…

– Vous avez vu sa voiture. Vous vous souvenez du numéro ?

410 – Non, uniquement du département, 75. Un Parisien lui aussi. Alors j'ai laissé tomber et je me suis payé une autre séance de Pachinko.

– Vous pouvez me décrire votre concurrent, sa stature[1], ses vêtements ?

415 – Oui, un type de taille moyenne, environ un mètre soixante-cinq, les cheveux gris-blanc, je l'ai vu de dos la majeure partie du temps, mais je lui donne au moins soixante ans. Sinon il était habillé comme un cadre[2], costume gris, chaussures noires.

J'appelai Lardenne.

420 – Merci pour ce client, c'est le premier à avoir aperçu le meurtrier. Il se balade dans une Renault 30 TX noire immatriculée à Paris. Il doit suivre Thiraud depuis son départ. Mettez-vous en rapport avec la gendarmerie, la police de la route et tous les postes

---

1. Stature : taille.
2. Cadre : personne appartenant à la catégorie supérieure des salariés d'une entreprise.

de péage situés entre la porte de Saint-Cloud et les Sept Deniers.
425 Vous laissez tout le reste de côté. Il ne doit pas y avoir plus de dix
bagnoles de ce genre qui ont emprunté le trajet Paris-Toulouse
au cours des deux derniers jours. Épluchez le moindre procès-
verbal. De mon côté, je vérifie sur la ville ; on peut rêver !…

Il était à peine onze heures ; j'avais déjà encaissé un interroga-
430 toire, une visite à la morgue et un entretien avec un passionné
de Pachinko ! Il me manquait un bon café pour tout digérer
et je me dirigeai lentement vers le distributeur automatique.
Je poussai mes deux pièces de monnaie d'un coup sec, pour
aider au déclenchement du mécanisme. Un gobelet de plastique
435 blanc descendit sur la grille ; un filet d'eau marron, dévié par
quelques bulles, le remplit en silence. Un bâtonnet transparent
se ficha dans la boisson et m'avertit de la fin de l'opération. Des
cris interrompirent brusquement ma dégustation. Ça venait de
la salle d'accueil et le vacarme dépassait de beaucoup le niveau
440 moyen des engueulades avec le public. Je passai derrière les
guichets. Le chef du service me harponna[1] aussitôt.

– Nous n'y comprenons rien ; tous ces gens ont été convoqués
par le commissaire Matabiau, mais nous ne retrouvons aucune
trace de leurs dossiers…

445 – Vous en avez combien sur les bras ?

– Une trentaine pour le moment, inspecteur ; il en arrive sans arrêt.
Si seulement M. le commissaire nous avait mis au courant.

– Je vais essayer de régler ça. Passez-moi une de ces convocations.

450 Il me remit un papier bleu, un formulaire classique, à en-tête du
commissariat, enjoignant le destinataire à se présenter d'urgence.
Le motif était normalement souligné : « Mise en place du nouveau
fichier informatisé, destiné à la lutte contre le terrorisme. » Le
dernier paragraphe expliquait la rapidité avec laquelle tous ces
455 gens avaient répondu : « *Les personnes convoquées sont tenues de*

---

1. **Me harponna** : m'arrêta au passage.

comparaître et de déposer. Tout contrevenant est passible d'une peine[1]
pouvant atteindre dix jours d'emprisonnement et trois cent soixante francs
d'amende (articles 61, 62 et suivants du Code de procédure pénale). »

Le tampon « commissariat Carnot. Toulouse » masquait à demi
460 la date d'envoi : 28 juillet 1982.

– Relevez l'identité de tous ceux qui se présenteront avec une
convocation comme celle-là et dites-leur de rentrer chez eux sans
inquiétude. Nous leur ferons signe d'ici quelques jours. Je crois
bien que nous avons affaire à des plaisantins.

465 – Comment le savez-vous, inspecteur ?

– Vous avez bien fait de choisir une affectation dans les bureaux…
Matabiau est parti en vacances avant le pont du 14 Juillet, je
ne vois pas comment il aurait pu signer ces papiers avant-hier.
Un petit malin s'amuse avec nos nerfs mais il ne sera pas diffi-
470 cile à débusquer ; pour commencer, dressez donc la liste des
employés qui ont accès aux formulaires vierges et aux tampons.
Le brigadier Bourrassol effectuera un premier tri et m'enverra
les heureux élus.

*

Trois jours plus tard, un seul problème était résolu : la mairie
475 de Toulouse venait d'accorder deux cent cinquante francs de
prime à ses fossoyeurs. La reprise du travail fut votée à l'unanimité.
Cela me permit de lever le cordon de sécurité[2] mis en place au
cimetière de Rapas et de récupérer quatre hommes.

Près de deux cents Toulousains avaient fait le siège des guichets
480 du commissariat, scandalisés qu'on les soupçonne de terrorisme,
sans que je parvienne à détecter l'origine des faux. L'enquête
sur le meurtre de Bernard Thiraud marquait le pas[3]. La synthèse

---

1. Tout contrevenant est passible d'une peine : toute personne, qui ne respecte
pas un règlement, une loi, s'expose à une peine.
2. Cordon de sécurité : ligne de policiers contrôlant un endroit.
3. Marquait le pas : n'avançait pas.

du laboratoire de balistique[1] traînait sur un coin du bureau. Un tir de comparaison avait été effectué avec l'arme retrouvée par les Services municipaux. Le résultat du test du puits d'eau était formel : il s'agissait bien du pistolet dont s'était servi le meurtrier. Douilles[2] et balles étaient absolument identiques. Le labo avait poussé la minutie[3] jusqu'à joindre le cliché, trente fois agrandi, des stries[4] relevées sur les balles. Le schéma des trajectoires m'apprit que Thiraud avait reçu deux balles de face et six autres dans le dos alors qu'il était à terre ; les impacts[5] de face étaient réguliers : le laboratoire évaluait la distance de tir entre deux et quatre mètres. Les coups suivants avaient, au contraire, laissé d'importantes traces de combustion et le meurtrier ne devait pas se trouver à plus de cinquante centimètres de la victime.

Le rapport du brigadier Lardenne ne m'éclaira pas davantage. On aurait pu facilement penser que la Renault 30 n'existait pas, si son conducteur n'avait pas eu la mauvaise idée de marquer son passage d'un cadavre.

– Les pompistes, Lardenne, vous les avez interrogés ?

Il leva les bras au ciel et les rabattit en les faisant claquer sur ses cuisses.

– Bien entendu, inspecteur. Un par un. Ce n'est pas compliqué, une voiture comme ça est munie d'un réservoir de soixante-dix litres... Sur autoroute, on évalue sa consommation à une moyenne de onze litres. En supposant qu'il ait fait le plein au départ, pas de doute, il tombe en panne sèche vers Marmande ou Agen ! En tout cas il s'est obligatoirement arrêté pour prendre de l'essence. Pourtant aucune station-service n'a reçu la visite de cette bagnole. À l'aller comme au retour.

---

1. Balistique : science qui étudie les mouvements des projectiles (ici, le trajet des balles).
2. Douilles : parties des cartouches qui contiennent la poudre.
3. Minutie : soin extrême.
4. Stries : lignes fines.
5. Impacts : chocs produits par les balles.

– Et pourquoi pensez-vous qu'il soit reparti de Toulouse?

– Ça me paraît logique. On dirait l'exécution d'un contrat. Le gars a pour mission de liquider Thiraud; son boulot effectué il rentre tranquillement à la maison… Tout indique que nous avons
515 affaire à un professionnel, comme la marque du pistolet. Un Llama Especial tout droit sorti de la série volée en Espagne.

– D'accord pour le flingue, mais il y a une chose qui ne colle pas du tout…

– Laquelle, inspecteur?

520 – L'assassinat tout simplement. Lisez le papier du labo. La scène est facile à reconstituer. Thiraud marche à la rencontre du tueur. Il ne le connaît pas, de toute évidence. À trois ou quatre mètres, celui-ci dégaine[1] et lui loge deux balles dans le corps, une dans l'épaule, l'autre dans le cou. Quand Thiraud
525 est à terre il l'achève de six balles dans le dos, à bout portant. Vous connaissez beaucoup de professionnels qui travaillent de cette manière? Non! Un gars de métier, un exécuteur aurait attendu que la cible soit à un mètre; en avançant le bras, il lui fourrait le canon sur le cœur ou sur la tempe, ça dépend
530 des écoles! Une balle, deux au maximum. Au lieu de ça notre bonhomme vide son chargeur, au risque d'ameuter[2] tout le quartier et de se faire pincer[3]. Lisez ce passage : seule la seconde balle a provoqué des lésions mortelles en traversant le cou. Aucune des autres n'a atteint d'organe vital. Ces six balles de
535 trop m'inclinent à penser que le meurtrier était directement impliqué; cela explique son acharnement. Ce n'est pas un professionnel, mais un amateur éclairé. Les plus coriaces[4]. Pour le pincer nous dépenserons plus d'énergie et d'intelligence qu'il n'en faut pour mettre un Rubik Cube en ordre. Vous ne
540 croyez pas, Lardenne?

---

1. Dégaine : tire son arme.
2. Ameuter : alerter.
3. Se faire pincer : se faire arrêter (familier).
4. Coriaces : durs, qui ne cèdent pas.

Je ne lui laissai pas le temps de répondre.

– Allez, suivez-moi, nous allons faire un tour au Capitole : avant de mourir Thiraud a consulté les archives de la mairie et de la préfecture. Il se destinait à l'enseignement de l'histoire ; il est
545 probable que ses démarches soient liées à ses études. Enfin, il ne faut rien négliger...

Le parking de la place du Marché était bondé. Lardenne trouva une place rue du Taur devant l'enseigne de La Cave, un cabaret communautaire[1]. La malchance nous accompagnait : Pradis, le
550 maire adjoint à l'Information, pérorait[2] dans le hall d'accueil du Capitole tandis que nous faisions irruption. Il délaissa ses interlocuteurs et vint à notre rencontre.

– Monsieur l'inspecteur Cadin, monsieur le brigadier ! Quelle coïncidence, je pensais vous appeler...
555 Il me prit par le bras et m'entraîna derrière un massif de fleurs qui formait paravent.

– ... Ça ne peut pas recommencer, inspecteur, il est nécessaire de les arrêter immédiatement, sinon ils vont nous traîner dans la boue... Vous aussi ! La presse ne sait rien encore, mais je ne
560 me fais pas d'illusions ! Dès qu'ils sentiront l'odeur de charogne[3] ils se battront pour arracher tout le morceau.

Il suait à grosses gouttes. Des relents de transpiration m'arrivaient aux narines en effluves âcres[4]. Je respirai par saccades pour atténuer l'agression olfactive[5].
565 – Mais arrêter qui ? Dites-le-moi, à la fin ! Je vous promets de faire mon possible.

– Les situationnistes[6] !

– Qui ?

---

1. Communautaire : qui regroupe des personnes appartenant au même groupe.
2. Pérorait : parlait longuement et avec prétention.
3. Charogne : cadavre en putréfaction.
4. Effluves âcres : odeurs irritantes.
5. Olfactive : de l'odorat.
6. Les situationnistes : membres du situationnisme, mouvement d'avant-garde politique de la fin des années 1950.

– Les situationnistes. Une bande organisée qui envoie ces fausses convocations concernant le fichier anti-terroriste. Nous recevons des centaines de coups de téléphone de protestation. Le cabinet du maire est submergé de demandes d'audience. N'oubliez pas qu'il est également député et qu'il joue un rôle important à la Chambre. Ils nous ont fait le même cinéma en 1977 avant les municipales, vous devriez vous en souvenir.

– À cette époque, je travaillais dans la région de Strasbourg et je m'intéressais assez peu à la cuisine électorale toulousaine.

– Je l'ignorais. Pardonnez-moi, cette histoire affole tout le monde, on ne parle que de ça dans les couloirs. En 1977 nous avons subi une attaque en règle : faux bulletin municipal diffusé à dix mille exemplaires, conférence de presse bidon, intoxication de la presse nationale. Jusqu'à une manifestation de chômeurs ! Les situationnistes avaient tout simplement annoncé la fin de leurs droits aux Assedic[1] à mille cinq cents chômeurs ; ils leur demandaient de venir déposer un dossier d'aide d'urgence auprès du maire. À onze heures du matin, la place grouillait de monde et je vous donne en mille ce qu'ils avaient inventé ! Trois camionnettes de chez Pujol, le traiteur le plus renommé de la ville. On lui avait commandé, au nom du maire, un lunch[2] de luxe pour deux cents personnes : petits fours, toasts au saumon, au caviar, au foie gras. Je vous laisse imaginer la réaction des chômeurs persuadés d'avoir tout perdu, quand les serveurs de Pujol ont voulu traverser leurs rangs avec leurs plateaux remplis d'amuse-gueules.

– Astucieux, en effet. Vous avez mis la main sur ces situationnistes ? On ne se procure pas un fichier de mille cinq cents personnes sans laisser de traces.

Il remua la tête de droite à gauche et quelques gouttes de sueur, refroidies par le trajet, s'écrasèrent sur ma joue en provoquant un frisson de dégoût.

---

1. **Assedic** : allocations que touchent les personnes au chômage.
2. **Lunch** : repas léger servi sous la forme d'un buffet.

600 – Non, jamais. Pourtant cette campagne a dû coûter très cher. Ils ont disparu, sans tirer de profit apparent de la situation. Tout le monde était visé, aussi bien Baudis que Savary[1]. Puis plus rien pendant six ans. Il y a quelques mois nous pensions avoir affaire à eux avec le CLODO.

605 J'ai toujours pensé qu'il valait mieux éviter la fréquentation des édiles[2] locaux, mais les talents de conteur de Pradis me feraient facilement revenir sur ma décision. Il s'interrompit après l'évocation de cette mystérieuse organisation et devança ma question.

610 – Oui, le Comité de libération et d'organisation des ordinateurs. Un groupe d'illuminés[3] qui a fichu le feu au Centre informatique régional. Ils nous ont obligés à refaire les formulaires de la taxe d'habitation ! Tout le travail était parti en fumée. Ceux-là sont sous les verrous et on a pu établir que leur action n'avait rien à 615 voir avec celles des situationnistes.

– J'ai tout mis en œuvre pour retrouver ces faussaires ; ils ne courront pas bien longtemps, je vous l'assure. Pour le moment je me retrouve avec une affaire de meurtre sur les bras et vous comprendrez que je m'y consacre en priorité. Il est préférable 620 de laisser des plaisantins en liberté plutôt qu'un assassin.

– Monsieur l'inspecteur, je ne suis pas de cet avis. Faites patienter votre meurtrier, il ne demande pas mieux, mais empêchez-les de nuire. Ils essaient de nous déstabiliser, il y va de la démocratie.

– Je vous le répète, nous nous occupons de ce problème. Appre-625 nez par la même occasion que je fixe les priorités dans mon travail. Si vous n'êtes pas d'accord avec moi, allez faire un tour à la morgue. Demandez à voir Bernard Thiraud, de ma part !

Je le laissai cloué sur place et je rejoignis le brigadier Lardenne. Direction les archives ! Selon le chef de service, Bernard Thiraud

---

1. Pierre Baudis (1916-1997), **Alain Savary** (1918-1988) : hommes politiques toulousains.
2. Édiles : magistrats municipaux.
3. Illuminés : personnages un peu fous.

630 s'intéressait aux documents administratifs concernant les années 1942 et 1943. Il nous désigna une table et nous apporta la totalité des dossiers consultés par la victime. Je passai le contenu d'une boîte en revue : des contrats, des passations de marché, des délibérations, tout un fatras[1] de papiers recouverts de tampons, de dates, de

635 chiffres. Rien d'inquiétant. Si seulement nous avions un axe de recherche ! La journée s'annonçait difficile. Elle le demeura. Je ne trouvai rien de significatif si ce n'est l'état annuel de la taxe sur les chiens pour la région de Toulouse en 1942.

Lardenne exhuma une liasse de[2] documents qui émanaient[3] du

640 conseil de guerre condamnant de Gaulle, général de brigade, au peloton d'exécution pour haute trahison. À cinq heures et demie nous quittions le Capitole, découragés, au milieu des employés communaux. Lardenne m'entraîna en direction du Florida, un bar de la place.

645 — Ça fait des années que je n'y mets plus les pieds. C'était notre lieu de rendez-vous pendant les années de fac. Je me souviens, on disait partout qu'il fallait se méfier en parlant.

— Ah oui, pourquoi ?

— C'était le troquet le plus fliqué de Toulouse. Une légende,

650 très certainement…

— Allons-y, pour une fois il justifiera sa réputation.

*

Le lendemain, à la préfecture, nous étions reçus par M. Lécussan, directeur des Archives administratives, un vieux fonctionnaire ridé, affligé d'un pied bot[4]. Il nous précéda dans le dédale des

655 rayonnages. Son corps vacillait à gauche mais, quand sa tête

---

1. Fatras : amas.
2. Liasse de : paquet de.
3. Émanaient : provenaient.
4. Pied bot : pied atteint d'une difformité.

menaçait de heurter les montants de fer, sa prothèse frappait le sol parqueté et il revenait à la verticale. Il accompagnait son déhanchement d'un grognement presque inaudible.

660 – Après votre communication téléphonique, inspecteur, j'ai consulté les dossiers que la victime a souhaité étudier. Toute la cote DE. Des vieilleries comme il y en a tant ici. J'ai fait déposer l'ensemble des documents dans mon bureau. Vous serez plus à l'aise pour travailler. Je me tiens à votre entière disposition.

Il referma doucement la porte puis s'éloigna dans les couloirs 665 sur son rythme binaire.

– C'est pratique, nous sommes certains qu'il n'écoutera pas à la porte…

Sa plaisanterie le mit en joie : Lardenne saisit la première liasse plein d'entrain.

670 DÉbroussaillage… DÉdommagements… DÉfense passive…

Les papiers administratifs qui défilaient entre nos mains au cours de cette journée différaient peu des précédents. Ils concernaient cette fois l'ensemble du département de la Haute-Garonne et non la seule ville de Toulouse. Nous étions bientôt 675 incollables sur les problèmes d'assainissement[1] au Muret, à Saint-Gaudens ou sur les doléances[2] des communes de Montastruc et de Léguevin au sujet de la réfection[3] respective des routes nationales N 88 et N 124. Les hasards du classement faisaient se rencontrer le burlesque et le tragique. Ainsi, une note du 680 préfet exigeait l'annulation des DÉlibérations de la DÉlégation spéciale de Lanta, sous prétexte que les membres du conseil municipal s'étaient réunis dans l'arrière-salle de l'auberge. Les lettres suivantes où ils expliquaient leur attitude par l'effondrement du toit de la mairie n'y firent rien et le préfet maintint sa 685 décision. La chemise répertoriée après DÉlibérations portait

---

1. Assainissement : fait de rendre plus propre et plus salubre.
2. Doléances : plaintes.
3. Réfection : remise à neuf, réparation.

une inscription soigneusement calligraphiée[1], avec ses pleins et ses déliés[2] : DÉportation[3].

La DÉportation était traitée de la même manière que les autres tâches de l'administration ; les fonctionnaires semblaient avoir
690 rempli ces formulaires avec un soin identique à celui apporté aux bons de charbon ou à la rentrée scolaire. On manipulait la mort, en lieu et place de l'espoir. Sans s'interroger. Épinglé sur un carton, un télégramme jauni signé Pierre Laval[4], daté du 29 septembre 1942, recommandait aux autorités préfectorales de
695 ne pas démembrer[5] les familles juives promises à la déportation et précisait que « *devant l'émotion suscitée par cette mesure barbare, j'ai obtenu de l'armée allemande que les enfants ne soient pas séparés de leurs parents et puissent ainsi les suivre* ».

Une liasse de circulaires revêtues du paraphe[6] A.V. mettait ces
700 directives en œuvre.

Contre la barbarie, direction Buchenwald et Auschwitz[7] !

Je confiai la pile référencée DÉratisation au brigadier Lardenne et je me replongeai dans les immensités bureaucratiques de la DÉsinfection.

---

1. Calligraphiée : écrite en respectant les règles de la calligraphie, art de former d'une façon élégante les caractères de l'écriture.
2. Ses pleins et ses déliés : parties pleines et fines d'une écriture calligraphiée.
3. Déportation : déplacement et internement d'un ensemble de personnes dans un camp de concentration, dans un camp d'extermination.
4. Pierre Laval (1883-1945) : homme politique français. Premier ministre du maréchal Pétain en avril 1942, il développa une politique de collaboration avec l'Allemagne. Il fut fusillé à la Libération.
5. Démembrer : séparer les membres d'une famille.
6. Paraphe : signature réduite aux initiales.
7. Buchenwald et Auschwitz : Buchenwald est un camp de concentration situé en Allemagne ; Auschwitz est un camp de concentration et d'extermination situé en Pologne où les Nazis firent périr environ 1,1 million de déportés, dont 90 % de Juifs.

Le portier du Mercure était occupé à caser les valises dans le coffre de la Coccinelle, tandis que Claudine Chenet réglait la note à la réception. Je l'interceptai au passage.

– Bonjour, je tenais à vous saluer avant votre départ.

5 – Je ne m'attendais pas à tant de politesse de la part de la police toulousaine. Vous faites votre possible mais ça ne parviendra pas à me rendre cette ville sympathique…

– J'en suis désolé… Je suis venu vous confirmer que le corps de Bernard Thiraud sera rapatrié dès lundi. L'autopsie ne nous

10 a pas appris grand-chose.

À l'évocation du travail du médecin légiste[1] elle ferma les yeux, longuement.

– Excusez-moi, je n'arrive pas à m'y faire… Vous êtes sur une piste ?

15 – Non, pas vraiment. Nous possédons un signalement assez précis du meurtrier présumé. Actuellement, le brigadier Bourrassol établit la liste de toutes les personnes présentes à la préfecture le soir du drame. Ensuite nous vérifierons leur activité, leur situation financière, leurs problèmes affectifs…

---

1. Médecin légiste : médecin chargé des expertises en matière légale (accidents, crimes).

20 — Dans quel but ? En quoi cela peut-il concerner la mort de Bernard ?

— Écoutez-moi, ce n'est qu'une hypothèse absurde, mais il faut l'envisager : admettons que l'assassin ne possède qu'un signalement approximatif de son objectif et que votre ami corresponde 25 justement à ce signalement...

— Non, c'est impossible ! Cela reviendrait à dire que Bernard est mort pour rien. Une bavure d'un nouveau genre, sans plus !

— Je vous le répète, ce n'est qu'une hypothèse de travail mais il n'est pas dans mon pouvoir de l'écarter. L'assassin et ses com-30 manditaires[1], dans ce cas de figure, ont dû s'apercevoir de leur erreur ; ils n'auront rien de plus pressé que d'exécuter leur contrat. Mon boulot consiste à les en empêcher. Il m'arrive de courir après des fantômes plus souvent qu'à mon tour... Mais soyez rassurée, je n'abandonne pas pour autant la piste initiale. 35 Il est très probable que le meurtrier a bien rempli sa mission. Ça implique qu'il vous a pris en chasse à Paris ou que, ayant appris votre départ et votre destination, il se soit précipité ici.

— Vous semblez bien sûr de vous, inspecteur.

— Sinon, je ne comprends pas pourquoi un assassin viendrait à 40 Toulouse tuer l'homme qu'il a sous la main à Paris ! Par la suite il a réussi à dénicher votre hôtel et il a filé Bernard[2] le matin où il se rendait à la préfecture. Il a fait le guet la journée entière, puis il a suivi Bernard à sa sortie. Il a profité du passage dans une rue déserte pour commettre son crime.

45 — Mais comment a-t-il pu nous localiser aussi rapidement ?

— Au premier abord ça semble compliqué. Mais lorsqu'on cherche quelqu'un et qu'on est déterminé à lui mettre la main dessus, on se rend compte que c'est aussi simple que bonjour. Vos parents, vos amis étaient au courant de vos projets. Le meurtrier a passé

---

1. Commanditaires : personnes qui rémunèrent l'assassin chargé d'exécuter un crime pour leur compte.
2. Il a filé Bernard : il a suivi Bernard pour le surveiller.

50 un coup de fil en se faisant passer pour un proche. Comment croyez-vous que nous procédons? De la même manière! Pour votre hôtel, c'est enfantin[1]. Le Syndicat d'initiative[2] édite chaque année un guide des hôtels de Toulouse. Le gars s'est contenté de relever tous les numéros et d'appeler systématiquement avant

55 d'arriver à la lettre M de Mercure Saint-Georges. À sa demande le réceptionniste s'est fait un plaisir de confirmer le séjour de M. et Mme Thiraud. L'hôtel possède cent soixante-dix chambres, le standard traite une moyenne de mille deux cents communications journalières: j'ai eu le chiffre à la direction. Malheureu-

60 sement personne ne se souvient d'un appel aussi anodin[3]. Pas de miracle!

Le portier du Mercure avait fini de ranger les bagages, il s'approcha de nous. Claudine ne faisait pas attention à lui. Je sortis vingt francs de ma poche et les glissai dans le creux de la main

65 du gars en livrée[4], qui me remercia par un sourire appuyé et une courbette de première classe. Claudine se rendit compte de la situation et tenta de me rembourser.

— Non, gardez cet argent. D'ailleurs j'ai une proposition à vous faire. Je dois passer quelques jours à Paris pour l'enquête. Si

70 vous acceptiez de me prendre à vos côtés… je vous tiendrais compagnie pour le voyage.

Elle accepta sans prendre le temps de réfléchir. Je rejoignis Lardenne qui stationnait au parking de l'hôtel et interrompis son combat avec le Rubik Cube.

75 — Passez-moi ma valise. Je ne prends pas le train, Mlle Chenet m'a proposé de faire le chemin avec elle. Pour le retour, rien de changé, vous me prenez samedi prochain au train de onze heures.

---

1. **Enfantin**: facile.
2. **Syndicat d'initiative**: organisme chargé du tourisme dans une commune ou dans une région.
3. **Anodin**: sans importance.
4. **Livrée**: costume du portier de l'hôtel.

– D'accord patron, à moins que vous ne trouviez un autre chauffeur d'ici là !

À la réflexion, c'était bien la première fois qu'il m'appelait patron.

*

Nous avions laissé l'aéroport de Blagnac[1] sur la gauche. Le compteur de la Volkswagen ne quittait pas le cent trente à l'heure. À ce rythme nous étions sûrs d'arriver à Paris en milieu d'après-midi. Mais à la vue du Restoroute de Saint-André-de-Cubzac, elle se décida à faire une pause. Ce n'était pas pour me déplaire, et les diapositives verdâtres, vantant les saveurs incomparables des plats servis au bar ne parvinrent pas à me couper l'appétit. Un car de touristes espagnols déversa sa cargaison devant les portes alors que nous nous installions. Je commandai un œuf mayonnaise et un grillados-frites. Claudine se contenta d'un plat de crudités et d'un thé. Mis à part les futilités[2] (La fumée ne vous dérange pas ? Vous n'avez pas trop d'air ?) elle n'avait pas décoché un mot depuis le départ de Toulouse ; j'essayai de renouer le dialogue.

– Quel genre d'études faites-vous ?

La réponse me surprit par sa concision.

– Histoire.

Je m'accordai dix bouchées de réflexion avant d'oser une nouvelle question.

– Quelle période ?

Mes efforts furent récompensés, elle sortit de sa mélancolie.

– La zone parisienne au début du siècle. Plus particulièrement, la population qui s'est installée sur l'emplacement des fortifications

---

1. Blagnac : aéroport de Toulouse.
2. Futilités : propos superficiels.

de Paris, après leur démolition en 1920. Pour vous situer, c'est approximativement l'emprise[1] actuelle du périphérique.

L'évocation de ses recherches l'avait animée ; je décidai de rester sur le même terrain.

110   – C'est un drôle de sujet pour une jeune femme comme vous ! J'ai lu quelques bouquins d'Auguste Le Breton[2] ; on s'attendrait plutôt à voir un militaire à la retraite, à la limite un flic, s'intéresser à ce genre d'étude. Bernard aussi était historien. Il était spécialiste de la Seconde Guerre mondiale, je crois ?

115   Elle reposa sa fourchette et me fixa en esquissant une moue.

– Non, pas du tout. Il préparait une thèse sur l'enfant au Moyen Âge. Vos renseignements sont inexacts.

– C'était une simple supposition ! Votre ami a consulté au Capitole et à la préfecture des liasses de documents sur la période 120 1942-1943. J'en ai déduit qu'il profitait de votre passage à Toulouse pour compulser des archives indisponibles à Paris.

Elle demanda deux cafés au serveur et appuya sa tête sur ses paumes en comprimant ses joues. Ses longs ongles vernis et acérés pointaient sous ses yeux. Je me mis à la détailler pour la première 125 fois ; une évidence que j'essayais inconsciemment de contourner s'imposa à moi. Ces quelques moments d'intimité avaient aboli la distance, Claudine n'était plus une simple « cliente ». Je savais qu'elle devait quitter la ville ce matin, le juge d'instruction m'en avait informé et je n'avais rien eu de plus pressé que d'obtenir 130 cet ordre de mission pour Paris... Dans ma courte carrière j'étais déjà tombé deux fois amoureux de témoins ou de victimes. Et dire que certains trouvent que la police manque de cœur ! En Alsace d'abord, où j'avais rencontré Michèle Shelton, l'amie d'un jeune militant écologiste assassiné. À Courvilliers ensuite, une 135 ville-dortoir de la banlieue parisienne. Là encore je ne m'étais

---

1. Emprise : surface occupée.
2. Auguste Le Breton (1913-1999) : écrivain français, auteur de romans policiers dont les personnages sont des truands.

pas avoué facilement mon intérêt pour Monique Werbel. Il y avait de quoi : quand j'avais fait sa connaissance elle était allongée sur son lit, une balle de neuf millimètres venait de lui transpercer la poitrine. Le plus ringard des psychanalystes réussirait à soutirer dix ans de séances bihebdomadaires d'un paumé qui lui annoncerait un tel programme ! Éros et Thanatos[1], le couple maudit !

Mon regard s'était fait insistant.

– Pourquoi me regardez-vous de cette manière, inspecteur ? Vous me mettez mal à l'aise, comme si vous doutiez de mon innocence…

– Vous voulez que je sois franc ?

– C'est votre rôle, je crois. Sinon ce serait à désespérer de tout !

– Je suis atteint d'une maladie professionnelle très répandue chez les jeunes flics, surtout lorsqu'ils sont en face d'un témoin aussi joli que vous.

Ses mains quittèrent son visage ; elle fut debout en un éclair.

– Taisez-vous immédiatement, inspecteur. Je ne vous emmène pas à Paris pour entendre ce type de discours, mais pour faciliter l'enquête. Je n'ai pas le cœur à jouer à la veuve outragée[2] et si j'enterre Bernard cette semaine, sachez que je ne suis pas prête à repartir pour un nouveau massacre.

Elle prononça la phrase suivante sous le tunnel de Saint-Cloud, cinq cent cinquante kilomètres plus loin.

– Je vous dépose à quel endroit ?

– Au coin de l'avenue de Versailles, il y a une station de taxis.

Elle ne me proposa pas de me rapprocher et fit grincer la première vitesse en quittant le bord du trottoir.

*

1. **Éros et Thanatos** : dans la mythologie grecque, dieux de l'Amour et de la Mort ; en psychanalyse, pulsion de vie et pulsion de mort.
2. **Outragée** : offensée, insultée.

Le lendemain, ma première visite me conduisit à l'île de la Cité[1].
Je montrai mon ordre de mission à cinq ou six reprises avant de
pouvoir accéder au fichier central. Le dernier huissier[2] satisfait,
j'entrai dans la salle du quatrième étage. Tout était gris, le sol, les
murs, les étagères. Jusqu'aux employés revêtus de blouses sombres,
dont les joues et les cheveux avaient pris la teinte dominante.
Une odeur de poussière réchauffée flottait dans l'immense pièce.
Une vieille odeur incrustée depuis des années, prisonnière des
larges tentures qui recouvraient les fenêtres et de la série de
portes à double battant qui menaient aux escaliers.

Une note placardée à l'entrée m'informa que le système de
classement reposait sur deux données distinctes : le nom de famille
de la personne recherchée et l'adresse à laquelle elle était censée
habiter. Je tendis mon questionnaire au préposé. Il m'indiqua
une chaise libre d'un mouvement de tête. Je m'assis à côté d'un
fonctionnaire de police abattu par l'ingratitude de sa tâche. Les
recherches demandèrent une heure ; on m'appela au guichet
avant de me remettre une fiche brune.

A) Fichier alphabétique : Bernard Thiraud, inconnu.

B) Fichier d'arrondissement : 5, rue Notre-Dame-de-Bonne-
Nouvelle, Paris IIe. Personnes fichées : 1 – Alfred Drouet. 2 – Jean
Valette. 3 – Roger Thiraud. 4 – Françoise Tissot.

Je remplis un second questionnaire au nom de Roger Thiraud
et le remis à l'employé. Il se contenta d'un rapide aller-retour,
puis écrivit directement les renseignements devant moi.

A) Fichier alphabétique : Roger Thiraud, professeur d'histoire au
lycée Lamartine, né le 17 juillet 1929 à Drancy (Seine). Décédé le
17 octobre 1961 lors des émeutes FLN à Paris. Élément européen
probablement lié au mouvement terroriste algérien.

Le service de l'état civil de la mairie de Paris me confirma
qu'il s'agissait bien du père de Bernard Thiraud. Je filai aux

---

1. Île de la Cité : île de la Seine au centre de Paris où se trouve la préfecture de police.
2. Huissier : employé chargé du service dans les assemblées, les administrations.

195 Renseignements généraux[1]. Un collègue avec lequel j'étudiais
à la fac de Strasbourg avait pris la direction de la section Identification. Coup de chance, il était dans son bureau, plongé dans
les rondeurs glacées d'un magazine pour hommes modernes.

— Salut, Dalbois! On ne s'embête pas aux RG! C'est le patron
200 qui vous paye l'abonnement?

Il sursauta et posa le bouquin grand ouvert à la fille centrale.

— Cadin, quelle surprise! Je te croyais à Toulouse. Qu'est-ce
que tu viens manigancer dans le quartier?

— Rien de compromettant, rassure-toi. Je travaille sur une affaire
205 de meurtre; un Parisien qui est venu se faire descendre à deux
pas de mon commissariat. Ça me vaut huit jours à Paris aux frais
de la princesse[2]. Et toi, ça marche?

Il agita la main comme pour imiter le roulis d'un bateau.

— Moyen… On épure les fichiers. Il faut refiler tout ce qui touche
210 de près ou de loin au terrorisme au nouveau service qu'ils ont créé,
au ministère. Depuis deux mois je ne fais que ça. Finies les enquêtes
de terrain, ils m'ont transformé en employé de bureau!

Il se leva et déplia sa longue silhouette. Le manque d'entraîne-
ment était visible de profil: un bourrelet de graisse ceinturait sa
215 taille et tendait le tissu de sa chemisette d'été. Il avait toujours ce
teint jaune des gens qui ne supportent pas l'alcool mais ne par-
viennent pas à s'en passer. En cinq ans, il avait perdu la majeure
partie de ses cheveux; la calvitie[3] butait sur une mince bande
qui prenait naissance au-dessus de chaque oreille pour s'élargir
220 sur la nuque. Il avait gardé le goût des vêtements nets, bien que
la modicité de son traitement[4] le conduisît à fidéliser ses achats
aux Trois Suisses, plutôt que chez Cardin[5].

---

1. Renseignements généraux : service de renseignements chargé de la sécurité
intérieure d'un pays.
2. Aux frais de la princesse : avec l'argent du contribuable ou de l'employeur.
3. Calvitie : absence de cheveux.
4. Modicité de son traitement : rémunération peu élevée.
5. Pierre Cardin : couturier français.

– Si ce n'est pas pour le boulot, tu viens me rendre visite comme ça, en souvenir du bon vieux temps ? Pourtant je me rappelle qu'on n'était pas souvent du même avis, tous les deux !

Je m'avançai vers lui et lui tapai sur l'épaule, d'un geste amical.

– On ne s'est jamais battu ensemble… En fait, j'aurais besoin que tu me rencardes[1] sur une histoire qui date de plus de vingt ans. D'octobre 1961 pour être précis.

– Qu'est-ce que ça vient faire dans ton enquête ?

Je décidai d'être franc avec lui : il ne dirigeait pas un service de renseignements sur sa bonne gueule. Au moindre flou, il se refermerait définitivement.

– Le père du gars assassiné à Toulouse est mort lors des émeutes algériennes du 17 octobre 61. J'ai appris ça au fichier. C'est peut-être une piste valable. Tu as déjà entendu parler des « porteurs de valises », ces Européens qui ramassaient l'argent pour le compte du FLN et qui le faisaient transiter en Suisse…

Il hocha la tête et commença à se balancer sur son fauteuil.

– Oui, bien sûr. Le réseau Jeanson[2] et tout le tremblement… Dans la maison il y a encore deux ou trois ancêtres qui ont suivi l'affaire de bout en bout. Toutes les filières ont arrêté de fonctionner en juillet 62, au moment de l'indépendance. Les dossiers sont classés, enterrés. Je crois même que tous les Français condamnés pour avoir aidé le FLN sont amnistiés[3]. Je ne vois pas ce que tu espères trouver de ce côté-là, sinon des emmerdements.

La persuasion avec laquelle il tentait de me convaincre signifiait l'exact contraire. Le sujet était trop sensible ; « l'ami d'enfance » s'était mué en gardien du temple.

---

1. Tu me rencardes : tu me renseignes (familier).
2. Le réseau Jeanson : groupe de militants français agissant sous les directives de l'écrivain Francis Jeanson (né en 1922) pour le compte du FLN lors de la guerre d'Algérie.
3. Amnistiés : bénéficiaires d'une loi qui annule les condamnations et leurs conséquences pénales.

– Supposons que le père Thiraud se soit mouillé dans la combine des valises de fric du FLN. Sa liquidation en octobre 61 peut être l'œuvre de barbouzes[1] chargées de nettoyer le paysage politique… En ce temps-là, on n'appréciait pas beaucoup les Français qui passaient de l'autre côté.

– Tu vas un peu loin, Cadin, tu te rends compte de ce que tu racontes ?

– Oui, tout à fait. Au début il y a eu quelques procès mais le résultat était contraire, ça leur faisait de la publicité à bon compte et les transformait en martyrs. Ne viens pas me dire qu'en travaillant dans ce service tu ignores ces petits détails. Ils ont toujours pratiqué de cette manière. Pour liquider l'OAS également, c'est un ancien préfet de Seine-Saint-Denis qui dirigeait les commandos gaullistes[2]. Enfin, il n'y a pas que l'hypothèse des barbouzes, je n'exclus pas l'idée que le FLN se soit chargé du travail, par exemple, en représailles contre la disparition d'un colis ou pour punir un convoyeur trop bavard. Je dirais même que cette explication me paraît plus satisfaisante, car elle a l'avantage de faire le lien avec le meurtre du fils. Imagine qu'en fourrant le nez dans les affaires de son père, il ait découvert une partie du trésor de guerre du FLN…

– Tout à l'heure, en entrant, tu te foutais de moi parce que je jetais un œil sur un bouquin de cul ! Toi, tu préfères le roman-feuilleton ! Il est planqué où, ton trésor de guerre ? Dans une salle secrète du Capitole ?

– À Toulouse peut-être. C'est une des villes qui comptent le plus grand nombre de rapatriés d'Algérie[3], et de gens susceptibles de vivre dans le passé. Ça vaut le coup de vérifier ! Je ne te demande

---

1. Barbouzes : agents secrets plus ou moins officiels d'un service de renseignements.
2. Commandos gaullistes : groupes de combats aux ordres du général de Gaulle, alors président de la République, et chargés de missions ponctuelles.
3. Rapatriés d'Algérie : Européens ayant toujours vécu en Algérie et contraints de rentrer en France lors de l'indépendance de ce pays en 1962.

qu'une chose, sortir le dossier Roger Thiraud pour me permettre
d'en prendre connaissance.

Il attrapa le téléphone noir posé sur le coin de son bureau et
composa un numéro intérieur[1] à trois chiffres.

– Je vais voir ce qu'il est possible de faire pour toi.

Son correspondant était visiblement en ligne car il dut s'y
reprendre à deux fois avant de l'obtenir.

– Allô, Gerbet ? c'est Dalbois de l'Identification. J'ai besoin
de me faire une idée sur les porteurs de valises. Il est possible
que certains d'entre eux se soient reconvertis dans les réseaux
terroristes. Tu dois avoir une synthèse sous le coude. Pendant
que je te tiens, ajoute donc le dossier Roger Thiraud, un mec du
FLN, un Européen décédé lors des manifestations algériennes
d'octobre 61.

Il raccrocha content de lui. Il semblait surtout heureux
d'avoir montré l'étendue de son pouvoir à un petit inspecteur
de province.

– Tu auras tout ça dans un quart d'heure. Sinon, tu es marié ?

– Non, je n'ai pas le temps de m'habituer à un coin que je suis
déjà muté ! Je vais voir à Toulouse… Et toi ?

Il se tapota le ventre et redressa la tête.

– Ça ne se voit pas ? Tu auras bien un moment pour faire connaissance avec Gisèle, c'est une excellente cuisinière. Demain soir,
par exemple ? Je m'arrangerai pour faire garder les deux mômes
par la belle-mère.

J'acceptai afin de ménager mes intérêts. Au moins je n'aurai
pas à me forcer pour amuser les gosses. Un collègue de Dalbois,
Gerbet très certainement, pénétra dans la pièce et déposa un
volumineux dossier sur le bureau.

– Tiens, voilà… C'est tout ce que nous avons sur les réseaux
d'aide aux fellouzes[2]. Tu es peut-être sur du sérieux, plusieurs

---

1. Numéro intérieur : numéro de téléphone interne au service.
2. Fellouzes : partisans algériens luttant contre l'armée française pour obtenir
l'indépendance de leur pays.

310 noms sont en rouge sur les listings du terrorisme. On les ressort une ou deux fois par an ! Surtout tous ceux qui gravitaient autour de Burdiel. Mais je te préviens, ce sont de très gros poissons[1], on n'a jamais réussi à prouver quoi que ce soit… On se contente de recoupements, de coïncidences ; ensuite c'est le brouillard.

315 Même quand Burdiel s'est fait descendre par le groupe Honneur et Police, on n'a rien trouvé sur son compte.

En parlant, le gars ne cessait de jeter des regards rapides dans ma direction. Dalbois se décida à le rassurer.

– C'est un ami, l'inspecteur Cadin. Il enquête sur une vague
320 histoire de meurtre à Toulouse. Il profite de son passage à Paris pour faire signe aux vieux copains ! Tu peux continuer, Gerbet, nous sommes entre nous.

Gerbet me serra la main et poursuivit son discours à l'intention de Dalbois.

325 – Si tu mets ton nez là-dedans, sois prudent. Ils ont exécuté Burdiel à la suite d'une intox[2] de nos services. Depuis la fin de la guerre d'Algérie, il avait abandonné le service actif et militait pour le rapprochement politique des Palestiniens et de la gauche israélienne. On nous a fait gober qu'il était en contact
330 avec des éléments armés, opérant sur le territoire national, que son appartement servait de planque. Des fuites ont été organisées à partir de documents d'enquête ; la presse a sorti l'histoire. Une semaine plus tard, Burdiel se faisait aligner par le groupe Honneur et Police.

335 – O.K. Je marcherai sur des œufs. Et le dossier Thiraud ?

Gerbet posa un dossier de couleur bulle devant Dalbois et l'ouvrit. Il contenait trois ou quatre feuilles dactylographiées[3].

– Je me demande bien ce que tu peux vouloir à ce type. On peut résumer sa vie en deux lignes…

---

1. **Gros poissons** : personnages importants.
2. **Intox** : fausse information (argot).
3. **Dactylographiées** : composées à la machine à écrire.

340   Dalbois saisit les feuilles en lui lançant :

– Je me fous de sa vie, ce qui me passionne à son sujet, c'est justement sa mort ! Tu me laisses cette paperasse, je te la retourne avant ce soir.

Gerbet me salua et quitta la pièce.

345   – Vraiment charmant, ton collègue. J'imaginais des rapports plus tendus dans un service de renseignements. Tu as juste à demander poliment qu'on te livre les secrets d'État à domicile et ça suit.

– Non, il ne faut pas rêver. Certains se font tirer l'oreille mais
350   pas Gerbet. Il ne peut rien me refuser.

– Et pourquoi donc ?

– Permets-moi de tenir à la discrétion. Mon boulot consiste à savoir un maximum de choses sur un maximum de gens. En règle générale, des faits dont les principaux intéressés masquent
355   l'existence. Suppose un instant que tu sois employé à la préfecture et que des bruits insistants mettent en doute l'intégrité morale de ta femme… Par exemple qu'elle ne dédaigne pas la compagnie de très jeunes filles…

– Pas de chance, je t'ai déjà dit que je ne suis pas marié !

360   Dalbois se mit à sourire.

– Ce n'est pas le cas de Gerbet. Arrêtons de parler de ces conneries, si je continue, je vais passer pour un salaud. Voyons le pedigree[1] de ton bonhomme…

Il sortit une fiche de la chemise.

365   – « Roger Thiraud, né le 17 juillet 1929 à Drancy, Seine, décédé le 17 octobre 1961 à Paris, Seine. Professeur d'histoire au lycée Lamartine à Paris. Marié à Muriel Labord. Un enfant né postérieurement au décès du père (Bernard Thiraud le 20 décembre 1961 à Paris). Domicilié 3, rue Notre-Dame-de-Bonne-Nouvelle,
370   Paris IIe arrondissement. Aucune activité politique ni syndicale.

---

1. **Pedigree** : renseignements biographiques sur une personne.

Membre de la Société des gens d'histoire. Son nom figure en 1954 sur une liste de signatures référencée Appel de Stockholm. »

– Ça consistait en quoi, cet appel ?

Dalbois posa le papier et me regarda.

375 – Une pétition internationale pour l'interdiction des armes atomiques.

– Ça venait des communistes ?

– Ils étaient dans le coup, mais l'appel a été signé par plus d'un million de Français… Si on se met à l'éplucher, on tombe
380 sur la moitié des députés de l'actuelle assemblée, majorité et opposition confondues. Il est difficile d'accorder une trop grande importance à un indice de ce genre. Il y a aussi la déclaration de l'Institut médico-légal : « *Découvert mort d'une balle dans la tête, tempe droite, à l'issue des émeutes algériennes du*
385 *17 octobre 1961. Heure probable du décès : entre dix-neuf et vingt-quatre heures. Autopsie : néant. Vêtements et objets divers relevés sur le cadavre : costume trois pièces en laine, de marque Hudson, taille 42, teinte grise, rayures blanches. Chemise dite américaine bleu clair, taille 38. Maillot de corps et slip blancs sans marques. Chaussures noires*
390 *Woodline, ressemelées. Chaussettes de couleur noire, marque Stemm. Une montre Difor en état de marche ; un portefeuille contenant une carte d'identité et une carte professionnelle délivrée par l'Éducation nationale au nom de Roger Thiraud. Une facture d'un montant de 1 498 nouveaux francs pour l'achat d'un téléviseur Ribet-Desjardins*
395 *équipé deuxième chaîne. Cent vingt-trois nouveaux francs en liquide. Un ticket de cinéma provenant du Midi-Minuit.* » C'est tout. Il n'est pas bien bavard ton client !

– Non. Je me fous totalement de savoir s'il porte des slips Petit Bateau ou des slips Éminence… À la limite ce qui me paraît le
400 plus intéressant, c'est d'apprendre qu'il allait dans un ciné appelé Midi-Minuit. Tu connais ?

– De réputation ; actuellement ils se sont reconvertis dans le porno, mais à l'époque c'était le rendez-vous des amateurs de fantastique. Ils programmaient des films de vampires, de sorcellerie.

405 C'était aussi mal vu, alors, de fréquenter ce cinéma que de passer une soirée à Pigalle.

– Si je m'appelais Hercule Poirot[1], je noterais le numéro du billet et je filerais au Centre national du cinéma pour relever la date exacte à laquelle ce coupon a été délivré. Avec un ren-
410 seignement de cet ordre je peux savoir le titre du dernier film vu par Roger Thiraud. Accessoirement l'âge de la placeuse[2]! Qu'est-ce que je peux espérer de mieux? Rien. Ce dossier est incomplet. Ou pire, il est bidon. On doit trouver des éléments plus décisifs quelque part... Cette manifestation, par exemple.
415 Je me suis vaguement renseigné. La préfecture a reconnu entre quatre et dix morts, cela dépend des communiqués. Le SDP, le Syndicat départemental de la police, a publié un bilan qui fait état de soixante morts vérifiés. Par contre, la Ligue des droits de l'homme...
420 En entendant ce nom, Dalbois ferma le poing droit et fit mine d'enfoncer son majeur pointé dans un postérieur imaginaire.

– Oui, je sais ce que tu penses de ce type d'organisation, mais dans cette affaire leur avis en vaut bien un autre. Ils parlent de deux cents morts le soir des troubles et autant au cours de
425 la semaine qui a suivi. Ce que j'essaie de souligner, c'est qu'il s'agit d'une histoire importante. Un Oradour[3] en plein Paris; personne n'en sait rien! Il doit bien exister des traces d'un pareil massacre...

Dalbois se gratta la joue et s'appuya sur le dossier de son
430 siège.

– Je vais voir ce que je peux faire.

Il reprit son téléphone et rappela Gerbet.

---

1. Hercule Poirot : célèbre détective privé, héros des romans policiers d'Agatha Christie (1891-1976).
2. Placeuse : personne chargée de placer le public dans une salle de spectacle.
3. Oradour-sur-Glane : commune de la Haute-Vienne où, le 10 juin 1944, les Allemands ont massacré l'ensemble de la population (642 personnes). Le nom d'Oradour est un symbole de la barbarie nazie.

– Je viens de jeter un œil à tes papiers; c'est maigre. Dès que tu arrives à te libérer, passe les prendre. D'ailleurs, j'ai encore
435 une ou deux questions à éclaircir.

Puis à mon intention :

– Il rapplique tout de suite. Laisse-moi poser mes jalons[1] et reste dans ton rôle de cousin de province, on s'y croirait !

Deux minutes plus tard, Gerbet était assis à ma droite. Il écoutait
440 Dalbois qui agitait la chemise bulle devant ses yeux.

– C'est tout de même extraordinaire, on ramasse un prof d'histoire sur un trottoir parisien, la tête truffée de plomb, et on ne prend pas la précaution de pratiquer une autopsie. Rien. Pas d'enquête non plus; on ne recherche ni les causes de
445 la mort ni l'assassin ! On croit rêver. D'après ces papiers, personne n'a pu établir que Roger Thiraud ait eu partie liée avec le FLN. Il apparaît comme un petit prof tranquille, inoffensif. Qu'est-ce que ça cache ? Il y a sûrement d'autres éléments. Tu es au courant ?

450 Gerbet se trémoussa sur le fauteuil. Mal à l'aise, il s'éclaircit la voix.

– Écoute, Dalbois, laisse tout ça tranquille. Tu es le premier à remuer ces questions depuis vingt ans. Ça ne servirait à rien ni à personne d'établir qu'un professeur d'histoire renseignait
455 une organisation subversive[2] et que l'État français a choisi de l'abattre. Aujourd'hui ces événements concernent deux pays, la France et l'Algérie. Les gouvernements n'ont aucun intérêt à voir resurgir certains fantômes. La découverte du charnier de Kenchela[3] en a administré la preuve. Des terrassiers ont mis au
460 jour plus de neuf cents squelettes en construisant un stade de

---

1. Jalons : marques, repères servant à situer ou diriger.
2. Subversive : qui provoque des actions visant à déstabiliser l'ordre politique existant.
3. Kenchela : base militaire française en Algérie ; on y a retrouvé un cimetière clandestin où furent enterrés des Algériens après avoir été torturés et exécutés.

football dans l'est des Aurès[1]. Il s'agit, selon toute vraisemblance, de soldats de l'armée de Boumediene[2] exécutés par la Légion[3] qui avait un camp à cet emplacement. Les autorités algériennes sont restées très discrètes. Elles ont utilisé cette découverte au seul plan intérieur. Il n'y a pas eu de campagne anti-française déclenchée à cette occasion. Il a fallu que ce soit un «fouille-merde» de *Libération* qui se charge du travail.

— Tu veux dire qu'il va falloir attendre la sortie de *Libération* pour connaître les raisons de la mort de Roger Thiraud?

— Non, ce n'est pas du tout ça! Il faut être clair. Les gens actuellement au pouvoir en France ont condamné l'action de la police, à l'époque. Dans leur grande majorité. En exhumant le passé, le gouvernement algérien ne réussirait qu'à les braquer et à raviver des oppositions, des rancœurs. L'heure est à l'oubli, sinon au pardon.

— Je ne te comprends pas bien, Gerbet. Si les dirigeants actuels critiquaient la police et le rôle qu'on lui faisait jouer, c'est une bonne manœuvre pour eux de ressortir le dossier et de se faire mousser[4] au nom de la fidélité à leurs principes.

Gerbet ne semblait pas apprécier la tournure prise par la conversation. Il remuait de plus en plus sur son siège et recommençait à me lancer des regards désespérés.

— Pour tout t'avouer, l'Inspection générale des services a fait une enquête en octobre 1961, sous la pression des députés et des sénateurs de l'opposition. Un peu comme Begin[5] avec les massacres de Sabra et Chatila[6]. Sept juges ont été commis sous

---

1. Les Aurès : montagnes algériennes.
2. Houari Boumediene (1932-1978) : militaire et homme d'État algérien qui fut l'un des artisans de l'indépendance algérienne.
3. La Légion : régiment armé formé de volontaires, généralement étrangers, sous commandement français.
4. Se faire mousser : se vanter (familier).
5. Menahem Begin (1913-1992) : homme d'État israélien.
6. Les massacres de Sabra et Chatila : terribles massacres perpétrés les 16 et 17 septembre 1982 dans deux camps de réfugiés palestiniens au Liban.

l'autorité du ministre de l'Intérieur d'alors. Tu n'ignores pas que ce personnage est aujourd'hui président du Conseil constitutionnel[1], ce qui donne la mesure des précautions à prendre avant d'effleurer ce dossier… Les juges ont dû, entre autres choses, se prononcer sur les causes des décès de soixante personnes dont les corps avaient été amenés à l'Institut médico-légal dès le lendemain de la manifestation. Celui de Roger Thiraud devait faire partie du lot. Nouvelle coïncidence, cette commission a vu le jour grâce à l'insistance de l'actuel ministre de l'Intérieur.

– Et le résultat ?

– « Classé sans suite ». Il était établi, dans les conclusions du rapport, que la police parisienne avait répondu à sa mission, en protégeant la capitale d'une émeute déclenchée par une organisation terroriste. Très peu de choses ont été rendues publiques. Il existe deux volumes des travaux de cette commission et une synthèse de l'action des différents groupes d'intervention au cours de cette nuit. Un au ministère, l'autre ici, dans les archives de la police nationale.

Dalbois se leva en souriant.

– Eh bien, c'est celui-ci que je désire consulter.

Gerbet était devenu très pâle ; il suait abondamment. Il s'était tassé dans son fauteuil, les épaules courbées.

– C'est absolument impossible. Personne n'y a accès. Seul le ministre est habilité à le faire sortir du coffre et à en divulguer le contenu. Tu connais les décrets concernant la publicité des documents d'État. Cinquante ans de secret absolu. Il n'est pas dans mon pouvoir d'y déroger[2]. Et certains dossiers explosifs pourriront pendant des siècles entiers avant de revoir la lumière. Vous savez tout autant que moi que les gouvernements ont besoin d'une police forte et unie. Remettre l'affaire d'octobre 1961 sur

---

1. Conseil constitutionnel : conseil institué en 1958 par la Constitution de la Vᵉ République pour veiller au respect des institutions. Il est composé de neuf membres nommés et des anciens présidents de la République.
2. Déroger : passer outre une interdiction, enfreindre.

la place publique produirait l'effet inverse. On en viendrait vite
à juger les décisions d'un ministre de l'Intérieur et l'action d'un
préfet de police. Un tel remue-ménage provoquerait la déstabili-
520 sation d'une bonne moitié des commandements des Compagnies
républicaines de sécurité. Elles sont toujours sous l'autorité des
mêmes officiers. Qui peut souhaiter un tel bouleversement?
Certainement pas le pouvoir politique. Le gain serait ridicule
en regard de la perte de confiance qu'il subirait dans l'ensemble
525 des corps de maintien de l'ordre et dans l'armée.

Dalbois se décida à mettre fin à son supplice.

– Ce qui est appréciable avec les professionnels des RG, c'est
leur connaissance approfondie de *tous* les dossiers… Rassure-toi,
Gerbet, je ne vous demanderai pas d'éventer[1] les secrets d'État.
530 D'autant que notre boulot consiste à les créer! Si je te comprends
bien, le terrain est complètement balisé[2]. Le moindre faux pas
et je saute. Ça a le mérite de la clarté. Tu n'as vraiment aucune
source disponible?

– Pas de voie royale, désolé. Il reste le B.A.-BA du métier. Éplucher
535 les journaux de 1961, les tracts, les déclarations d'indicateurs. Nous
en avons une bonne collection sur microfilms[3], plus quelques
milliers de photos en provenance de l'identité judiciaire. Mais
rien de déterminant. Il y a eu des problèmes avec le photographe
du service, un certain Marc Rosner. Il devait couvrir l'intervention
540 des Brigades spéciales, mais il n'a jamais remis les bobines, du
moins c'est la version officielle. Au début des années soixante,
la photo et le cinéma amateurs n'étaient pas aussi développés
qu'aujourd'hui. Nous ne disposons que de dix ou quinze clichés
réalisés par des passants. Sinon, on a formellement établi qu'une
545 équipe de la télévision belge, la RTBF, a réalisé un film de près
d'une heure. Ils étaient à Paris pour rendre compte du voyage

---

1. Éventer : divulguer, révéler.
2. Balisé : miné.
3. Microfilms : films en rouleaux ou en bandes composés d'une série d'images de
dimension très réduite.

officiel du shah d'Iran et de Farah Dibah, mais ils ont filmé la manifestation, planqués dans leur voiture puis dans un café. La télé belge n'a rien diffusé, c'est la seule concession qu'elle nous ait faite... Nous avons tenté de racheter les bobines, sans succès. Je peux vous fournir les coordonnées des cinéastes belges et celles de Rosner...

Je l'interrompis.

– Pour Marc Rosner, ce n'est pas la peine, j'ai eu l'occasion de le rencontrer lors d'une enquête précédente.

Dalbois me foudroya du regard en laissant la bouche ouverte. Gerbet se planta devant lui.

– Qu'est-ce que cela signifie ? Ce n'est pas toi qui t'occupes de cette affaire... À quel titre dois-je aider ce monsieur ?

Dalbois lui expliqua la nature de mes interrogations au sujet du meurtre de Bernard Thiraud et de celui de son père. Il parvint presque à calmer son collègue ; il lui promit de le tenir au courant de nos recherches. Dès qu'il ferma la porte du bureau, Dalbois me passa un savon[1].

– Je me débrouille pour soutirer un maximum de données, en douceur, à un as du renseignement et pour tout remerciement tu me fais porter le chapeau. Tu le fais exprès... on pourrait le penser. Je comprends pourquoi tu n'arrives pas à rester longtemps au même poste. C'est une mesure de sécurité de se débarrasser d'un gaffeur pareil ! Dis-moi au moins de quelle manière tu as lié connaissance avec ce Rosner, ça m'intéresse.

– C'était l'année dernière, à Courvilliers. Une sombre histoire de montages photographiques destinés à mouiller[2] des personnalités locales. Comme par hasard, je suis tombé sur Marc Rosner. C'est lui qui assurait la partie technique. Son commerce légal ne devait pas être assez rentable.

---

1. Me passa un savon : me réprimanda (familier).
2. Mouiller : compromettre (familier).

– Pourquoi, il ne travaille plus pour nous?

– Non, depuis 1961. Un type de l'identité judiciaire m'a raconté ses démêlés avec ses chefs. Rosner ne tournait pas rond, il aimait bien s'amuser avec les cadavres après le départ du labo…

– Tu veux dire qu'il…

Dalbois semblait réellement horrifié.

– Non, il se contentait de modifier les poses, de composer des sortes de natures mortes. Ça n'était pas bien méchant et ça n'avait aucune incidence sur son boulot. Tout le monde fermait les yeux sauf le directeur de cabinet du préfet qui avait décidé d'avoir la peau de Rosner. En septembre, il a reçu deux avertissements et le chef de l'identité s'est fait convoquer… Le soir de la manifestation Rosner était de service; il a vraisemblablement mis en boîte les affrontements les plus sérieux. On m'a parlé d'Algériens empalés sur les grilles du métro aérien, de viols dans les commissariats. Avec ce matériel entre les mains, Rosner croyait tenir un atout maître et pensait que le chef de cabinet se montrerait plus compréhensif. Il s'en est vanté auprès de certains collègues. Quelques jours plus tard, une équipe de «plombiers[1]» a monté une opération dans le laboratoire photographique de la préfecture, ainsi qu'à son domicile. Tous ses dossiers, toutes ses archives ont été saisis. Rosner s'est retrouvé à la rue, licencié pour faute grave. Ensuite il a ouvert un studio, reportages, mariages, communions, à Courvilliers.

– C'est ce qui t'attend si tu continues d'y mettre ton nez.

– Je ne connais rien à la photo!

– Tu te feras détective privé, alors. Au fait n'oublie pas que nous dînons ensemble demain soir, chez moi.

*

---

1. Plombiers : espions déguisés en plombiers et chargés de monter des opérations destinées à compromettre des personnes.

605 Dans l'ascenseur je cherchais déjà un moyen d'échapper à son invitation. Je n'avais aucun besoin de rencontrer Gisèle Dalbois pour la connaître. Le petit village à la française en proche banlieue, le pavillon crépi, garage attenant, combles aménageables. Dalbois avait eu le génie du geste, lorsqu'à l'évocation de mon
610 éventuel mariage, il avait établi la réalité du sien en tapotant son ventre. Mme Dalbois se résumait à cela : une serviette bien remplie. Je ne voyais pas comment une soirée d'ennui parviendrait à modifier mon jugement. Je marchai jusqu'à la station Saint-Michel et m'installai à l'arrière d'un taxi aux fauteuils défoncés.
615 Un berger allemand dormait sur le siège placé devant moi. Ses paupières se soulevaient par intermittence[1] et son corps était agité de tics nerveux. Je fouillai dans ma poche, mais à peine avais-je sorti un paquet de cigarettes que la bête se mit à grogner. Son maître donna de la voix.
620 — Il n'aime pas tellement qu'on fume dans sa bagnole. Moi c'est pareil. Vous allez où ?

— À Courvilliers, rue de la Gare. Ça se trouve après Aulnay-sous-Bois.

— Eh bien ça fait une drôle de trotte.

625 Il mit en marche son compteur à affichage digital. Je me plongeai dans l'observation attentive de la transformation des chiffres rouges avec une tendresse particulière pour la pureté du passage, à l'aide d'une seule barre, du 5 au 6 et du 8 au 9. À intervalles réguliers, le chauffeur tentait de lancer la conver-
630 sation sur les tares[2] de conduite comparées des Arabes et des Africains. Désespéré par mon silence il essaya de nouer un contact antisémite[3] sans plus de succès. Il se réfugia à bout d'arguments dans l'interprétation sifflée des derniers succès de Serge Lama.

---

1. Par intermittence : par moments.
2. Tares : graves défauts.
3. Antisémite : qui relève de l'antisémitisme, hostilité systématique à l'égard des Juifs.

635   Le chien se dressa sur son siège à la hauteur du Parc des expositions et s'ébroua. L'habitacle fut instantanément rempli de poils gris et fauves. Le chauffeur tapota le dos de son animal affectueusement et parvint à le maintenir immobile. La voiture quitta l'autoroute pour contourner les immenses ateliers de
640 l'usine Hotch, puis se dirigea vers le quartier de la gare.

    – Voilà, vous êtes arrivé. Ça fait soixante-deux francs plus vingt francs de retour.

    Je fouillai mes poches et lui remis le compte exact.

    – Eh bien vous n'êtes pas bien généreux. Et le pourboire ?
645 C'est pour qui ?

    Je me penchai à sa fenêtre en époussetant ma veste et mon pantalon.

    – Pour le pressing ! J'en aurai besoin pour me payer un nettoyage…
650   Le taxi repartit dans un crissement de pneus. Il tourna vers la bretelle de l'autoroute, mais j'entendais encore les vociférations du chauffeur et les aboiements du berger.

Un quiz pour commencer

Cochez les bonnes réponses.

❶ Au début du chapitre 3, à quelle époque l'action se déroule-t-elle ?

- ❏ Dans les années 1960.
- ❏ Dans les années 1970.
- ❏ Dans les années 1980.

❷ Qui est Bernard Thiraud ?

- ❏ Le neveu de Roger Thiraud.
- ❏ Le frère de Roger Thiraud.
- ❏ Le fils de Roger Thiraud.

❸ Pourquoi Bernard Thiraud et Claudine Chenet vont-ils à Toulouse ?

- ❏ Pour y passer leurs vacances.
- ❏ Parce que Bernard Thiraud doit y consulter des documents.
- ❏ Parce que Claudine Chenet y mène une enquête.

❹ *Qu'arrive-t-il à Bernard Thiraud au terme de ses recherches ?*
- ☐ Il part au Maroc avec Claudine Chenet.
- ☐ Il fait des révélations à Claudine Chenet.
- ☐ Il est mystérieusement assassiné.

❺ *Quels sont les indices dont dispose l'inspecteur Cadin ?*
- ☐ L'arme du crime et la marque de la voiture du suspect.
- ☐ L'adresse du suspect.
- ☐ Les empreintes de l'assassin.

❻ *Pourquoi Cadin se rend-il à Paris ?*
- ☐ Pour identifier le suspect dont la voiture a été retrouvée.
- ☐ Pour séduire Claudine Chenet.
- ☐ Pour enquêter sur les conditions de la mort de Roger Thiraud.

❼ *Quel est le rôle de Dalbois dans cette enquête ?*
- ☐ Il permet à Cadin de consulter un dossier sur le 17 octobre 1961.
- ☐ Il tente d'étouffer l'affaire de la mort de Roger Thiraud.
- ☐ Il fait des révélations à Cadin sur Claudine Chenet.

❽ *Pour quelle raison est-il difficile d'enquêter sur le 17 octobre 1961 ?*
- ☐ Parce que les archives ont disparu.
- ☐ Parce que cela relève du secret d'État.
- ☐ Parce que Dalbois cache des informations.

❾ *Chez qui Cadin se rend-il en taxi à la fin du chapitre 4 ?*
- ☐ Chez les Dalbois.
- ☐ Chez Muriel Thiraud.
- ☐ Chez le photographe Rosner.

Des questions pour aller plus loin

☛ Repérer les caractéristiques du genre policier

Meurtre mystérieux à Toulouse

❶ Étudiez la valeur des temps verbaux dans la scène qui précède le meurtre de Bernard Thiraud (p. 52, l. 110-120).

❷ Dans la scène du meurtre de Bernard Thiraud (p. 52), quels sont les éléments descriptifs qui contribuent à rendre l'atmosphère de plus en plus inquiétante ?

❸ Selon quel point de vue la scène qui précède le meurtre de Bernard Thiraud est-elle évoquée (p. 52, l. 110-128) ?

❹ Relevez à la page 52 et à la page 62 les éléments qui décrivent le meurtrier de Bernard Thiraud. Correspondent-ils à l'image que l'on se fait d'un assassin de roman policier ?

L'entrée en scène de l'inspecteur Cadin

❺ Relisez les conversations de Cadin avec Claudine Chenet et avec Dalbois. Dressez un portrait moral de cet inspecteur (caractère, valeurs morales, relations avec sa hiérarchie...). Quels sont les éléments stéréotypés de son portrait et quels sont ceux qui sont plus originaux ou plus surprenants ?

❻ Peut-on établir un portrait physique de Cadin en s'appuyant sur le texte ? Pour quelle raison ?

❼ Dans le chapitre 3, à quel moment le récit est-il pris en charge par un narrateur à la première personne ? En quoi cela modifie-t-il le point de vue du lecteur sur les événements ?

❽ Dans les pages 76 et 81, relevez les exemples qui montrent que l'inspecteur Cadin prend peu à peu cette enquête à cœur. Comment expliquez-vous l'intérêt particulier qu'il porte au meurtre de Bernard Thiraud ?

Un passé très présent

❾ Combien d'années séparent le chapitre 2 du chapitre 3 ? Le temps de la narration (qui se compte en nombre de pages) est-il proportionnel au temps de l'histoire (qui se compte en nombre de jours, mois, années) ?

❿ Dans le chapitre 3, les faits sont-ils évoqués dans l'ordre chronologique de leur déroulement ? En quoi est-ce caractéristique du roman policier ?

⓫ Dans les dialogues entre Cadin et Claudine Chenet (pp. 59-60 et pp. 76-78), relevez les retours en arrière sur la vie passée des personnages, qui interrompent la chronologie du récit. Qu'apporte ce procédé à la connaissance des personnages ou à la compréhension de l'histoire ?

⓬ Relevez dans le chapitre 4 (pp. 76-90) les références à des événements historiques, y compris dans le passé proche. Quelle est l'époque la plus souvent évoquée ?

Pistes et nœuds de l'enquête

⓭ Quels sont les personnages-types du roman policier présents dans les chapitres 3 et 4 ?

⓮ Relevez dans le chapitre 3 (pp. 54-60) les termes techniques caractéristiques d'un roman policier.

⓯ De quels indices Cadin dispose-t-il au début de son enquête sur la mort de Bernard Thiraud (circonstances du crime, mobile, suspect) ?

⓰ Récapitulez les différentes hypothèses émises par Cadin pour expliquer le meurtre de Bernard Thiraud. Selon vous, laquelle est la plus vraisemblable ?

Rappelez-vous !

Le temps de la narration (temps du récit) n'est pas calqué sur le temps de la fiction (temps de l'histoire) : les ellipses (périodes passées sous silence) et les analepses (retours en arrière) modifient le rythme du récit et rendent l'intrigue policière plus complexe.

De la lecture à l'écriture

Des mots pour mieux écrire

❶ **Complétez chacune de ces phrases avec les mots qui conviennent et accordez-les si nécessaire :** *mobile, indice, détective, meurtre, arme.*

a. La victime gisait sur le sol, une balle dans la tête, mais l'_____ du crime avait disparu.

b. Cet homme a commis des _____, il doit être jugé pour cela.

c. Au terme de l'enquête, de nombreux _____ prouvaient que cet homme était le coupable.

d. Il a demandé à un _____ de se charger de l'enquête.

e. Même si l'assassin a été découvert, son _____ reste encore mystérieux.

❷ **Cherchez un synonyme pour chacun des mots de la liste de l'exercice 1. Proposez trois mots de la même famille que** *meurtre.*

À vous d'écrire

❶ Dans la rubrique «Faits divers» d'un quotidien toulousain, un article évoque le meurtre de Bernard Thiraud. Vous rédigerez cet article en veillant à présenter un portrait de la victime et en récapitulant les premiers éléments de l'enquête en cours (indices, pistes).
Consigne. Vous rédigerez votre article à la troisième personne du singulier. Le ton employé sera neutre et objectif.

❷ En dépit du secret d'État qui pèse sur les événements du 17 octobre 1961, l'inspecteur Cadin décide d'envoyer une lettre au ministère de l'Intérieur afin d'avoir accès aux archives de la police nationale.
Consigne. Vous rédigerez une lettre argumentée en prenant en compte les informations données dans le chapitre 4 par Gerbet et Dalbois.

Du texte à l'image

➡ Dessin de Jeanne Puchol figurant dans une édition illustrée de *Meurtres pour mémoire* («Futuropolis-Série noire», 1997).
(Image reproduite en couverture.)

👁 Lire l'image

1 Observez l'illustration sur la couverture et décrivez la scène avec précision.

2 Comment peut-on imaginer le décor dans lequel ces personnages sont représentés?

3 À quel genre de roman une telle couverture fait-elle immédiatement référence?

📄 Comparer le texte et l'image

4 En vous appuyant sur votre lecture du chapitre 3, précisez qui sont les deux personnages représentés sur la couverture.

5 Retrouvez un passage précis du texte que ce dessin pourrait illustrer.

6 Quels détails de l'illustration coïncident exactement avec le texte? Quels détails du texte au contraire ne figurent pas dans ce dessin?

✏ À vous de créer

7 Dans un monologue d'une dizaine de lignes, exprimez les pensées de l'homme qui s'éloigne.

8 Un témoin caché a vu la scène et appelle le commissariat. Il décrit ce qui vient de se passer sous ses yeux. Rédigez le dialogue entre ce personnage et le policier.

Le studio photo n'avait pas changé d'aspect depuis un an. Je poussai la porte ; une sonnerie annonça mon arrivée à une jeune femme occupée à regarnir un casier de pellicules vierges. Elle se retourna et s'enquit de mes besoins. Elle possédait un visage au tracé parfait, aux traits réguliers et doux. Quelques taches de rousseur, très claires, disséminées sur ses pommettes saillantes[1] et sous ses yeux, venaient rappeler la couleur de ses cheveux. Mais le modulé harmonieux de sa voix ne parvenait pas à chasser l'extrême nervosité provoquée par son fort bégaiement.

– V… ous, vous dé… désirez ?

– Je suis l'inspecteur Cadin ; je viens voir M. Rosner. Il travaille toujours ici ?

Elle se mit en devoir de me répondre. Je serrai les dents et les poings pour ne pas lui crier de me l'écrire et mettre fin à l'épreuve.

– M… mon pè… père fait un repor… portage sur le Pa… Parc des es… ex… pour la mairie.

– Merci, dites-lui que je l'attends au Bar des Amis.

Le photographe me rejoignit une demi-heure plus tard, toujours aussi massif, vêtu de son éternel ensemble de velours noir usé aux genoux, un Leica en sautoir[2]. Il semblait de bonne humeur.

---

1. Saillantes : marquées, en relief.
2. Un Leica en sautoir : un appareil photo professionnel autour du cou.

– Quelle surprise inspecteur ! Je n'arrivais pas à croire ma fille. Vous nous revenez ?

– Non, j'ai un poste à Toulouse. Je suis sur une enquête un
25 peu particulière… Le hasard a voulu qu'on prononce votre nom devant moi, pour des événements liés à cette affaire.

Il se pencha vers moi ; sans prononcer un mot, il me fit signe de continuer. Je résumai brièvement le dossier Thiraud.

– Et qu'attendez-vous de moi, inspecteur ?
30 – J'aimerais que vous me racontiez vos souvenirs d'octobre 61. Surtout si vous vous êtes baladé du côté du faubourg Poissonnière. Je ne vous mêlerai pas au rapport, vous avez ma parole. Je veux seulement comprendre ce qui s'est réellement passé cette nuit-là. Personne ne veut en parler, il n'y a pratiquement pas
35 de traces… Sans la mort de Bernard Thiraud à Toulouse, il est probable que j'aurais continué à tout ignorer.

Rosner se rejeta sur le dossier de sa chaise et se mit à se balancer.

– Ça vous avancera à quoi de remuer le passé, inspecteur ? Vous
40 n'espérez tout de même pas que je vais vous donner le nom de l'assassin en ressassant mes souvenirs. Cette nuit-là, j'ai grillé une bonne dizaine de rouleaux, trois cent cinquante clichés au bas mot ! Je ne me rappelle pas avoir tiré le portrait d'un seul Européen, à part les flics.
45 – Il y a eu des tués parmi les forces de l'ordre ?

– Non, aucun, même pas de blessés. Mais des CRS me demandaient de les prendre dans la pose du chasseur, le pied sur le corps d'un Algérien… Ça m'a vraiment surpris quand j'y repense. Les manifestants n'avaient pas d'armes ; à aucun moment ils n'ont
50 essayé d'organiser une riposte. Au mieux, ils tentaient de fuir ou de se planquer dans les entrées d'immeubles. C'était en complète contradiction avec les informations données par le poste de liaison. Au début des troubles, la coordination de tout le service policier, une sorte de cellule de crise installée à la préfecture, parlait d'une
55 dizaine de flics descendus par le FLN à la Madeleine et aux Champs-

Élysées. J'ai filé là-bas aussitôt avec un car de gendarmes mobiles mis en réserve. Ils étaient comme dingues en entendant la radio… De véritables bêtes féroces. Sur place, rien ! On s'est renseigné ; pas un des nôtres n'avait la moindre égratignure. Par contre, à
60 partir de ce moment, les Algériens en ont pris plein la gueule. En un quart d'heure j'ai compté six cadavres… Je ne parle pas des blessés. De la Madeleine, je suis descendu sur l'Opéra. Ça se battait sérieusement dans tout le quartier. Je revois une scène, un groupe de manifestants, pourchassé par des CRS, s'était engouffré
65 dans le Café de la Paix, boulevard des Capucines. Les flics n'ont pas eu à investir le troquet[1] ; les consommateurs et le personnel leur ont épargné le travail en éjectant les fuyards. Ça me revient morceau par morceau… Juste avant, je m'étais arrêté devant l'Olympia pour photographier un périmètre de regroupement
70 de manifestants appréhendés. Je revois l'affiche du spectacle… J'avais fait un cadrage dessus, un spectacle de Jacques Brel[2]. Un peu plus tard, un motard m'a emmené en haut du boulevard des Italiens, à Richelieu-Drouot. Une vingtaine de cars appartenant à la 3ᵉ Compagnie de CRS étaient prêts à remonter en direction
75 de la République. J'ai donc suivi le mouvement.

– Toujours sur la moto ?

– Non, dans un des bahuts[3]. Ils étaient armés jusqu'aux dents ! Fusils, lance-grenades, flingues, sans compter les matraques. Ils voulaient tous se faire tirer le portrait avant de se mettre au travail.
80 Un bon nombre avait servi en Algérie ; le chauffeur commandait un DOP dans l'Oranais[4]…

– Il commandait quoi ?

– Un Dispositif opérationnel de protection. C'était une sorte de détachement de quinze ou vingt troufions[5] qui étaient chargés

---

1. **Troquet** : café.
2. **Jacques Brel** (1929-1978) : chanteur belge.
3. **Bahuts** : camions (familier).
4. **Oranais** : région occidentale de l'Algérie.
5. **Troufions** : soldats (familier).

85 de contrôler un petit secteur géographique, en liant des contacts avec les indigènes… Peu à peu, leur mission s'est bornée à démanteler les réseaux d'aide aux maquisards[1], par tous les moyens. On a beaucoup parlé de la gégène[2], mais c'était loin d'être le pire! Se faire allumer la plante des pieds à la lampe à souder,
90 c'est pas vilain non plus! Ah, les DOP! À l'époque on vous en filait à l'entrée des piscines… Vous n'avez pas connu ça, inspecteur? Les petits berlingots individuels de shampooing. Lavage de tête, lavage de cerveau. Pour en revenir à votre soirée, ils ont établi un barrage avec leurs camions, en retrait du cinéma
95 Rex, et ça n'a pas tardé à canarder. Je me suis planqué dans le hall du Midi-Minuit. Je me souviendrai toujours du titre du film qu'ils projetaient ce jour-là: *Le Récupérateur de cadavres*, avec Boris Karloff et Bela Lugosi.

– Je n'aurai pas besoin d'aller au Centre du cinéma…

100 Marc Rosner cessa de parler; il fit signe au patron de servir deux autres cafés.

– Ah oui, pourquoi?

– Roger Thiraud a vraisemblablement assisté à une séance de ce cinéma avant de se faire tuer. En tout cas, il possédait un billet
105 du Midi-Minuit lorsqu'on l'a retrouvé mort.

– Je ne vois pas pourquoi on lui aurait fourré un ticket de ciné dans ses poches… Les profs d'histoire ont bien le droit de s'intéresser au fantastique. Quant à moi, j'ai assuré l'essentiel de mon travail à cette place, l'œil collé au viseur. Je vais vous dire une
110 chose, ce qui importe, déjà à ce moment, c'est la photo. Vous ne voyez pas réellement ce qui se passe mais seulement la lumière, les masses, le cadrage. Le photographe n'est pas un témoin; son film est là pour jouer ce rôle. Au moment d'appuyer sur le bouton, on fixe une image mais on ne la comprend pas. Vous connaissez
115 cette photo d'un reporter au Salvador, qui photographie le soldat

---

1. Maquisards: combattants d'un groupe de résistance armée.
2. Gégène: instrument de torture utilisant l'électricité.

qui le tient en joue? Il a déclenché au moment précis où le soldat appuyait sur la détente, il savait sûrement qu'il risquait sa
vie, mais il ne parvenait pas à l'analyser. L'objectif faisait écran.
J'ai peut-être photographié le meurtre de votre gars, mais il est
120 certain que je ne l'ai pas vu.

– Ne vous forcez pas, Rosner, j'admets très bien que vous ne
souhaitiez pas m'aider. Rien ne vous y oblige.

– Vous vous trompez, inspecteur, je ne me défile pas. Le 17 octobre
est une date importante pour moi. Elle marque la fin de ma
125 carrière de flic. Je vais vous faire rire, mais ce boulot me plaisait
vraiment! Je n'en ai parlé à personne depuis vingt ans. Je m'étais
promis de tout oublier. Aujourd'hui vous me tombez dessus à
l'improviste; vous m'obligez à déballer ce qui me tient le plus à
cœur. Laissez-moi le temps de mettre de l'ordre dans ma tête. Je
130 crois que j'ai traversé la rue du Faubourg-Poissonnière, devant
L'Humanité. J'ai pris un café au Bar du Gymnase. Il y avait une
équipe de la télévision belge. Ils n'en croyaient pas leurs yeux. Ils
doivent se contenter des bagarres entre Wallons et Flamands. Ils
s'étaient planqués derrière le juke-box[1], le cameraman vidait le
135 magasin en continu. À mon avis ils n'ont pas dû en tirer grand-
chose, il faisait nuit; bien sûr, il leur était difficile d'installer une
bardée[2] de projecteurs et de les braquer sur les flics! Moi, je
bossais au flash. Après le café, je suis passé à côté, au théâtre. Des
CRS vidaient un paquet d'Algériens qui avaient réussi à entrer
140 dans les coulisses. J'y suis resté jusqu'à neuf heures pour souffler
un peu. Le directeur m'a refilé une coupe de champagne; ils
fêtaient la première d'une pièce et il a dû me prendre pour un
photographe de canard.

– Vous n'avez rien remarqué de l'autre côté du boulevard, vers
145 la rue Notre-Dame-de-Bonne-Nouvelle?

---

1. Juke-box : machine souvent installée dans les cafés qui permet de faire passer
automatiquement un disque choisi.
2. Une bardée : une série, un grand nombre (familier).

– Rien… Je suis désolé, inspecteur. Quand j'ai quitté le théâtre, je suis allé directement au Parc des expositions de la porte de Versailles où on regroupait les manifestants arrêtés. La préfecture n'avait pas trouvé de stade assez grand ni suffisamment proche.

150 Ça l'aurait mal fichu de boucler des prisonniers de guerre au stade de Colombes! Enfin à Bonne-Nouvelle ça tirait dans tous les sens. C'est là qu'on a relevé le plus grand nombre de morts et de blessés, mis à part la cour d'isolement de la Cité[1].

– Vous voulez dire que des manifestants sont morts à l'intérieur
155 de la préfecture? C'est impossible, ils n'auraient jamais réussi à y pénétrer.

– Non, rien n'était impossible durant cette nuit de folie. Le gouvernement a reconnu trois ou quatre décès… Un chiffre qu'il convient de multiplier par cinquante au moins, pour approcher
160 de la vérité. Une équipe de l'Institut médico-légal a été appelée vers deux heures du matin le 18 octobre, pour prendre livraison de quarante-huit cadavres, en un seul lot, dans le petit jardin qui jouxtait Notre-Dame avant les travaux du parking souterrain. Pas un seul n'était mort par balle. Le diagnostic était identique
165 pour tous: matraquage. Selon des rumeurs insistantes, il s'agissait de responsables du FLN transférés directement à la Cité pour interrogatoire. Ils étaient sous surveillance dans un local du premier étage, quand soudain une dizaine de flics sont entrés dans la salle, mitraillettes braquées. Les prisonniers ont cru que leur
170 dernière heure était arrivée; ils se sont précipités sur la porte du fond qui a cédé sous la pression. Comme par hasard, cette porte conduisait directement à la salle d'état-major du préfet. Pas question de tirer. Le préfet et son entourage, qui coordonnaient les opérations de répression, ont entendu la cavalcade. Ils ont
175 tout de suite pensé à une attaque du FLN sur le dispositif central. Toute la garde de la Cité a été dirigée contre les prisonniers.

---

1. **La Cité**: la préfecture de Paris.

Résultat, quarante-huit à zéro ! Un beau score. À côté de chiffres pareils, les bavures d'aujourd'hui paraissent bien mesquines ! Je vous raconte tout ça, inspecteur, bien que ça n'ait jamais existé officiellement. Aucune preuve. Aucune trace de ces quarante-huit cadavres : l'Institut a trouvé une cause réelle et sérieuse pour expliquer chaque décès. Direction les oubliettes de l'histoire. Il vaut mieux pour tout le monde qu'ils y restent ! Ne vous amusez pas à les remonter à la surface ; ils feront comme Dracula, ils revivront avec votre propre sang.

Pour la première fois, Rosner avait perdu l'air ironique qu'il affichait en permanence. Il se redressa en prenant appui sur la table.

– Vous avez le chic pour mettre le nez dans les affaires les plus vaseuses, inspecteur, mais ce n'est pas en remuant la boue qu'on parvient à en sortir…

– Comment alors ?

– Tout simplement en y plongeant les autres.

*

Je regagnai Paris par le RER et débarquai à la gare du Nord un peu avant cinq heures. Les rares voyageurs pressaient le pas vers les arrêts de bus. Je traversai la galerie marchande et débouchai sur l'esplanade. La place grise était vide. Devant moi marchait une jeune femme rousse ; j'observai distraitement les mouvements de ses jambes. À chacun de ses pas, le tissu de sa jupe se tendait ; je voyais apparaître la marque discrète et pourtant incroyablement présente de son slip. L'insistance de mon regard était si forte que la femme se retourna et m'observa de la tête aux pieds, en fixant longuement, par défi, mon entrejambe. Elle portait un tee-shirt imprimé au prénom de Nathalie. Elle s'éloigna en direction de la gare de l'Est.

J'eus l'idée de rendre visite à Mme Thiraud mais j'y renonçai. Il me semblait plus correct de prendre rendez-vous, de lui laisser l'initiative de l'heure et du lieu de notre rencontre. Je m'accoudai au bar de la Ville de Bruxelles pour commander une Gueuse,
210 quand une idée subite me traversa l'esprit. J'ouvris mon calepin et demandai au garçon de m'appeler un numéro en Belgique. Cinq minutes plus tard, la standardiste de la Radiotélévision belge francophone s'informait de mes désirs.

– Je souhaite parler à M. Deril ou bien à M. Teerlock du service
215 Enquêtes et Reportages. C'est au sujet d'un film réalisé pour le magazine *Neuf millions*.

– Ce magazine n'existe plus depuis près de dix ans. Il a été supprimé en septante-trois[1]. Nous avons passé le cap des dix millions d'habitants… M. Teerlock est parti en retraite l'année
220 dernière, mais je peux vous mettre en rapport avec M. Deril. Il est responsable des sujets d'actualité pour le journal du soir.

Je pris bien garde de ne pas lui répondre pour échapper à l'historique du journal parlé ; j'obtins le poste de Jean Deril.

– Allô, ici l'inspecteur Cadin, de Toulouse. J'enquête actuellement
225 sur la mort d'un jeune garçon dont le père est lui-même décédé lors des événements d'octobre 1961, à Paris. Nous disposons de très peu de documents en France, du moins de documents accessibles. J'aimerais visionner les films que vous avez réalisés à l'époque…

230 – C'est inattendu. Surtout de la part d'un policier… Depuis vingt ans je commençais à être persuadé du peu d'intérêt de la justice française pour ces documents. Je suis prêt à les mettre à votre disposition. Nous pouvons arrêter une date.

– Eh bien voilà, je suis à la gare du Nord. Le prochain train
235 pour Bruxelles part à dix-sept heures quarante-cinq. Je peux vous rencontrer dès ce soir à partir de vingt heures.

---

1. On dit « septante-trois » pour « soixante-treize » en Belgique et en Suisse.

– J'apprécie la compagnie des hommes décidés, inspecteur. C'est tout à fait d'accord. Mais ne venez pas à la Cité de la télé, boulevard Reyers, je n'y serai déjà plus. Nous filmons une séquence au marché aux puces de la place du Jeu-de-Balle, à deux minutes en taxi de la gare centrale. Vous ne pouvez pas nous louper, il y aura trois cars de matériel plus le véhicule de régie[1]. Qu'est-ce que vous voulez visionner au juste ? Teerlock avait préparé un montage commenté d'une dizaine de minutes qui n'est jamais passé à l'antenne. Votre ambassadeur doit y être pour quelque chose ! Sinon, nous conservons en archives l'intégralité du film brut, environ une heure d'images muettes.

– Le montage ne m'intéresse pas. Je me contenterai de la prise en continu. À tout à l'heure donc, au marché aux puces.

Il n'en faut pas davantage que le passage d'une frontière pour se croire en pleine aventure. Cambrai, Valenciennes, Mons ! Je me réjouissais à l'avance de cette incursion en territoire belge. La précédente datait de deux ans. Je travaillais alors à Hazebrouck, dans le désespoir le plus dense, et j'échouais, plus souvent qu'à mon tour, dans une taverne qui fermait avec l'aube. Un soir de déprime, j'avais juré au patron de prendre mon café à Bruxelles et d'être de retour pour le petit déjeuner. J'aurais pu faire un tour dans la campagne et revenir en leur servant une histoire quelconque. Personne n'en demandait davantage. Ils voulaient seulement passer le cap d'une nuit supplémentaire. Mais j'en rajoutai et promis de rapporter le ticket de caisse. Le raid n'avait rien de commun avec Paris-Dakar mais il impressionnait les consommateurs d'Hazebrouck dont certains n'avaient jamais vu la mer, distante d'une cinquantaine de kilomètres. Si l'on accepte d'appeler mer ce qui succède à la côte, vers Dunkerque. Bray-les-Dunes, Loon plage, Wissant, Ambleteuse ! Il s'en faut de beaucoup pour que ces noms sonnent comme Saint-Trop, Ramatuelle ou Juan-les-Pins.

---

1. **Régie** : lieu attenant à un studio de télévision, de radio où se tiennent les techniciens.

J'avais trois cents kilomètres à faire ; l'aller se passa sans problème. Je gagnai Bruxelles par la route de Tournai et me retrouvai
270 au milieu d'une ville sinistrée[1], éventrée[2] de partout, hérissée de déviations, de sens interdits. Il me fallut près d'une heure pour atteindre la vieille cité, où un énorme écriteau avertissait les visiteurs de la durée probable des travaux de percement du métro, les remerciant de leur compréhension. Aucun commerce
275 n'était resté ouvert et cette absence de vie renforçait encore mon impression de traverser une ville en état de guerre. J'évitai tous les pièges disposés sur ma route par les Taupes belges ; je me garai sur la Grand-Place. Une lanterne rouge brillait sous les arcades. Je me rapprochai de la vitrine faiblement éclairée, rêvant déjà
280 au bruit sourd de la chope de bière fraîche sur le comptoir. Je poussai la porte prêt à brailler mon ordre au barman. L'étonnement des agents de permanence du commissariat de quartier fut au moins aussi grand que le mien.

Je n'appris pas seulement, cette nuit-là, qu'un lumignon rouge
285 signalait la présence du commissariat de la Grand-Place. On m'enseigna également qu'un clou de cuivre (on m'assurait même qu'il était en or) fiché au centre du parvis de Notre-Dame de Paris symbolisait le point de départ des principales routes nationales françaises. Ça se passait dans un bar de banlieue, sur le retour,
290 près de Halle. Je m'étais assis sur un tabouret haut, près de ce que je crus être au premier abord un flamant rose. J'identifiai les lieux tout en buvant la bière promise : un claque[3] de périphérie où mon flamant, une poule[4] recouverte de mousseline rose, attendait patiemment un routier probable et attardé.

295 Le patron, en veine de[5] confidences, me raconta qu'il avait vécu à Paris avant guerre. Il me montra quelques bouteilles d'alcool

---

1. Sinistrée : endommagée.
2. Éventrée : défoncée.
3. Claque : maison close, établissement où travaillent des prostituées (argot).
4. Poule : fille de mœurs légères (familier).
5. En veine de : disposé à.

dont il se vantait d'être le débiteur exclusif. Il ne tarissait pas d'éloges sur le guignolet-kirsch[1]; il m'obligea à trinquer à l'amitié franco-belge. Puis il retraça les grandes lignes de la pose du clou de Notre-Dame…

Le train entra en gare centrale un peu avant vingt heures trente. Je pris un taxi et lui indiquai la place du Jeu-de-Balle.

– Très bien monsieur, c'est tout droit mais je dois faire le tour par Saint-Gudule, à cause des travaux.

– Encore les travaux du métro?

– Oh non, c'est terminé. Maintenant ce sont les travaux d'agrandissement de la gare. Tenez, voilà l'église Saint-Gudule! Entre le building de la Banque nationale belge et l'immeuble de la compagnie aérienne Sabena… Ils cassent tout dans ce pays; comme si, chez vous, ils avaient décidé de planter les immeubles de la Défense de part et d'autre des tours de Notre-Dame… Un de ces jours, ils mettront le Manneken-Pis[2] dans une Sanisette[3] et il faudra glisser une pièce pour le voir uriner!

Il me déposa au coin de la rue Haut et de la rue des Renards. La place était bloquée par un cordon de police; il me suffit de prononcer le nom de Deril pour que le barrage s'entrouvre. Je me dirigeai directement sur le camion de la régie stationnée dans le recoin de la rue Blaes. Un homme d'une cinquantaine d'années, les cheveux grisonnants flottant sur les épaules, me fixa à travers des lunettes rondes, cerclées de fer.

– J'ai rendez-vous avec M. Deril, le réalisateur.

– Vous êtes tombé pile, inspecteur, c'est moi. Je vous demande une minute et je suis à votre disposition. Je dois marquer quelques repérages pour le mouvement de grue.

Je le suivis du regard. Il agitait la tête, les bras et les cheveux au

---

1. Guignolet-kirsch : apéritif.
2. Manneken-Pis : statue ornant une fontaine de Bruxelles et représentant un garçon en train d'uriner, symbole de l'indépendance d'esprit du peuple belge.
3. Sanisette : toilettes publiques automatiques.

milieu d'un groupe de techniciens, donnait des ordres, écoutait des suggestions. Il revint au camion que je n'avais pas quitté.

– Vous m'aviez parlé d'un marché aux puces, au téléphone. Je m'attendais à trouver une place envahie par les stands et les
330 touristes !

– C'est pour demain matin, inspecteur ; nous filmons l'étendue déserte sans même un figurant. La caméra va se balader sur les façades et sur le sol en suivant un itinéraire précis. Nous referons exactement le même parcours lorsque le marché fonctionnera
335 à plein régime demain vers onze heures… Enfin, vous ne venez pas de Paris aussi rapidement pour assister au tournage d'un sujet que vous connaissez au moins aussi bien que moi ! Les puces n'ont pas été inventées à Bruxelles.

– Non et je ne dispose pas de trop de temps.

340 – Vous n'êtes pas le premier Français à vous intéresser à ce film sur les manifestations algériennes. Les services de sécurité de votre pays ont tenté de racheter l'original et les copies à la RTBF, mais la direction a tenu bon. J'imagine que les responsables de la tuerie ne souhaitaient pas qu'on fasse trop de publicité concer-
345 nant les conséquences de leurs ordres… Cette demande date de plus de vingt ans. Juste après la parution d'un papier dans *Le Soir* avec une interview express de Teerlock. Jusqu'alors, je crois bien que tout le monde ignorait l'existence de ces bobines.

– Sauf la direction de votre chaîne.

350 – La télévision belge a su se dégager du pouvoir politique bien avant ses homologues[1] françaises… Personne ne fait pression sur les journalistes pour les contraindre à retirer un sujet. Pour être absolument sincère, nous n'étions pas à Paris pour cou-vrir cette manifestation, mais pour suivre une série de concerts
355 de Jacques Brel à l'Olympia. Je me rappelle qu'il commençait le lendemain pour une quinzaine de soirées et qu'ils avaient

---

1. **Homologues** : personnes qui exercent la même profession.

annulé la générale[1]. Brel était retenu par un vieux contrat, le 16 octobre au soir, dans les salons d'honneur du ministère de la Marine. Une affiche fantastique : Jacques Brel, Charles Trenet,

360 l'orchestre de Jacques Hélian[2] et… Farah Dibah ! Nous avions réussi à obtenir des invitations pour la réception à l'ambassade de Belgique. Vous n'avez pas connu le voyage officiel du shah d'Iran et de la shabanou en France ?

— Non, c'est un plaisir qui m'a été refusé !

365 — Moi j'ai côtoyé[3] toutes les pages du Bottin[4]. En Belgique, je ne dis pas, mais voir la Garde républicaine rendre les honneurs à l'empereur de Perse, ça dépassait l'entendement. Je n'ai jamais compris ce que le Grand Jacques faisait dans cette galère !

Nous nous étions installés dans le véhicule de régie. Deril prit

370 place devant un moniteur relié à un magnétoscope. Il enclencha une cassette.

— J'ai vérifié, vous en avez pour une heure et sept minutes. Si un passage vous accroche plus particulièrement, il vous suffit de noter le numéro du compteur et nous pourrons tirer quelques

375 photos. Je vous laisse, j'ai encore pas mal de travail.

Les images défilèrent, toutes plus insoutenables les unes que les autres. La première partie du document avait été tournée depuis une voiture roulant à travers Paris. Une multitude d'affrontements opposaient des manifestants désarmés, hébétés[5], à des groupes

380 compacts de CRS, de gardes mobiles décidés et motivés. L'absence de son donnait plus de poids encore aux scènes de violence.

Brusquement, la voiture stoppa, puis se rangea doucement près d'un trottoir. Un mouvement panoramique[6] effectué à bout de

---

1. La générale : dernière répétition d'une pièce de théâtre devant un public d'invités.
2. Charles Trenet (1913-2001) : chanteur français ; **Jacques Hélian** (1912-1986) : chef d'orchestre de music-hall français.
3. Côtoyé : fréquenté, rencontré.
4. Bottin : Bottin mondain, annuaire de personnalités du monde, de l'aristocratie.
5. Hébétés : ahuris.
6. Mouvement panoramique : rotation complète de la caméra.

bras par le cameraman me permit d'identifier le quartier de la
385 porte de la Villette. Les anciens bâtiments des abattoirs étaient
encore en place avec le pavillon de pierre de la banque Gravereau.
Le plan se termina sur les étendues noires du bassin de la Villette,
là où le canal de l'Ourcq rejoint le canal Saint-Denis. L'objectif
s'éleva brusquement et l'opérateur manœuvra le zoom pour isoler
390 un groupe d'hommes qui s'affairaient rue Corentin-Cariou; ils se
dirigeaient vers les rambardes[1] du pont. La pluie faisait briller les
manteaux de cuir et les casques. Soudain, un corps fut précipité
dans l'eau. J'eus l'impression d'entendre le choc du cadavre
au contact de la surface liquide. Un autre suivit, puis un autre
395 encore. Le même geste répété onze fois. Et les lumières, de nouveau. La façade du Grand Rex, l'affiche des *Canons de Navarone*.
Sur une palissade, une publicité monochrome[2] pour le premier
aspiro-balai Tornado recouvrait à moitié l'annonce du lancement
d'une encyclopédie hebdomadaire: «À partir du 25 octobre, *Tout*
400 *l'univers*, pour un franc cinquante par semaine.»

Un plan rapproché détailla le visage d'une jeune femme algérienne, bientôt masqué par un uniforme noir. Quand le policier
s'effaça, un visage d'homme remplaçait celui de la femme; la
matraque s'abattit. L'angle de prise de vue changea une fois
405 encore. Une partie de l'image était occupée par le haut d'un
juke-box. Il s'agissait vraisemblablement de la séquence qu'évoquait Marc Rosner, le matin même à Courvilliers.

Un détachement de gendarmes mobiles encerclait une poignée de manifestants. Des autobus de la RATP stationnaient plus
410 loin, vers la rue du Sentier. Les Algériens y furent conduits sans
ménagement. Les bus quittèrent l'arrêt un à un, au maximum
du remplissage. Certains corps penchaient dangereusement de
la plate-forme arrière. Le machiniste était seul avec sa cargaison
humaine. Cent, cent cinquante prisonniers. Pourtant, aucun

---

1. **Rambardes** : garde-corps.
2. **Monochrome** : d'une seule couleur.

415 d'eux ne songeait à s'enfuir, à libérer ses camarades. Paris était bouclé, toute fuite semblait d'avance vouée à l'échec.

La caméra se déplaça sur la gauche et remonta le boulevard Bonne-Nouvelle. Le cinéaste détailla la vitrine du café Madeleine-Bastille et fit une halte au coin de la rue de Ville-Neuve.

420 Un CRS marchait sur le trottoir, posément; il enlevait son manteau sans se soucier de ce que ce geste avait de singulier au milieu d'un quartier en proie à l'émeute. Il semblait ignorer les combats qui faisaient rage autour de lui, tout comme la pluie. L'opérateur ne s'attarda pas sur cette scène surprenante; il revint

425 quelques mètres en arrière poser son regard sur le corps d'un blessé. Trente secondes passèrent, interminables, avant que la caméra ne reprenne sa progression. Le CRS avançait toujours de son pas mesuré. Il dépassa la rue Thorel. Arrivé au niveau de la rue Notre-Dame-de-Bonne-Nouvelle, il marqua un temps

430 d'arrêt, comme s'il hésitait, puis il bifurqua et gravit les marches. Un autre homme se tenait là, les bras encombrés d'un bouquet de fleurs et d'un paquet de gâteaux. Le CRS vint se placer à côté de lui.

Au premier plan on rassemblait des Algériens, mains sur la nuque.

435 Un capitaine mettait toute son énergie à retenir ses hommes qui, au comble de l'excitation, ne cessaient de frapper les prisonniers. Les images suivantes étaient prises devant l'Opéra de Paris, où la police établissait un cordon de sécurité destiné à protéger les spectateurs du ballet *Les Indes galantes*[1]. Puis l'écran devint vide.

440 J'appuyai sur la touche «stop» et attendis le retour de Deril. Je le voyais par la fenêtre qui vérifiait l'orientation des projecteurs et faisait modifier les trajectoires des faisceaux. Il termina ses réglages et vint me retrouver dans le camion.

– Alors, des surprises, inspecteur? Vous avez l'air réjoui…

445 Je hochai la tête.

---

1. *Les Indes galantes*: opéra-ballet (1735) du compositeur français Jean-Philippe Rameau (1683-1764).

– Oui, j'ai reconnu le gars que je cherchais. L'image se trouve à la cote 813, vers la fin de la bande. Si vous remettez cet appareil en marche je peux vous le montrer.

450 Il visionna le passage, éjecta la cassette et demanda à l'un de ses assistants de se rendre aux studios pour tirer une épreuve[1] de la scène représentant le CRS accoudé à la grille de l'escalier, à côté de Roger Thiraud. Il me saisit par l'épaule.

– Je vous invite à dîner, inspecteur. Vous ne partirez pas de Bruxelles sans faire honneur à notre cuisine. Ici ils en ont encore 455 pour deux heures de réglages. C'est affolant le temps que nous perdons à attendre ! Mais le cinéma, c'est comme ça. Vous avez cinquante types sur les bras qui travaillent les uns après les autres, chacun apportant sa touche personnelle et un métier irréprochable. La morale, c'est le metteur en scène qui part bouffer et 460 empoche tous les compliments à son retour ! Allez, venez, je vous emmène chez My Father Mustache. Il n'y a pas d'équivalent en France. C'est un ancien cinéma en faillite qui a été racheté par une association d'étudiants. Ils ont remplacé les fauteuils par des tables de bois et des bancs en enfilade. Ils servent des spécialités 465 belges. Tous les quarts d'heure, ils éteignent la lumière et passent des courts métrages muets, Laurel et Hardy, Harold Lloyd, Charlie Chaplin ou des Malek de Buster Keaton. Deux ou trois fois dans la soirée, ils donnent une chance à un chanteur ou à un groupe. Le plus souvent ce sont des gars qui font la manche sur les places 470 de la ville. Des Anglais, des Allemands, des Japonais, enfin toutes les nationalités sont représentées.

À table il me conseilla un plat de Namur, l'anguille à l'esca- vèche[2] ; il commanda deux Kriek de un litre chacune.

– Vous verrez, c'est fameux, l'anguille marine dans le vinaigre 475 avant d'être rôtie. C'est servi froid, en gelée. Au fait, vous savez que le même fleuve arrose nos deux capitales ?

---

1. **Épreuve** : tirage.
2. **Escavèche** : recette belge à base de poisson et de vinaigre.

– Non, vous devez vous tromper, la Seine prend sa source du côté de Dijon ; elle se jette dans la Manche entre Le Havre et Honfleur, sans quitter le territoire français.

480 Il partit d'un rire sonore.

– Ah, vous êtes toujours aussi susceptibles dès qu'on parle de votre pays ! Bien entendu la Seine ne coule pas entre les façades bourgeoises de la place De Broukère, mais presque... Notre rivière s'appelle la Senne, avec deux *n*. Vous l'avez échappé belle !

485 Bruxelles est une ville digne d'Alphonse Allais[1] : prenez les boulevards de Petite Ceinture qui utilisent le tracé des anciennes fortifications. Le boulevard de Waterloo n'est pas bien loin du boulevard de l'Abattoir.

L'anguille ingurgitée[2], nous étions retournés à la place du Jeu-

490 de-Balle où m'attendait le cliché tiré du reportage. Deril appela un taxi ; il insista pour régler la course d'avance. Je lui promis de le tenir au courant de l'avancement de mes recherches.

Le litre de bière fit sentir ses effets dans le train qui roulait vers Paris. Je compris pourquoi ce peuple affable[3] avait choisi le

495 Manneken-Pis pour emblème.

---

1. **Alphonse Allais** (1854-1905) : écrivain humoriste français.
2. **Ingurgitée** : avalée.
3. **Affable** : accueillant et aimable.

Mme Thiraud accepta de me recevoir en fin d'après-midi, le
lendemain. Je profitai des quelques heures qui me séparaient
de ce rendez-vous pour flâner dans Paris. J'arrivai en avance
sur les boulevards et je refis, presque inconsciemment, le trajet
qu'avait effectué le CRS vingt ans plus tôt, alors que les cinéastes
belges le filmaient. Peu de choses avaient changé depuis lors,
à part l'affiche du Rex qui annonçait un dessin animé de Walt
Disney et le self-service de *L'Humanité* qui s'était mué[1] en Burger
King.

Je traversai le boulevard face au Madeleine-Bastille dont la
terrasse occupait la majeure partie du trottoir. Un groupe de
touristes japonais en chemisettes et corsages blancs descendaient
d'un car à étages Paris-Vision, en désignant du doigt le Théâtre
du Gymnase dont le fronton était occupé par le titre du spectacle
de Guy Bedos[2]. À mon plus grand étonnement, toute la troupe
s'engouffra dans le hall à la suite du guide. Je remontai vers la
porte Saint-Denis et dépassai la rue de la Ville-Neuve puis la rue
Thorel. La rue Notre-Dame-de-Bonne-Nouvelle ne débouchait pas
sur le boulevard, étant située en léger surplomb. De ce côté elle
butait sur deux escaliers : le premier large et légèrement courbé,
le second étroit et raide. Lorsqu'on franchissait les quelques

1. **Mué** : transformé.
2. **Guy Bedos** (né en 1934) : humoriste français.

marches de l'un ou l'autre des escaliers, on accédait à un autre quartier totalement différent de celui des Grands Boulevards. Le clinquant[1] des enseignes, les néons des cafés laissaient la place à
25 l'agitation anarchique[2] des métiers de la confection. À partir de la rue Beauregard, commençait le royaume du chiffon, tout un monde industrieux de couturières, de tailleuses, de brodeuses, de surjeteuses[3] qui prenaient souvent l'apparence de grands gaillards tout droit venus des plaines d'Anatolie, du Nil, ou bien
30 celle de minuscules Asiatiques rescapés d'un exil indochinois. Des manutentionnaires[4] pakistanais ou bengalis, un turban éclatant de blancheur sur la tête, charriaient d'énormes rouleaux de drap; leurs diables[5] passaient du trottoir à la rue en évitant chiens, voitures et passants.

35 La rue Notre-Dame-de-Bonne-Nouvelle, coincée entre les boulevards et la rue Beauregard, formait à elle seule un îlot de tranquillité; la présence massive de l'église qui lui donnait son nom y était pour beaucoup. Je m'installai au comptoir du bar des Quinze Marches et je commandai un demi que me servit un
40 garçon manchot. Je ne le quittai pas des yeux durant plusieurs minutes, ébahi de sa dextérité[6] à presser les citrons, à préparer les hot-dogs, à tartiner les sandwiches-rillettes en bloquant les verres, les baguettes ou les saucisses à l'aide de son moignon. Le patron s'accouda devant moi. Son regard exécuta un rapide
45 aller-retour, du barman à moi.

– Ça vous étonne, hein! Vous venez chez moi pour la première fois?

Je lui répondis par l'affirmative.

---

1. Clinquant: éclat artificiel.
2. Anarchique: désordonnée.
3. Surjeteuses: couturières spécialisées dans les ourlets.
4. Manutentionnaires: personnes employées à charger et à décharger les marchandises.
5. Diables: chariots à deux roues dont on se sert pour transporter caisses et sacs.
6. Dextérité: habileté.

– Ça fait un drôle d'effet sur la clientèle mais c'est comme
tout, on s'habitue.

Il désigna le barman d'un coup de menton.

– C'est un ancien des Arsenaux, comme moi. On travaillait
ensemble dans les explosifs, la nitroglycérine. Je m'en suis tiré
en entier ! Il a eu moins de chance. J'ai passé la main et lui, il l'a
laissée… Faut bien plaisanter !

– C'est arrivé comment ? un accident ?

– Oui, mais au début on ne comprenait pas. Il manipulait du
nitroglycol à longueur de journée depuis des années, comme
moi, sans pépins[1]. Et puis un jour, sa première heure de reprise,
après les vacances, voilà qu'il fait tomber un flacon. Au lieu de
se planquer, de se protéger, il a essayé de le rattraper. Vous voyez
le résultat…

– Oui, ce sont les risques du métier.

– Oui monsieur, c'est aussi ce qu'on disait. Mais des gars de
la recherche scientifique se sont aperçus, à partir de leurs statistiques, que ce genre d'accident était plus fréquent le lundi
ou au retour des vacances. En regardant de plus près, ils ont
compris que le nitroglycol agissait sur le cœur. Un peu comme
une drogue ! Et c'est vrai que quand on bossait, on se sentait
bien. Pendant les week-ends et les congés, c'était le contraire : on
devait être en manque de vapeurs de nitro. Depuis, ils ont créé
un médicament à base de nitroglycérine pour les cardiaques, ça
dilate les coronaires[2]…

– En somme votre barman n'a pas été victime d'un accident du travail, sa main est tombée à la suite d'une maladie
professionnelle !

– Eh bien j'avais pas pensé à celle-là…

Je quittai les Quinze Marches après avoir réglé ma consommation. Sur le stand du serrurier adossé à l'échappement de

---

1. Sans pépins : sans ennuis (familier).
2. Coronaires : artères qui irriguent le cœur.

80 l'escalier, un placard publicitaire promettait la réalisation de
«clefs minute», tandis qu'un écriteau collé sur la vitre avertissait:
«Le serrurier revient dans un quart d'heure.»

Le numéro cinq de la rue Notre-Dame-de-Bonne-Nouvelle correspondait à une vieille bâtisse parisienne, bien entretenue, aux
85 fenêtres habillées de persiennes ajourées[1]. Sur le mur, à gauche
de la porte d'entrée, une plaque de marbre blanc annonçait en
lettres d'or le Siège social du Syndicat national des utilisateurs de
grues. Je passai la porte après avoir traversé un minuscule jardin.
J'accédai au hall du bâtiment. Le fronton était agrémenté[2] d'un
90 ridicule relief d'inspiration grecque représentant un joueur de
pipeau et un joueur de flûte de Pan. La liste des locataires se
trouvait affichée sur la vitre de la loge du gardien avec l'indica-
tion, pour chacun, de l'étage et du numéro d'appartement. Les
marches cirées de l'escalier de bois grincèrent sous mes pas. Le
95 premier étage était orné d'une large glace encadrée de dorure
et d'un tableau champêtre à dominante marron. J'arrivai au
troisième niveau un peu essoufflé et je cognai à plusieurs reprises,
énergiquement, avant que Mme Thiraud se décide à répondre.
Trois serrures jouèrent successivement puis le battant s'entrouvrit
100 de quelques centimètres, retenu par la chaîne de sûreté.

– Madame, je suis l'inspecteur Cadin, je vous ai parlé ce
matin…

La porte se referma brusquement, le temps que la chaîne soit
enlevée; je parvins enfin à pénétrer dans l'appartement.

105 La veuve de Roger Thiraud ne devait pas être âgée de plus
de quarante-cinq ans, mais sa vie de recluse[3] volontaire l'avait
transformée en une vieille femme. Elle marchait devant moi
dans le couloir, le dos voûté, les genoux légèrement pliés, sans
soulever les pieds. Elle semblait glisser sur le parquet, silencieuse.

---

1. Persiennes ajourées : petits volets protégeant du soleil mais laissant passer le jour.
2. Agrémenté : décoré.
3. Recluse : personne isolée du monde.

110 Le moindre mouvement donnait l'impression de lui coûter d'insupportables efforts. Elle s'affaissa[1] en soupirant profondément, dans un fauteuil recouvert d'une housse de laine tricotée au crochet. Elle me fixa, le regard vide.

La pièce était plongée dans l'obscurité. Tous les volets avaient 115 été tirés ; la femme avait juste laissé une fenêtre ouverte pour permettre à l'air de circuler. Des rais de soleil filtraient à travers les claires-voies. J'avançai une chaise et m'installai près de la table.

– Comme j'ai eu l'occasion de vous le dire ce matin, j'enquête 120 sur les circonstances de la mort de votre fils Bernard. Actuellement, cet assassinat reste bien mystérieux ; nous n'avons guère d'éléments sérieux pour orienter nos recherches. Nous ne lui connaissons aucun ennemi, sa vie sentimentale apparaît on ne peut plus simple… Pour être tout à fait franc, il y a tout de même 125 un épisode qui retient mon attention, un jour que votre fils n'a pu connaître, celui de la mort de son père…

J'observai les réactions de mon interlocutrice, mais l'évocation de la fin de son mari ne modifia en rien son comportement.

– … J'ai appris incidemment[2] les conditions dramatiques dans 130 lesquelles votre mari a disparu. Absolument rien ne me permet de l'affirmer, mais il est tout à fait possible d'imaginer que votre fils ait été exécuté pour les mêmes raisons que son père. Vous ne le pensez pas ?

J'avais l'impression de parler à un mur, à un mort vivant. 135 Mme Thiraud maintenait ses yeux braqués sur moi, mais son regard ne parvenait pas à s'accrocher, comme s'il me traversait et se portait loin derrière. Je poursuivis.

– … Je sais aussi qu'aucune enquête n'a été effectuée en 1961 et que votre mari figurait parmi les victimes officielles des manifes-

---

1. S'affaissa : tomba lourdement.
2. Incidemment : par hasard.

140 tations algériennes. Victime de qui ? Le doute est permis. Il n'est pas trop tard pour réparer cette faute. Je veux m'y employer.

Elle s'agita pour la première fois, se leva et vint prendre appui sur le plateau d'un vaisselier.

— Monsieur l'inspecteur, tout ceci appartient au passé. Il ne
145 sert à rien de revenir sur tous ces événements et de disséquer[1] les responsabilités…

Elle faisait de longues pauses entre chaque mot et ponctuait ses phrases de longues expirations.

— … Mon mari est mort, mon fils est mort. Vous ne les ferez
150 pas revenir. J'accepte que ma vie soit ainsi ; j'espère les rejoindre le plus vite possible.

— Pourquoi, que voulez-vous cacher ? Roger Thiraud a reçu une balle alors qu'il participait à une manifestation. Vous saviez qu'il s'occupait d'un réseau d'aide au FLN ?

155 — Vous vous trompez. Mon mari n'avait aucun goût pour la politique. Il s'intéressait à son travail, à l'histoire. Il y consacrait tout son temps, au lycée comme à la maison. Le soir de sa mort il rentrait après son dernier cours, comme d'habitude…

Elle se déplaçait dans la pièce avec ses manières de vieille,
160 en évitant soigneusement la partie située près des fenêtres qui donnaient sur la rue. Je m'en approchai par simple curiosité, mais mon geste provoqua une véritable panique de sa part. Elle se plaqua contre le mur opposé, haletante.

La surface qui entourait la fenêtre constituait un véritable no
165 man's land[2] où la poussière s'accumulait. Personne ne touchait jamais à cet endroit. Je saisis brusquement les rideaux et les fis glisser sur la tringle. La crémone[3] était légèrement grippée[4]. Je dus faire un effort pour ouvrir les battants de la fenêtre. Je soulevai

---

1. Disséquer : analyser précisément.
2. No man's land : région abandonnée (expression anglaise signifiant « terre d'aucun homme »).
3. Crémone : poignée de la fenêtre.
4. Grippée : bloquée.

ensuite le loquet qui maintenait les persiennes. Le jour envahit
170 l'appartement; un rayon de soleil éclata sur le mur où se tenait
Mme Thiraud. Je me penchai. Dix mètres en contrebas des gens
s'affairaient autour du stand de serrurerie dont je ne distinguais
que le toit ondulé. Un groupe de jeunes garçons remontait les
escaliers de la rue Notre-Dame-de-Bonne-Nouvelle.

175 Mme Thiraud avait cherché refuge dans la cuisine, en proie à
une véritable crise d'hystérie[1]. Elle pleurait, le corps agité de tremblements, de tics nerveux. Je posai mon bras sur ses épaules.

– Je ne vous veux aucun mal, madame. Je suis ici pour vous
aider. Venez sans crainte…

180 Je la pris par les poignets et l'entraînai, petit à petit, vers le lieu
tant redouté. Je ne cessai de lui parler, de la réconforter. Plus elle
s'approchait de la fenêtre et plus sa détresse devenait intense.
Elle criait mais se laissait aller, abandonnant toute résistance. Je
réussis à la placer à côté de moi et à poser ses bras sur l'appui.

185 – Ouvrez les yeux, je vous en conjure. Vingt-deux ans ont passé,
vous n'avez plus rien à redouter.

Elle se détendit, cessa de pleurer et de geindre[2]. Ses paupières
se soulevèrent, d'abord imperceptiblement, puis retombèrent.
Les cils bougèrent à nouveau. Elle se décida, d'un coup, à regar-
190 der la rue.

– Vous étiez là, n'est-ce pas ? Vous étiez là, à l'attendre quand
il a été tué ? Dites-moi… Personne ne vous a jamais demandé
de témoigner ?

Elle s'éloigna doucement de la fenêtre et retourna s'asseoir
195 dans le fauteuil. L'épreuve l'avait changée, elle paraissait plus
forte, plus jeune, comme revenue à son âge véritable. Elle tourna
la tête vers moi.

– Oui, j'étais accoudée à la fenêtre. Roger terminait son dernier
cours à cinq heures. Normalement il aurait dû être rentré depuis

---

1. Hystérie : folie.
2. Geindre : gémir.

200 deux heures, au moins. J'étais très inquiète à cette époque. J'étais enceinte de Bernard, une grossesse très difficile qui m'interdisait de sortir. Je devais impérativement rester dans l'appartement pour éviter un accouchement prématuré. Roger ne m'avait pas averti d'un éventuel retard. Et puis, tout d'un coup, la manifestation a

205 débuté. Les cris, les bousculades, les grenades qui éclataient, les coups de feu. J'étais comme folle. Je me précipitais à la fenêtre à tout instant pour guetter mon mari, ou à la porte dès que j'entendais des pas dans l'escalier. À un moment, je l'ai aperçu, dans la rue, il s'approchait de chez nous. Je m'en souviens comme si ça

210 se déroulait à présent. Il marchait avec un bouquet de mimosas et un carton de gâteaux. Il a gravi quelques marches et s'est arrêté auprès de la balustrade pour observer les événements, les matraquages. Je lui ai crié de monter, de ne pas s'attarder, mais les bruits de la manifestation couvraient ma voix.

215   — Il était seul ?

— Au début, oui, mais peu après, un homme vêtu d'un uniforme de policier, un CRS je crois, est venu s'installer à côté de lui. Son attitude n'était pas normale, il portait son manteau de cuir plié sur le bras, malgré la pluie et le froid. Ensuite il s'est

220 glissé derrière mon mari et lui a bloqué la tête à l'aide de son avant-bras. Il avait un revolver dans l'autre main. J'ai crié, crié du plus fort que je pouvais, sans résultat. J'ai voulu descendre mais je parvenais à peine à traverser cette pièce, à cause de Bernard… Enfin à cause de mon ventre. Pauvre Bernard !

225   — Pardonnez-moi de vous obliger à remuer de pareils souvenirs, mais il n'y avait pas d'autres moyens. Un cinéaste belge a filmé une partie de cette scène. Il se trouvait de l'autre côté du boulevard, près du Théâtre du Gymnase. Je possède une photo tirée de ce document. Il s'agit des derniers instants de votre

230 mari. Le visage de son assassin est à demi masqué mais il reste très significatif. Vous voulez le voir ?

Elle accepta. Je sortis le tirage réalisé la nuit précédente dans les studios de la RTBF.

– Vous le connaissez ?

235 Elle secoua la tête.

– Non, inspecteur, je n'ai jamais rencontré cet homme. Je n'ai jamais vu mon mari en compagnie de policiers et je ne comprends pas pourquoi ils l'ont tué…

– Une dernière chose, madame et j'en aurai terminé. Il y a un
240 instant vous avez déclaré que votre mari finissait ses cours à dix-sept heures. Comment expliquez-vous qu'il ne soit arrivé que deux heures plus tard près de chez vous ? Il faut moins de dix minutes pour couvrir la distance séparant le lycée des boulevards…

– Je ne me l'explique pas, inspecteur, c'est comme ça.

245 – Ces retards étaient fréquents ?

– Une fois par semaine, quelquefois deux… Écoutez, inspecteur, ma grossesse nous interdisait tous rapports intimes. Ça n'est pas agréable à avouer mais c'est un fait. J'admettais que Roger ait besoin de rencontrer une femme normale. Quel mal y a-t-il
250 à ça ?

– Aucun. Je suis désolé, mais mon métier repose sur l'indiscrétion. Je vous posais cette question parce que l'inventaire des poches de Roger Thiraud mentionne la présence d'un ticket de cinéma. Le Midi-Minuit pour être précis. Je pense que la vérité
255 est là ! Il y a vingt ans, un respectable professeur d'histoire devait avoir quelques réticences[1] à avouer son goût pour le cinéma fantastique… même à sa femme. J'ai le numéro du billet, je chargerai l'un de mes adjoints de vérifier auprès du Centre national du cinéma la date exacte à laquelle le coupon a été délivré.

260 Elle m'adressa un sourire ; je ne parvins pas à penser, sans un fort sentiment d'angoisse, qu'il s'agissait là de son premier sourire depuis vingt-deux années.

– Votre mari n'a pas été tué au hasard. Il est évident que son assassin obéissait à un plan précis, qu'il possédait le signalement

---

1. Réticences : difficultés, hésitations.

265 de sa victime. Le film belge est édifiant[1] à cet égard. Le CRS, ou l'homme déguisé en CRS, a quitté sa planque et s'est dirigé sans hésiter vers la rue Notre-Dame-de-Bonne-Nouvelle. Ses méthodes prouvent que nous avons affaire à un professionnel, comme pour le meurtre de votre fils à Toulouse. Ou, hypothèse invraisemblable,
270 votre mari était le sosie parfait d'une autre cible. Non, je pense qu'il était bien l'objectif du tueur. Votre mari gênait quelqu'un, au point de devenir la victime d'une véritable exécution. Vous êtes sûre qu'il ne poursuivait aucune activité de type politique, syndical ou même humanitaire ?

275   – Non, je vous l'ai déjà dit. À part ces retards, ces sorties au cinéma si je vous fais confiance, je ne vois rien de mystérieux dans la vie de mon mari. Roger n'a jamais abordé ces sujets à la maison. Nous parlions histoire ou littérature. Le Moyen Âge le passionnait beaucoup et il se relaxait en écrivant une sorte de
280 monographie[2] sur sa ville natale, Drancy. Il aimait énormément ses parents qui vivent toujours là-bas, en Seine-Saint-Denis. Ils habitent rue du Bois-de-l'Amour. Je me demande encore si ce n'est pas cette maison qui lui a donné le goût de l'histoire…

    – Comment ça ?

285   – À l'origine, le bâtiment faisait partie d'une ferme qui s'est transformée en restaurant au tout début du siècle. Pendant quelques années on raconte qu'elle a surtout servi de maison de rendez-vous. Après la loi Marthe Richard[3], on en a démoli les trois quarts pour construire une clinique d'accouchement.
290 Mon mari y est né, d'ailleurs. Il a passé toute sa jeunesse à deux pas de là, dans un pavillon rescapé lors de la rénovation de ce quartier. Cela ne vous intéresse pas trop… Je le comprends. Enfin,

---

1. Édifiant : particulièrement instructif.
2. Monographie : ouvrage traitant d'un sujet précis de manière complète.
3. Loi Marthe Richard : loi du 13 avril 1946 ordonnant la fermeture des maisons de prostitution.

cette monographie est chez mon fils. Du moins chez sa fiancée, Claudine. Vous la connaissez?

295 – Oui, je l'ai rencontrée à Toulouse. J'aimerais jeter un coup d'œil à ce travail. J'ai prévu de m'entretenir avec elle avant mon départ demain soir. Ils s'entendaient bien?

– Très sincèrement, je n'en sais rien. La petite faisait des efforts pour venir ici; Bernard devait la traîner. Je savais bien qu'elle ne 300 se sentait pas à l'aise en ma présence, mais c'était au-dessus de mes forces. Je ne suis pas facile à vivre. Ils donnaient l'impression d'être heureux ensemble, je ne me souviens de rien d'autre.

*

Je la quittai bientôt et descendis précautionneusement les marches cirées, sans lâcher la main courante[1]. Je tournai à gauche 305 vers les boulevards. Parvenu au milieu de l'escalier de la rue Notre-Dame-de-Bonne-Nouvelle, je me retournai et levai la tête en direction de l'appartement de Mme Thiraud. Elle était accoudée à la rambarde. Elle me fit un signe d'amitié. Je l'observai un moment avant de lui rendre son salut et m'engouffrai dans la 310 bouche de métro. Je changeai de rame à la station Auber pour prendre le RER. Dalbois m'avait conseillé de pousser jusqu'au terminus de Marne-la-Vallée.

Une allée piétonne, protégée par une voûte d'Altuglas[2], menait de la gare à l'esplanade où se rejoignaient les différentes lignes 315 d'autobus qui desservent la ville. Un coup d'œil suffit à me prouver qu'il n'y avait pas que ces lignes pour desservir le paysage!

La place était encastrée au centre d'une cuvette, surplombée par les collines. L'ouest du site était barré par la façade aveugle d'un gigantesque centre commercial. La seule note de fantaisie

---

1. Main courante : rampe fixée au mur.
2. Altuglas : sorte de Plexiglas, plastique translucide très résistant.

320 résidait dans la présence d'une construction rose, d'une vingtaine d'étages, posée au sommet de l'une des collines. L'autocar dans lequel j'avais pris place passait justement à proximité du bâtiment que je pus ainsi examiner tout à loisir. L'extérieur imitait assez parfaitement les façades des arènes[1] espagnoles, une sorte de
325 long mur circulaire percé d'alvéoles. Tous les vingt mètres, une colonne en demi-cercle grimpait tout le long de la construction. Des ouvertures pratiquées dans ces tourelles montraient le parcours des cabines d'ascenseurs. Une large arcade permettait de découvrir une grande cour plantée d'arbres et de fleurs. Un
330 panneau d'entreprise indiquait les noms et adresses des promoteurs et signalait : « *Le Grand Théâtre. 630 appartements prestigieux avec vue sur la Marne. 2 et 3 pièces disponibles. Prêts PIC, PAC et PAP possibles.* »

Le machiniste annonça la station Pyramides. Dalbois m'avait
335 dit de contourner un immeuble de bureaux, puis de prendre à gauche, vers le château d'eau. Il logeait dans une cité expérimentale, à mi-chemin entre le HLM et la maison individuelle. Les « cellules » d'habitation étaient conçues dans des cubes empilés selon un ordre apparemment anarchique. Le toit de l'élément
340 inférieur constituait la courette de l'élément supérieur. Je sonnai à la porte 73. Dalbois vint m'ouvrir.

– Bonsoir, Cadin, je me demandais si tu n'allais pas te défiler.

Je marquai un mouvement de recul pour bien montrer que cette idée ne m'avait même pas effleuré.

345 – Allons, c'est un véritable plaisir de répondre à ton invitation.

Il me présenta à Gisèle, occupée à préparer le dîner. Elle ferma le four programmable à pyrolyse et se tourna vers moi en désignant son tablier de ses mains ouvertes.

350 – Excusez-moi mais je n'ai pas encore eu le temps de me changer.

---

1. **Arènes** : amphithéâtres.

130

Dalbois me fit visiter le moindre placard de son appartement puis il m'entraîna dans le salon. Il brancha la télévision en prenant soin de couper le son.

355 – Alors, tu avances?

Je lui racontai mon expédition bruxelloise ainsi que mon entretien avec la mère de Bernard Thiraud. Il accrocha dès que j'évoquai le tirage réalisé par les techniciens de la télé belge, à partir de la bande-vidéo.

360 – Tu as cette photo sur toi?

Je la posai sur la table basse entre les apéricubes et les bouteilles d'alcool.

– Ton histoire est absolument incroyable…

Il approcha le cliché de ses yeux.

365 – … ton CRS a l'air vrai. À part l'absence de signes distinctifs. Logiquement il devrait porter les numéros de sa compagnie et de son district. Tu ne crois pas?

– En temps normal, oui. Mais pas ce soir-là. Je me suis renseigné: les règlements étaient suspendus. Toutes les unités utilisaient les

370 armes de réserve, y compris les armes offensives. Il est tout à fait plausible que les hommes aient reçu l'ordre de masquer leurs codes d'identification.

– Tu t'es embarqué dans une drôle d'aventure. Je t'ai déjà donné ce conseil mais je préfère le renouveler: laisse tomber.

375 Enquête à Toulouse, peinard. On ne t'en demande pas plus. Ça se terminera par un dossier classé «sans suite». Qu'est-ce que tu as à perdre? Rien! Tu trouveras bien une autre affaire de meurtre moins puante pour te rattraper. Un Ricard?

– Non merci, avec cette chaleur je ne supporte pas l'alcool.

380 – Alors passons à table. C'est moi qui ai choisi le menu, en souvenir de nos années de galère à Strasbourg.

Gisèle Dalbois apporta en minaudant[1] un plat en terre cuite

_____

1. **En minaudant** : en faisant des manières.

garni d'une imposante choucroute au boudin blanc, qu'elle posa entre deux bouteilles de Gewurztraminer.

385   – Attaque, Cadin, te laisse pas intimider. Tu verras, elle les réussit pas mal. C'est une choucroute strasbourgeoise avec la garniture de fête. Gisèle la cuit à la mode de Colmar : elle ajoute un verre de kirsch une heure avant de servir. Qu'est-ce que tu en penses ?

390   – Fameux. Je vous félicite, madame.

Nous étions venus à bout du plat en nous aidant généreusement du vin d'Alsace. Gisèle nous installa sur la terrasse, au frais, pour prendre le café. Dalbois se pencha vers moi, le visage grave, comme pour une confidence.

395   – Tu sais, Cadin, nous appartenons à une minorité…

Puis il abandonna son air de comploteur.

   – … Le matin, huit Français sur dix boivent du café. Ils ne sont plus que quatre à persévérer au déjeuner. Il n'en reste que deux en milieu de journée et UN seul après le dîner ! Eh bien, tous 400 les trois nous sommes celui-là !

Il regarda sa montre et feignit la surprise.

   – … Il faut se dépêcher, ton dernier train part dans vingt minutes. Je t'aurais bien proposé de dormir à la maison, mais les lits des mômes sont un peu courts.

405   Je pris bien garde de ne pas insister… La vie de famille, même celle des autres, ne me réussit pas trop. Ils m'accompagnèrent jusqu'à la gare. Pendant le trajet je remis la photo extraite du film à Dalbois.

   – Rends-moi un dernier service ; essaie de te renseigner sur 410 ce type. Il ne doit pas être facile à débusquer, surtout qu'il s'est sûrement mis au rancart[1] depuis le temps. Si tu ne trouves rien, je réfléchirai à ton conseil.

Il rangea le document dans la poche intérieure de sa veste. Le train entrait en gare. Je m'installai près de la vitre et la baissai

---

1. Mis au rancart : retiré de la vie sociale (familier).

415 malgré tous les *pericoloso sporgersi* [1] du monde. Dalbois, sur le quai, se hissait sur les pointes pour ne pas avoir à parler trop fort.

– Je ne te promets rien, Cadin. Laisse-moi trois ou quatre jours. Si je dois dénicher une piste, il ne me faut pas plus. Pour être tout à fait franc, ton CRS est plus dangereux qu'un bâton de 420 dynamite ; je n'ai qu'une envie, me débarrasser de sa sale gueule le plus rapidement possible. Je t'appelle à Toulouse dès que j'ai du nouveau. Ciao.

Le wagon était vide. Je demeurai seul jusqu'à la station Vincennes. Là, une bande de loubards [2] prit possession des lieux. Un grand 425 type boutonneux s'approcha de moi. Il s'assit lourdement sur le siège qui me faisait face et allongea les jambes en posant ses chaussures à moins d'un centimètre de ma cuisse. Pour toute réponse j'écartai le pan droit de ma veste pour laisser apparaître l'étui de mon revolver et la crosse noire. Immédiatement, les 430 deux pieds rejoignirent le sol. Le gars se leva, un peu nerveux. J'entendis quelques bribes de conversation : « C'est un flic, il a un flingue. » Ils se décidèrent à descendre à la station suivante, Nation, et je retrouvai ma tranquillité.

*

Pas la grande surprise, non… Mais un petit coup au cœur, 435 tout de même, le lendemain matin quand je reconnus la voix de Claudine Chenet au téléphone. Je m'apprêtais à la joindre sans trop parvenir à me décider. Je préparais une première phrase, en changeais… Son appel mit un terme à mes tergiversations [3].

– Inspecteur, je tenais à vous remercier, tout simplement. La 440 mère de Bernard m'a contactée, hier soir, pour me raconter

---

1. *Pericoloso sporgersi* : recommandation à la prudence imprimée en italien sur les vitres des trains : « il est dangereux de se pencher ».
2. **Loubards** : voyous (familier).
3. **Tergiversations** : hésitations.

son aventure avec vous. Je ne sais pas si cette rencontre a fait avancer votre enquête, je le souhaite, mais le simple fait que vous cherchiez à comprendre pourquoi Bernard a été tué nous est d'un grand secours.

445 Je bredouillai lamentablement et lui laissai reprendre l'initiative.

– Vous retournez à Toulouse dès ce soir? C'est bien exact?

Je crus discerner un accent de dépit dans son intonation, presque un regret.

450 – Oui, je prends le train à seize heures. Nous pourrions nous voir, d'ici là? N'importe comment c'est nécessaire, j'ai encore quelques questions à vous poser. Que faites-vous à midi?

– Je travaille sur ma thèse.

– Moi qui pensais que les étudiants étaient toujours en
455 vacances!

Ma phrase était partie un peu vite. Elle me répondit, sans colère.

– Dans ce cas ce sont de bien tristes vacances… Je préfère travailler, ça m'occupe l'esprit. D'ailleurs mon sujet est plutôt
460 agréable. Quant à votre proposition, c'est d'accord. Je fais des relevés sur le terrain, entre la porte d'Italie et la porte de Gentilly. Il y a un petit restaurant, boulevard Kellermann, juste après l'entrée du stade Charléty. On peut s'y retrouver vers une heure de l'après-midi? Ça s'appelle Le Stadium.

465 J'acceptai le lieu et l'heure du rendez-vous puis raccrochai. Je consacrai quelques minutes de mon temps à ranger mes vêtements dans la valise. Je descendis dans le salon de l'hôtel où deux clients désœuvrés[1] regardaient le journal télévisé de la première chaîne. Yann Marousi annonçait le décès, survenu dans des circonstances
470 tragiques, d'un des pères fondateurs de la vidéo. Il conclut son envolée dithyrambique[2] par l'annonce d'un témoignage.

---

1. **Désœuvrés** : sans occupations.
2. **Dithyrambique** : très élogieuse.

« … ainsi, à l'occasion de la mort de cet illustre précurseur de notre profession, nous avons la joie de vous présenter cette interview réalisée il y a moins d'une semaine… »

475 Les techniciens du studio durent lui signaler, par gestes, que cette joie cadrait mal avec la nature de l'événement, car Marousi changea d'expression. Il se reprit.

« … voici donc cet entretien que notre rédaction a le triste privilège de dédier à la mémoire de ce pionnier[1] des techniques
480 nouvelles. »

Je refusai d'en supporter davantage. Je réglai la note, classai précautionneusement la fiche justificatrice de dépenses et me dirigeai vers la station de métro la plus proche. Je descendis à Maison-Blanche, ce qui me permettait de rattraper le boulevard Kellermann
485 en contournant la caserne de la Garde républicaine.

Claudine m'attendait, cachée au fond du troquet. Le comptoir était pris d'assaut par les supporters d'une équipe de rugby qui fêtaient, par avance, la victoire de leurs champions au cours du match de l'après-midi.
490 J'avais avalé un copieux petit déjeuner, je me contentai donc d'un verre d'eau minérale.

– Alors, cet interrogatoire, inspecteur ? Je suis prête.

Elle avait dit ça d'une voix emplie d'émotion, un peu comme si cette conversation lui était devenue indispensable. J'en étais
495 resté à notre voyage muet et à mon largage devant une station de taxis. Ça allait trop vite à mon goût, même si ça allait dans le bon sens !

Je me composai à la hâte le visage fermé du professionnel.

– Est-ce que j'ai l'air d'une brute ? J'ai simplement quelques
500 précisions à vous demander. Nous n'avons aucun élément nouveau permettant d'expliquer l'exécution de votre fiancé. Rien, sinon l'histoire de son père. Pour être clair, ça ne sert qu'à tout embrouiller…

---

1. Pionnier : personne qui ouvre une nouvelle voie.

Elle m'interrompit:

505   — Mais vous avez une piste, ma belle-mère a parlé d'une photo…

— Oui, j'espère pouvoir mettre la main sur ce CRS. Il a certainement flingué Roger Thiraud, en 1961. Je ne me fais pas trop d'illusions; j'ai une chance sur cent de retrouver sa trace. La seule hypothèse digne d'intérêt consiste à admettre que les deux

510 meurtres sont liés. Pourtant ça ne colle pas du tout avec l'épisode de Toulouse. Pourquoi le meurtrier aurait-il pris tant de risques?

Je pris la main de Claudine alors qu'elle la posait sur la table pour saisir sa tasse. Elle ne refusa pas le contact; bien au contraire,

515 elle tourna sa paume vers la mienne et nos doigts se croisèrent. Je me forçai à parler mais ce n'était plus de questions ni de réponses que nous avions besoin. L'interrogatoire devait laisser la place aux confidences.

— … Vous avez réfléchi à tous ces aspects depuis votre retour?

520 Faites un effort… Bernard a-t-il fait allusion aux événements de la guerre d'Algérie, particulièrement au cours des derniers jours?

— Non. J'ai déjà eu l'occasion de vous le dire. Bernard ne me parlait jamais de ses problèmes. On discutait surtout de nos études,

525 de ce que nous ferions, plus tard. Pour le reste, on s'arrangeait… Ce n'était pas facile… Sa mère, vous l'avez vue, était complètement bloquée. Elle ne mettait pratiquement jamais le nez dehors. Heureusement, il gardait des liens très étroits avec ses grands-parents. C'était réconfortant de passer une journée chez eux.

530 Ils habitent en banlieue, à Drancy, un vieux pavillon… C'est en Seine-Saint-Denis, mais on se croirait à deux cents kilomètres de Paris, la vraie campagne. Ils possèdent un jardin avec des arbres fruitiers. D'après ce que j'ai pu comprendre, la mère de Bernard a été très choquée par la mort de son mari, au point qu'elle se

535 refusait à élever son propre fils. Ce sont les grands-parents qui se sont chargés de lui… Vous devriez les rencontrer, ce sont des gens très accueillants, très chaleureux. Il n'empêche qu'ils

ont cru retrouver leur fils, trente ans plus tard : ils ont conçu l'éducation de Bernard de la même façon que s'il s'agissait de
540 leur enfant. À aucun moment ils n'ont tenté de rétablir les liens avec leur belle-fille, de peur d'être séparés de Bernard. Je les comprends… en un sens…

Elle parlait très vite, le front baissé, pour éviter mon regard. Elle tentait de s'expliquer sans rouvrir trop de plaies. Soudain
545 elle fut debout et retrouva son air enjoué.

– Cette fois-ci je tiens à régler les consommations. Je suis en dette envers vous. Ne faites pas l'innocent. Je me rappelle ce pourboire au chasseur de l'hôtel[1]… Je n'ai pas réussi à vous le rembourser !
550 Dehors, elle me prit le bras et me guida à travers les cités HBM[2] de la rue Thomire et de l'avenue Caffiéri. Nous avons rejoint la poterne[3] des Peupliers en silence. Sous le pont de pierre du chemin de fer de ceinture, une meute de chiens s'attaquait, en vagues successives, au contenu d'une benne à ordures placée là par la
555 municipalité pour débarrasser les Parisiens de leurs déchets volumineux. Un berger au poil jaune avait pris l'avantage ; il s'installa en haut du monticule. À notre approche, il montra deux rangées de dents menaçantes qui nous contraignirent à changer de trottoir.

Claudine s'engagea dans la rue Max-Jacob qui grimpe en pente
560 douce vers le quartier Italie. On distinguait les tours de verre et d'acier derrière les immeubles en brique rouge. Au milieu d'un coude que faisait la chaussée, elle obliqua sur la droite et poussa un portillon métallique peint en vert. Je découvris un vaste jardin public planté d'arbres dont les différents niveaux étaient reliés
565 par d'imposants escaliers de pierre. Claudine pointa un doigt, désignant les remparts percés de meurtrières[4].

– Nous sommes sur les vestiges des fortifications de Paris ! Il

---

1. Chasseur de l'hôtel : portier en uniforme.
2. HBM : habitation bon marché.
3. Poterne : porte dérobée dans la muraille d'enceinte de fortifications.
4. Meurtrières : petites ouvertures dans le mur d'un ouvrage fortifié.

n'en reste pas grand-chose, tout a été cassé à partir de 1920. Les derniers bastions[1] ont sauté au moment de la construction du
570 périphérique. J'ai trouvé ce morceau intact en me promenant. Au milieu de l'échangeur de la porte de Charenton il y a un fortin d'angle transformé en dépôt de voirie… C'est Thiers[2] qui les a fait édifier, à partir de 1842… Trente kilomètres d'ouvrages de défense. Le plus drôle c'est qu'il a été chargé de les attaquer, au
575 moment de la Commune de Paris, en 1871!

Nous nous étions approchés du bord des remparts. Nous dominions un vaste espace occupé par un parc de verdure équipé de jeux pour enfants, tourniquets, toboggans… Le jardin butait à droite sur la masse bourdonnante du boulevard périphérique et
580 à gauche sur les cités HBM. Plus loin, à l'horizon, une multitude de petites constructions annonçaient les premières lignes de la banlieue: Arcueil, Le Kremlin-Bicêtre. À flanc de colline, coincé entre l'autoroute et les grandes cités, le cimetière de Gentilly. Claudine me montra toute cette étendue d'un geste du bras.

585 — Regardez comme c'est calme. Pourtant, après la construction des fortifs[3], des milliers de personnes se sont installées sur cette zone.

— Ils en avaient le droit?

— Non. Logiquement c'était interdit, mais quelquefois les lois
590 cèdent le pas aux réalités; la crise du logement et les prix des loyers, par exemple. Comme les squatters aujourd'hui… Il n'y a pas si longtemps, c'étaient nos grands-parents qui habitaient les bidonvilles! Ici, c'était un des quartiers les plus sordides[4], avec les environs de la porte de Saint-Ouen. Le royaume des
595 chiffonniers[5]. Pas d'eau, de gaz ni d'électricité. Toutes les saletés

---

1. **Bastions** : ouvrages fortifiés.
2. **Adolphe Thiers** (1797-1877) : homme politique français.
3. **Fortifs** : fortifications.
4. **Sordides** : répugnants.
5. **Chiffonniers** : personnes qui ramassent les vieux papiers, les habits usés et la ferraille.

étaient évacuées dans une rivière qui coulait dans le creux, au bas du cimetière. La Bièvre, un véritable égout à ciel ouvert… Mais je vous ennuie?

– Vous vous trompez. Je pensais simplement que vous n'aviez aucune chance d'être embauchée par le Syndicat d'initiative de la ville de Paris! Continuez. Quand je vous écoute, j'ai l'impression que vous regrettez cette époque. Moi non ; ce coin devait être un repaire de malfrats[1], d'assassins. Une cour des miracles[2]…

– Bien entendu, ça existait mais ce n'est qu'une partie de la réalité. On retient plus facilement les images de *Casque d'or*[3] et les ambiances des bouquins de Le Breton… Le dimanche, les talus des fortifs ressemblaient à la forêt de Senlis, les familles venaient prendre l'air. Il y avait même des étangs, on pêchait…

– Pas mal de cafés aussi!

– Inévitablement! Enfin, je préfère la nostalgie des guinguettes[4] à celle des camions de frites-saucisses! Bien sûr, il y avait des bagarres, des règlements de comptes, mais les ambiances de bal sont rarement détendues, non? Les gens venaient pour oublier la fatigue d'une semaine de travail. À l'époque on trimait soixante heures, dans des conditions extrêmement pénibles. La légende et la littérature ont gommé cet aspect des choses… on a préféré parler de la jungle des barrières.

– Croyez-moi, les criminels ne devaient pas se gêner pour venir se planquer dans ce maquis de bicoques!

– Peut-être, mais quelques dizaines d'années plus tôt, on mettait tous les crimes sur le compte des habitants des faubourgs.

_____

1. Malfrats : malfaiteurs.
2. Cour des miracles : lieu qui abritait les miséreux, les mendiants ou les infirmes, en particulier au XVIIe siècle sous le règne de Louis XIV.
3. *Casque d'or* : film du réalisateur français Jacques Becker (1906-1960) avec Simone Signoret et Serge Reggiani, sorti sur les écrans en 1952, qui plonge le spectateur dans le milieu des malfrats au début du XXe siècle.
4. Guinguettes : bistrots généralement en plein air où l'on pouvait danser.

Prenez un journal, ouvrez-le à la page des faits divers, vous vous apercevrez que rien n'a vraiment changé. Les brebis galeuses[1]
625 sont maintenant ceux qui logent dans les grands ensembles, en lointaine banlieue. Les Minguettes, les Quatre Mille. Les immigrés ont remplacé les romanichels[2], les jeunes chômeurs ont pris la place des biffins[3].

– Vous ne me ferez pas croire que la criminalité était nulle !
630 Il y a des chiffres…

– Non, elle n'était pas inexistante, elle correspondait, en fait, à celle de Paris et du département de la Seine. Ni plus, ni moins. Certains avaient intérêt à donner une image négative du peuple de la zone. Ils ont utilisé le phénomène de rejet pour les chasser
635 de la périphérie immédiate de la ville. Ça continue avec l'utilisation actuelle du thème de l'insécurité. On tente d'assimiler les couches sociales les plus durement frappées par la crise à des groupes présentant des dangers pour le reste de la société. Un véritable tour de passe-passe ! Les victimes sont transformées en
640 épouvantails. Et ça marche ! La grand-mère la mieux intentionnée serre son sac à main sur son ventre dès qu'elle croise un garçon aux cheveux un peu trop bouclés ! Rien que cette peur permet de légitimer, par avance, les mesures prises à l'encontre de ces gens.

645 – Vous oubliez que vous parlez à un flic…

Elle sourit et accentua la pression de son bras sur le mien.

– Non, pas une minute. Allez donc consulter les registres de police du temps des fortifications. Le travail de vos ancêtres, en quelque sorte ! Les crimes de sang étaient extrêmement rares. Les
650 délits les plus courants consistaient en des escroqueries minables, des vols d'aliments, des scènes de ménage. Pourtant, la grande majorité des rubriques de faits divers ruissellent de sang. Un

---

1. Brebis galeuses : personnes indésirables, rejetées.
2. Romanichels : bohémiens.
3. Biffins : chiffonniers qui revendaient les textiles usés.

bon filon pour vendre du papier! On peut passer au kiosque et acheter certains journaux, on ferait la même constatation :
655 assassins, sadiques, violeurs, tous les sales rôles sont tenus par des ouvriers, des miséreux. Jamais de notables[1]... Quand on parle de médecins, d'avocats, de chefs d'entreprises, c'est à la rubrique «Société». On fait preuve de pudeur, alors que les sommes en jeu dans les affaires de fraude, de fausses factures,
660 de détournements de fonds sont dix fois supérieures au total de tous les hold-up de France et de Navarre.

– En conclusion, vous estimez que nous ne courons pas après les bons lièvres?

– Vous courez uniquement après les plus petits et vous laissez
665 les gros se repaître tranquillement...

– Vous me connaissez mal, mes enquêtes précédentes prouvent le contraire...

J'avais envie d'en dire davantage, ne pas passer à ses yeux pour ce salaud de flic de service, sans pour autant avoir l'air de me
670 justifier. J'essayai une phrase dans ma tête mais la dialectique[2] décida de me laisser en plan. Je me réfugiai dans le silence. Claudine remarqua mon flottement; elle en profita pour enfoncer un nouveau coin[3].

– Le système se protège efficacement... La police constitue
675 l'un des éléments majeurs du dispositif. De temps en temps, il faut bien trouver une victime expiatoire[4] pour montrer que les couches supérieures peuvent être contaminées. Et prouver que leur force réside dans le fait qu'elles rejettent les mauvais sujets hors de leur sein, sans ménagements. Landru, Petiot... On les
680 charge un maximum et on se sert de ces véritables monstres pour établir le côté aberrant de leur conduite : de toute évidence, elle

---

1. **Notables** : personnes qui occupent une situation sociale importante.
2. **Dialectique** : moyens argumentatifs employés pour convaincre son interlocuteur.
3. **Pour enfoncer un nouveau coin** : porter un coup pour blesser (métaphorique).
4. **Expiatoire** : qui est sacrifiée pour apaiser la colère des autres.

n'est pas dans l'ordre des choses. Le chômeur qui dévalise une épicerie s'inscrit, lui, dans la vie de tous les jours. Il est donné comme représentatif de sa classe, de son environnement. Il devient
685 un pur produit de son milieu et non celui d'un système qui le voue à la misère et au vol.

— Si on suivait votre raisonnement, tous les chômeurs devraient devenir des truands! Heureusement, ce n'est pas la règle.

Elle aspira une large bouffée d'air. Sa poitrine se gonfla, soulevant
690 le corsage d'été. Mes yeux saisirent l'éclat noir et dentelé d'un soutien-gorge. Mon cœur abandonna son rythme de croisière et se lança à l'assaut des records.

— Vous refusez de m'écouter. Je suis disposée à admettre qu'il existe une certaine égalité entre un P-DG et un pauvre type ;
695 ils ont autant de chances l'un et l'autre de devenir maniaques sexuels! Vous ne m'enlèverez pas de l'idée qu'un chômeur a plus d'occasions d'être tenté par un vol à l'étalage, pour de simples raisons de survie.

Claudine se passionnait. L'emportement colorait ses joues du
700 même rouge que son sein furtif avait incendié les miennes. Je capitulai.

— Nous n'arriverons pas à nous mettre d'accord… Nous avons déjà un terrain d'entente, il ne faut pas l'oublier : je ferai tout mon possible pour arrêter l'assassin de Bernard. Qu'il soit faible ou
705 puissant, clochard ou milliardaire. Tant que j'y pense, Mme Thiraud a évoqué devant moi l'existence d'une plaquette, une sorte de monographie de la ville de Drancy que son mari rédigeait durant ses loisirs. Vous êtes au courant?

Claudine acquiesça.
710 — Oui, elle est à la maison. Bernard voulait la terminer, en souvenir de son père. Je peux vous l'envoyer à Toulouse dès demain, si vous pensez que cela présente un intérêt pour votre enquête.

— Je préfère régler ce détail le plus rapidement possible. J'aurai le temps de passer chez vous avant de rejoindre la gare. Je deman-
715 derai au taxi de faire un détour…

Elle inscrivit son adresse sur une page de calepin qu'elle déchira avant de me la remettre.

Sept heures après la fin de cette discussion, je débarquai à la gare centrale de Toulouse. Le brigadier Lardenne m'attendait sur le quai d'arrivée du Corail, bien qu'il ait terminé son service depuis la fin de l'après-midi. Il me déposa devant mon domicile et profita du trajet pour m'informer de ses progrès dans le maniement des jeux électroniques. Il avait même réussi à battre son fils à la Bataille des Malouines. Quatre Exocets[1] à deux ! Un score sans appel… À l'entendre, il ne s'était rien passé de plus important pendant mon absence.

1. **Exocets** : missiles.

– Alors Bourrassol, ces convocations bidon, vous êtes sur une piste ?

Le brigadier-chef était assis dans mon bureau. Visiblement, il n'en menait pas large.

Il commença par bafouiller.

– Non, enfin peut-être… Les services de Pradis, au Capitole, ont l'air d'avoir du nouveau.

Ce seul nom me fit sursauter.

– Que ce soit bien clair, Bourrassol : je ne veux rien devoir à Pradis. Vous savez bien qu'avec des types de ce genre il faut rendre au centuple ! Ils se prennent pour Dieu le Père. C'est vous qui êtes chargé de débusquer ces plaisantins. Personne d'autre. Nous étions les seuls visés dans cette affaire, pas la mairie. Pour moi il s'agit d'un problème intérieur. Et qu'est-ce qu'ils racontent ?

Bourrassol s'éclaircit la voix avant de répondre.

– Au cours des cantonales, en 81, une affiche du *Meilleur*, enfin une falsification, avait été placardée dans toute la ville. Elle représentait le candidat officiel, pratiquement nu sur une plage, dans les bras d'une jeune femme. Trois mois plus tôt, il avait eu un pépin en voiture ; il orientait une partie de sa campagne sur le thème de l'insécurité… Des réunions en béquille, vous voyez le tableau ! Le titre du faux jouait là-dessus : « Son accident de voiture ? La vengeance d'un mari jaloux ! » Il a déposé une plainte contre X, sans résultat, comme d'habitude. La semaine dernière,

25 au cours de travaux d'agrandissement des locaux de l'imprimerie municipale, les ouvriers d'une entreprise de maçonnerie sont tombés sur les plaques offset qui ont servi à l'impression des affichettes. On a interrogé les employés du service. L'un d'eux a avoué qu'il participait aux activités d'un groupe situationniste
30 installé à Toulouse depuis 1976.

– Il a parlé des convocations pour le fichier anti-terroriste ?

– Non, il a reconnu l'ensemble des opérations menées de 77 jusqu'en 82. Selon lui, le collectif a ensuite éclaté, à la suite de divergences idéologiques[1]. Il est possible que certains membres
35 du groupe aient continué leur travail de sape[2] en solitaire, mais dans des conditions plus difficiles puisqu'ils ne disposaient plus de la logistique[3]. Le nerf de la guerre, c'était l'impression des tracts, des affiches et la reproduction de papiers officiels. Sans l'appui du type de l'imprimerie municipale, ils ont dû se rabattre
40 sur un imprimeur classique…

– Dans ce cas, ça ne sera pas trop compliqué de les coincer. On a pu identifier les autres membres du réseau ?

Bourrassol déposa le papier qu'il triturait depuis le début de l'entretien sur coin du bureau. Je pris la feuille dactylographiée
45 et lus les noms à voix haute.

– Jacques Maunoury, Claude Anchel, Jean-Pierre Bourrassol…

Je butai sur ce dernier nom et interrogeai le brigadier.

– C'est un parent à vous ?

50 Il baissa la tête comme un gamin pris en faute et prononça faiblement.

– Oui, inspecteur, c'est mon fils. J'ai préparé ma lettre de démission. Je ne comprends pas du tout ce qui lui a pris.

---

1. Divergences idéologiques : différences d'opinions philosophiques, politiques ou sociales.
2. Travail de sape : sabotage souterrain.
3. Logistique : organisation matérielle.

Il se renversa sur son fauteuil, éclata en sanglots. Je ne savais
55 comment réagir face à cette situation totalement inédite pour
moi. Je m'approchai de Bourrassol et lui tapotai l'épaule comme
je l'avais vu faire au cinéma.

– Nous n'en sommes pas là, brigadier. Ce que vous venez de
faire est très courageux. J'apprécie votre geste à sa juste valeur.
60 Il ne doit pas y avoir beaucoup de policiers de votre trempe[1]
qui soient prêts à sacrifier leur famille à leur idéal de justice et
de vérité. Vous n'avez pas hésité à dénoncer votre propre fils !
Que peut-on exiger de plus d'un fonctionnaire de police ? Ce
serait de la dernière injustice de vous conduire à la démission
65 pour une faute que vous n'avez pas commise. Si on regarde les
choses bien en face, ils n'ont pas fait grand mal. Je vais essayer
d'arranger ça.

Bourrassol avait cessé de pleurer ; il renifla très fort avant de
passer la manche de son uniforme sous son nez.

70 – Vous avez parlé de tout ça avec votre fils ? Il lui était relative-
ment facile de se procurer les feuillets à en-tête du commissariat
ainsi que les tampons. Personne n'aurait soupçonné le fils d'un
collègue…

Il me répondit, la voix cassée.

75 – Bien sûr, j'y ai également pensé, mais c'est impossible, mon
fils se balade aux Antilles depuis quatre mois. Il fait son service
dans la marine nationale. Pour le reste, je ne dis pas… mais pour
cette histoire, il a une excuse solide.

La sonnerie du téléphone interrompit la suite des tristes aventures
80 de la famille Bourrassol. On m'avertissait qu'un hold-up était en
cours dans une bijouterie de l'allée Jean-Jaurès. Le commerçant
avait réussi à actionner le signal d'alarme sans éveiller l'attention
du braqueur. Il fallait opérer rapidement pour bénéficier du flagrant délit. Je vérifiai le fonctionnement de mon pistolet Heckler,

---

1. Trempe : qualité, niveau.

85 un modèle PS 9 puis débloquai la sûreté placée sous la culasse[1].
Lardenne m'attendait dans la cour, le moteur en marche. Je pris
place à côté de lui. Il se tenait au courant des développements par
la fréquence. Il mit la gomme[2] sans que j'aie besoin de souligner
l'urgence qui s'attachait à la situation.

90   Une voiture de ronde était en planque derrière l'église Notre-
Dame-des-Grâces. Je leur transmis la consigne de ne pas bouger,
de ne réagir qu'aux ordres donnés par Lardenne, à la radio. À
partir de leur position ils couvraient la façade de la bijouterie
ainsi que les deux rues situées de chaque côté du commerce.

95 Je descendis dans l'une de ces rues en contournant le quartier.
Je fis stopper la voiture juste avant l'angle de l'allée Jean-Jaurès.
Je quittai Lardenne et je me dirigeai vers la boutique en affectant[3]
l'air dégagé d'un promeneur. J'avais du mal à composer le rôle ;
c'est dans des moments pareils qu'on regrette que la formation de

100 flic ne prévoie pas un ou deux stages d'expression corporelle…
Je lançai de brefs coups d'œil aux alentours. Apparemment personne ne faisait le guet sur le trottoir. À moins qu'un complice
ne se soit embusqué dans une encoignure[4] de porte. Dans ce
cas, je faisais une cible parfaite.

105   Parvenu à la hauteur de la bijouterie je me jetai contre la porte
vitrée. Je fis irruption dans la boutique en hurlant comme un
frappé, le flingue braqué.

– Police ! Lâchez vos armes.

Le bandit, un petit mec fébrile, habillé comme un employé de

110 banque – Woolmark et chaussures italiennes – opéra un demi-
tour sur ses talons et dirigea un fort calibre sur ma poitrine. Il
avait au moins aussi peur que moi.

– Ne joue pas avec ça… Je t'aurai mis trois balles dans la tête
avant même que tu parviennes à armer ton flingue.

---

1. Culasse : partie arrière et mobile de l'arme.
2. Il mit la gomme : il accéléra.
3. En affectant : en adoptant, en faisant semblant.
4. Encoignure : coin.

115   Mon pouce se déplaça imperceptiblement sur le flanc du pistolet; il appuya doucement sur le minuscule levier situé à gauche, derrière le pontet. La moindre pression sur la détente, une infime crispation de mon index serait maintenant suffisante pour déclencher le tir.

120   – Écoute-moi bien. Dans un cas comme celui-là, ma parole vaut de l'or. Bien plus que ce que tu peux rafler ici. Tu n'as aucune chance de t'en sortir. Tu as perdu. Il y a deux bagnoles bourrées de flics sur l'avenue. Dans cinq minutes toute la flicaille de Toulouse va rappliquer comme à un congrès. Sans compter
125   la télé et Sud-Radio…

Il ne bougeait pas et maintenait le bras tendu, la main tétanisée[1] sur la crosse de son revolver.

Je continuai à parler.

– … Sois raisonnable. Pour le moment tu risques une condam-
130   nation pour tentative de vol à main armée. C'est du sérieux mais ça peut s'arranger si tu ne tires pas. Je serai appelé à témoigner au tribunal. La déposition d'un flic de terrain vaut son pesant d'années de taule. Si je leur raconte que tu t'es laissé faire sans opposer de résistance, tu gagnes trois ou quatre ans… Tu es fait.
135   Limite les dégâts, ça vaut mieux pour tout le monde.

Mon discours ne semblait avoir aucun effet sur lui, ou bien j'avais mis à côté de la plaque. Je me décidai à brusquer les choses.

– … Tu as le marché en mains. Je te donne trente secondes pour donner ta réponse et dire si ma proposition te va. Fais vite,
140   trente secondes c'est vite passé.

Mes yeux ne quittaient pas son flingue. Je compris que j'avais gagné la partie quand sa main se détendit et s'ouvrit. L'arme tomba sur le sol en faisant un bruit creux semblable à celui d'un jouet. Le bijoutier se précipita aux pieds de son agresseur et ramassa
145   le revolver. Il le brandit en l'air en riant nerveusement.

---

1. Tétanisée : crispée, paralysée.

– C'est du plastique ! Je ne l'aurais jamais cru… On peut dire que c'est drôlement impressionnant, ça fait le même effet qu'un vrai.

150 Le braqueur profita de ces quelques secondes de flottement pour porter les mains à sa bouche. Il déglutit[1] péniblement, à plusieurs reprises, avant de se jeter à terre où il se mit à se tordre, en proie à de très violentes crampes. Je m'agenouillai pour l'observer de plus près.

– Il vient de s'empoisonner. Appelez vite le SAMU. Il va 155 crever !

Le bijoutier se mit à pâlir.

– Mais non, inspecteur, ce salaud vient d'avaler mes diamants et mes perles. Il en a bouffé pour plus de trente millions. C'est un dingue !

160 Lardenne entra dans la boutique suivi d'une horde de policiers en uniforme, les calibres à l'air. Je l'arrêtai au passage.

– Il faut le transporter à l'hôpital en urgence. Débrouille-toi.

– Il est blessé ? On n'a pas entendu de coups de feu !

– Ce n'est pas ça, ce connard a bouffé le fonds de commerce. 165 Il a le tube digestif le plus cher du monde…

L'ambulance nous conduisit à l'Hôpital militaire, près du pont Saint-Pierre. Le croqueur de diamants passa directement entre les mains de l'entérologue[2]. Le toubib nous reçut après son examen.

170 – Il n'y a rien à faire pour l'instant. Je dois vous confier que c'est la première fois que je traite un patient pour une indigestion de pierres précieuses. En temps ordinaire on trouve des objets de moindre valeur. Des clous, des morceaux de verre, des dents de fourchette. C'est absolument incroyable ce que les gens arrivent à 175 avaler. Et je ne m'occupe que de ce qui passe par la bouche ! Les collègues qui travaillent sur les autres orifices naturels pourraient

---

1. **Déglutit** : avala.
2. **Entérologue** : médecin spécialiste de l'intestin.

vous en raconter… Les hommes comme les femmes! J'ai déjà
pensé qu'on devrait rassembler tous les corps étrangers extraits
depuis dix ans rien qu'à Toulouse, et monter une sorte de musée
180 pervers… Vos diamants se tailleraient un joli succès.

– Désolé, mais nous devons les récupérer, ce sont des pièces à
conviction. Ce sera long?

Le professeur tordit la bouche pour bien signifier qu'il
réfléchissait.

185 – Elles sont de petit calibre. Pour le moment elles cheminent
en direction de l'estomac. Nous allons suivre leur progression à
la radio ou avec l'échographe, pour lui épargner de trop fortes
doses de rayons X.

Le bijoutier intervint à ce moment précis.

190 – J'espère que mes pierres ne risquent pas d'être abîmées par
les rayons ou les sucs gastriques[1].

Le professeur lui adressa une moue méprisante et choisit de
l'ignorer.

– Au cours des prochaines heures elles traverseront la seconde
195 partie de l'appareil digestif et aborderont la phase du transit intes-
tinal. C'est une étape délicate qui n'est pas exempte de[2] risques.
On ne peut écarter l'éventualité d'une occlusion intestinale[3] et
le recours à l'opération. C'est une intervention périlleuse, je ne
vous le cache pas.

200 – Et si cela se déroule normalement?

– C'est ce que je souhaite. Dans ce cas, vous devriez revoir
les pierres dans trois jours au plus tard. Je vous le promettrai
même pour demain, si j'étais sûr que notre malade accepte de
collaborer avec nous…

205 – C'est-à-dire?

---

1. Sucs gastriques : liquides organiques secrétés par l'estomac pour faciliter la
digestion des aliments.
2. Exempte de : sans.
3. Occlusion intestinale : fermeture de l'intestin empêchant le transit.

– Nous avons encore une possibilité : lui faire ingurgiter un laxatif puissant qui stimule très efficacement l'action intestinale. Bien entendu, nous ne pouvons administrer de tels traitements sans l'accord du patient. Amnesty International[1] ne nous le par-
210 donnerait pas…

La redoutable éventualité d'une intervention chirurgicale décida le braqueur à accepter l'ingestion des substances destinées à accélérer ses fonctions organiques. Je pris la précaution de placer un gardien en faction dans la chambre du coffre-fort ambulant
215 et lui intimai l'ordre de vérifier le contenu des déjections du prisonnier.

Le commerçant accepta avec reconnaissance la proposition que je lui fis de tenir compagnie au policier et de le seconder dans sa tâche.
220 Les pierres et les perles furent restituées dès le lendemain, grâce à une préparation purgative à base de magnésie calcinée dont l'entérologue avait méticuleusement affiné la formule (CaO, MgO, $2CO^2$) afin d'éliminer tout risque d'effets secondaires.

*

Un télégramme envoyé depuis Paris m'attendait à mon retour
225 au bureau. Dalbois venait de retrouver la trace de l'exécuteur de Roger Thiraud. Il m'avertissait de l'arrivée d'une lettre détaillée pour le soir même.

Je tentai de m'intéresser à une pile de dossiers en suspens, sans beaucoup de conviction. Des séries de vols dans des pavillons,
230 deux ou trois conduites en état d'ivresse, un refus d'obtempérer[2]. Je tuai le temps en vérifiant les états de service du personnel

---

1. Amnesty International : organisation non gouvernementale qui défend les droits de l'homme.
2. Obtempérer : obéir à un ordre.

du commissariat et le tableau d'avancement. Je constatai que Bourrassol pouvait prétendre à l'échelon quatre de son grade, à moins que le commissaire Matabiau ne lui tienne rigueur des

235   frasques[1] de sa descendance et ne le confine[2] deux années supplémentaires à l'échelon trois.

Je sursautais à chaque sonnerie du téléphone, à chaque coup frappé à ma porte. Le facteur passait régulièrement à cinq heures pour sa tournée vespérale[3], mais j'aurais souhaité qu'il déroge à

240   la tradition[4]. Je me précipitai dans l'escalier dès que je l'aperçus qui franchissait le portail. Je récupérai l'ensemble du courrier que j'étalai sur le plateau de mon bureau. La missive de Dalbois était bien là. Je l'ouvris en déchirant l'enveloppe dans ma hâte. L'inspecteur des Renseignements généraux ne s'embarrassait

245   pas de formules inutiles.

    Cher Cadin,

       Ton CRS se nomme Pierre Cazes et appartenait, en fait, aux Brigades spéciales chargées de liquider les responsables de l'OAS et du FLN durant les dernières années de la guerre. À tout hasard,

250   *je te signale que l'ensemble des faits relatifs à la guerre d'Algérie ont été couverts par un décret de juillet 62 qui stipule, entre autres choses, que nul ne pourra faire l'objet de mesures de police ou de justice, de discriminations quelconques en raison d'actes commis à l'occasion des événements survenus en Algérie et en métropole*

255   *avant la proclamation du cessez-le-feu.*

    Pierre Cazes est aujourd'hui à la retraite. Il habitait, il y a encore quelques mois, dans ta région, à Grisolles, un village situé entre Grenade et Verdun sur la départementale 17.

---

1. **Frasques** : écarts de conduite.
2. **Ne le confine** : ne le laisse isolé.
3. **Vespérale** : du soir.
4. **Qu'il déroge à la tradition** : qu'il n'applique pas la règle habituelle.

Fais gaffe, ce n'est plus sur des œufs que tu marches, mais sur une
260 *poudrière. Sois gentil, détruis ce papier dès que tu l'auras lu, j'ai fait*
de même avec la photo que tu m'avais confiée.

Amitiés
Dalbois.

Je sortis un briquet de mon tiroir et brûlai la lettre dans le
265 cendrier ainsi que l'enveloppe. Je confiai le reste du courrier à
la secrétaire pour qu'elle procède à la distribution. Je me mis à
la recherche de Lardenne.

Je le retrouvai, avachi sur le siège avant de la voiture de service.
Il semblait être atteint d'une maladie nerveuse. Ses bras remuaient
270 par saccades tandis qu'il piquait de la tête. De temps à autre, il
se relevait pour plonger à nouveau vers le volant. J'eus l'explication de ce comportement parkinsonien[1] en m'approchant de la
portière. Le brigadier Lardenne avait définitivement abandonné
les joies mathématiques du Rubik Cube ; il s'adonnait mainte-
275 nant aux délices vidéo-névrotiques[2] du Bansaï : il tenait entre ses
mains une plaquette électronique de la taille d'une calculette
et tentait de faire franchir un parcours semé d'embûches à un
petit personnage animé.

– Faites voir ça, Lardenne ! Mettez le cap sur Grisolles. C'est
280 un bled qui se trouve sur la 17, avant Montauban.

Je le laissai jouer avec les bandes blanches, les stops, les priorités et tous les petits bonshommes qui circulaient en cette fin
d'après-midi entre Toulouse et Montauban.

Je dirigeai la fuite du petit ramoneur, le pouce droit pour aller
285 en avant, le pouce gauche pour reculer, et tentai de l'amener
jusqu'à l'hélicoptère qui l'attendait en haut du building. Il devait
grimper un nombre impressionnant de marches, passer une

---

1. Parkinsonien : qui présente des tremblements du corps comme quelqu'un atteint
de la maladie de Parkinson.
2. Délices vidéo-névrotiques : plaisirs issus d'un amour maladif pour les jeux vidéo.

infinité de portes qui choisissaient de se fermer à son approche, le contraignant à des détours haletants. La concierge s'y mettait

290 également et le poursuivait en le bombardant d'ustensiles de cuisine. Il lui fallait, en plus, se méfier des agissements d'un gigantesque rat qui ne trouvait rien de plus excitant à faire que de manger des étages entiers !

En passant à travers le village de Verdun, je parvins à placer

295 mon ramoneur sur la plate-forme, mais au dernier moment l'hélicoptère déséquilibré par une fausse manœuvre de mon pouce droit s'écrasa contre les fenêtres du cent treizième étage, tandis que la concierge hilare[1] en profitait pour planter un effroyable couteau de boucher dans le dos du ramoneur. Le rat se précipita

300 pour engloutir le cadavre. Une petite musique aigrelette égrena les premières notes de la *Marche funèbre.*

– Vous avez réussi un total de combien, inspecteur ?

Je pressai le bouton pour l'affichage du score.

– Neuf cent trente-neuf marches !

305 – Mon record personnel est de mille cinq cent quinze. C'est pas du gâteau… Je vais me payer le Yakoon un de ces jours. Il parait que c'est dix fois plus passionnant. Le personnage doit affronter un ennemi dont il ignore l'apparence et qui lui envoie ses créatures. Vous ne savez jamais si celui qui est en face de vous

310 est un ami ou un ennemi. Si vous éliminez vos aides vous êtes d'autant moins protégé. Il faut venir à bout de douze épreuves pour accéder au combat suprême avec le Yakoon. En plus, le boîtier modifie les cas de figure après chaque partie. Ça se multiplie à l'infini. Il faut un minimum de deux mois pour maîtriser

315 le premier niveau. C'est un jeu fantastique !

– Vous avez repéré le panneau, Lardenne ?

– Quel panneau, inspecteur ?

---

1. Hilare : très gaie, réjouie.

– La route de Grisolles ! Vous venez de la dépasser. Et là, vous ne disposez pas de douze possibilités de rattrapage. Il n'y en a qu'une : faire demi-tour !

*

Pierre Cazes habitait une petite maison de pays entourée d'un beau jardin entretenu avec beaucoup de soin. Je m'approchai de la barrière et agitai une clochette clouée au montant. Un homme d'une soixantaine d'années au visage marqué apparut à la fenêtre du rez-de-chaussée.

– Oui, que voulez-vous ?

– Je suis l'inspecteur Cadin, de Toulouse. Voici le brigadier Lardenne, mon adjoint. Je désire vous parler, en privé.

Il se montra sur le perron et actionna un mécanisme électrique commandant l'ouverture de la porte. Je remontai l'allée, Lardenne sur mes pas. Il nous accueillit à l'entrée.

– Qu'est-ce qui me vaut l'honneur d'une visite de la police ? Pas de mauvaises nouvelles, j'espère. Ma femme est sortie faire les courses au bourg, mais je peux tout de même vous offrir l'apéritif.

Nous étions dans une vaste pièce organisée autour d'une cheminée en pierre, meublée avec un goût très sûr. Tout en parlant il posa plusieurs bouteilles sur la table, puis deux verres et un assortiment de gâteaux salés.

– Il n'y a que deux verres parce que je n'ai pas le droit de boire. Je me rattrape avec les médicaments…

Il nous servit, Ricard pour moi, Floc de Gascogne pour Lardenne qui aime bien les sucreries.

– Alors, inspecteur, vous enquêtez sur mon compte ? Ou sur celui de ma femme…

– Non, pas exactement. Ça ne vous embêterait pas de faire quelques pas dans le jardin ? J'ai envie de marcher.

Pierre Cazes manifesta une certaine surprise mais il accepta ma proposition. Je me décidai à aller droit au but.

350 — Voilà. En premier lieu, ma démarche n'a aucun caractère officiel. J'admettrais sans peine que vous refusiez de me répondre…

Il me fit signe de continuer.

— … Au cours de ce mois un jeune garçon a été tué à Toulouse… Bernard Thiraud…

355 J'observai son visage mais ses traits ne furent marqués d'aucune émotion particulière à l'énoncé du nom.

— … Il a été assassiné en pleine rue, sans mobile apparent. Nous avons tout vérifié, pas d'histoires d'argent ni de mœurs, rien. Le mystère complet. Puis, en interrogeant la famille je me suis aperçu

360 que le père de ce jeune gars était décédé dans des circonstances tragiques et similaires il y a vingt ans. Exécuté dans la rue d'une balle dans la tête. À l'époque on n'a mené aucune enquête sur ce meurtre. Par le plus grand des hasards, une équipe de la télévision belge venue filmer le tour de chant de Jacques Brel à

365 l'Olympia a fixé les derniers moments de vie de Roger Thiraud, le père de Bernard. Cela se passait à Paris, en octobre 1961. Tout porte à croire que c'est vous qui teniez le pistolet…

Pierre Cazes planta ses mains dans les poches de son bleu et serra les poings. Ses épaules fléchirent. Il ferma les yeux et aspira

370 longuement, les lèvres entrouvertes, puis il se courba. Il s'assit difficilement sur l'une des grosses pierres qui délimitaient le cheminement.

— Comment avez-vous su ? Toutes les archives sont « top secret »…

— Le hasard, je vous dis.

375 — Allons, asseyez-vous, inspecteur. Vous remuez des souvenirs très douloureux. Je ne m'attendais pas à un coup pareil. Ah, on a beau prendre toutes les précautions, si c'est écrit, il n'y a rien à faire. Que voulez-vous que je vous dise ? C'est sûrement moi !

— Pourquoi avez-vous tué Roger Thiraud ?

380 Pendant une fraction de seconde ses yeux se perdirent dans le vague.

– Je n'en sais fichtre rien. J'avais des ordres. Je me devais d'y obéir.

– Ça venait des Brigades spéciales ?

385 – Pourquoi me le demandez-vous si vous connaissez la réponse ? Oui, de la direction des Brigades spéciales… On était chargé de nettoyer[1] les dirigeants les plus remuants de l'OAS et du FLN. La préfecture nous fournissait les laissez-passer et les armes, des séries non identifiables. En cas de pépin nous possédions
390 le numéro direct du directeur de la Sûreté. Je l'ai encore en mémoire mais il ne sert plus à rien. MOGADOR 68.33. On apprenait tout par cœur, pas de traces. Ce n'était pas très drôle, on vivait en clandestins. En face, ils ne se laissaient pas faire sans réagir. Œil pour œil. Ça ne ressemblait pas du tout au boulot que vous
395 faites, inspecteur. On était autonome avec nos propres méthodes de renseignement et d'action.

– Même pour l'affaire de la rue Notre-Dame-de-Bonne-Nouvelle ?

– Non, à intervalles réguliers, on était choisi par le Centre
400 pour abattre un pion gênant. Je préférais de loin le reste du boulot, la neutralisation de l'adversaire. Mais liquider un bonhomme, ça ne m'a jamais procuré de satisfaction. Je ne dis pas pour d'autres… Vous savez, j'ai participé à la Résistance et à la Libération dans l'Est. J'ai porté le fusil jusqu'en Indochine. J'ai
405 été habitué à regarder le danger droit dans les yeux : ce n'est pas particulièrement agréable de loger un chargeur dans le ventre d'un Allemand ou d'un Viet, même s'il s'apprêtait à vous faire subir le même sort. Mais foutre une balle dans la tête d'un jeune Français dont vous ignorez tout. Lui désarmé, dans le dos. Il
410 fallait le faire. Je me rassure en me disant que mon geste a peut-être permis d'éviter un attentat ou d'écourter la guerre d'une heure, d'un jour…

---

1. **Nettoyer** : éliminer.

– Comment ça s'est passé exactement pour Roger Thiraud ? Qui vous l'a désigné ?

415 – Comme d'habitude. Un agent de liaison déposait un pli dans une boîte aux lettres relais que je visitais deux fois par semaine. C'est là que je trouvais les instructions, la marche à suivre. Pour Thiraud, si c'est comme ça qu'il s'appelait, on m'a fourni une photo de l'objectif et des renseignements sur ses déplacements, 420 ses habitudes. J'ai choisi d'opérer pendant la manifestation. Il habitait près d'un des lieux de rassemblement ; logiquement il devait rentrer avant le début du défilé. J'avais prévu de lui téléphoner sous un prétexte quelconque pour le faire descendre. Mais je n'ai pas eu besoin de mettre ce plan à exécution. Il n'est 425 pas rentré directement, il s'est payé une séance de cinéma, en face du Rex. J'ai été à deux doigts de faire le boulot dans la salle… À la réflexion, j'aurais dû, ça m'aurait évité d'être filmé par une équipe de la télé belge.

– Vous ne vous êtes pas posé la question de savoir pourquoi 430 cet homme allait mourir de votre main ?

– Parce que vous pensez que l'OAS avait des problèmes de conscience quand elle a fait sauter la gueule d'une douzaine de mes meilleurs copains en truffant leur salle de réunion avec trente kilos de plastic[1] ? On les a ramassés en morceaux dont le 435 plus gros tenait dans ma main, justement… Ou lorsqu'ils ont balancé une grenade dans une cour d'école ? J'ai vu des visages d'enfants ravagés par les bombes… Vous avez déjà entendu les cris de mômes de cinq ans rendus aveugles dans le seul but d'instaurer la terreur ? En ce temps-là j'évitais de me poser la moindre 440 question pour ne pas devenir dix fois plus enragé.

– Qui vous transmettait ces enveloppes ? Vous pouvez me le dire, vingt ans se sont écoulés, ça fait partie de l'histoire…

– Ce n'est pas certain. Tout le monde sait que les Brigades spéciales étaient chapeautées par André Veillut et qu'elles étaient

---

1. **Plastic** : explosif.

445 rattachées à la police officielle, sans apparaître toutefois sur l'organigramme[1] des services. La meilleure preuve, c'est que mes années
de clandestin sont comptabilisées dans mes points de retraite.
Je peux même vous confier qu'elles comptent double. Mais il y
avait aussi d'autres groupes, comme le SAC[2], qui agissaient en
450 dehors de toute hiérarchie. Des commandos parallèles. On se
marchait sur les pieds, tout en étant du même bord. Ne pensez
pas que le temps a effacé les haines et les ressentiments. Ça ne
me surprendrait pas outre mesure que les nostalgiques de l'OAS
cherchent à venger une humiliation. Le FLN, moins. Ce sont
455 eux qui ont gagné et les vainqueurs sont toujours plus généreux
que les vaincus.

— Votre chef, ce Veillut, était probablement à l'origine de la
décision visant à liquider Roger Thiraud?

— Il était nécessairement au courant. Notre organisme de com-
460 mandement reproduisait fidèlement notre type d'organisation
en commando. Il se devait d'être le plus resserré possible pour
se déterminer dans un temps record et avoir le plus de chances
possibles d'échapper au système de détection de l'adversaire.
Veillut avait au moins trois adjoints mais il pouvait agir seul en
465 cas d'urgence.

— Que fait-il aujourd'hui?

— Bientôt comme moi. Il n'est pas loin de la retraite. À la dissolution[3] des Brigades spéciales, il a obtenu un poste à la Direction
des affaires criminelles de la préfecture de Paris. Le gouvernement
470 sait récompenser ses meilleurs serviteurs.

Soudain, il se pencha vers le sol et m'invita à l'imiter.

— Venez voir, inspecteur, une fourmilière. J'ai beau la détruire
deux ou trois fois par an, elle se reforme un peu plus loin. Vous
avez déjà observé l'intérieur?

---

1. **Organigramme** : schéma de l'organisation d'une administration, d'une entreprise.
2. **SAC** : Service d'action civique, service d'ordre du parti gaulliste après 1958.
3. **Dissolution** : action de mettre fin à.

475 — Sûrement, quand j'étais plus jeune...

— C'est surprenant, elles construisent des galeries, des rampes d'accès. J'ai lu qu'il y a plus de deux mille espèces d'insectes classées «fourmis». Des fourmis rouges, noires, des fourmis à miel, des fourmis chasseresses, des fourmis amazones. En les

480 regardant de près, on ne peut manquer d'en repérer une espèce qui corresponde exactement à votre propre caractère. Il y a peu de temps, j'ai découvert quelle fourmi j'étais...

Il prit une brindille et la pointa sur le bord d'un petit entonnoir large comme une pièce de cinq francs et à peine plus profond,

485 creusé dans le sable.

— ... le fourmi-lion. Un solitaire! Il creuse son trou, s'installe au fond, en embuscade. Ensuite il attend patiemment que des bestioles semblables à lui tombent à sa portée...

La brindille fouetta le sol, rageusement. Une avalanche de sable

490 recouvrit le fourmi-lion. Je me relevai. Pierre Cazes me regardait d'un air narquois[1], immobile et silencieux. Je rompis le silence.

— Je vous remercie d'avoir accepté de me parler, monsieur Cazes.

Le brigadier Lardenne me rejoignit, l'haleine embaumant le

495 pastis. Il avait deux apéritifs dans le nez! Il effectua un demi-tour nerveux et s'engagea sur la route de Toulouse.

J'eus le temps de voir l'intérieur du garage où trônait une grosse Mercedes vert métallisé, une 250 SE des années soixante, avec sa calandre chromée. Le rêve!

500 Je me tournai vers Lardenne.

— Quelle bagnole! Il y en a qui ont de la chance...

— Faut pas croire, inspecteur. Sa femme est arrivée quand vous discutiez dans le jardin. Elle croyait qu'on était envoyés par l'hosto. Le petit vieux n'en a plus pour longtemps; vous avez vu sa tête?

505 Les toubibs lui donnent trois ou quatre mois... Encore un qui ne profitera pas de sa retraite.

---

1. **Narquois** : moqueur, ironique.

– On ne croirait pas, il garde le moral pour quelqu'un qui se sait condamné !

– Il ignore la gravité de sa maladie, ils lui font croire à un
510 ulcère[1] carabiné.

Avant le virage, je me retournai sur mon siège. J'aperçus une vieille femme vêtue de gris qui se tenait à la porte du jardin. J'eus l'impression qu'elle notait le numéro de notre voiture. Lardenne braqua. Elle disparut du champ de la lunette arrière.

*

515 Le mur situé face au commissariat résonnait depuis toujours des événements qui secouaient le monde. Lors de fréquentes périodes vouées à la réflexion, mon regard errait des minutes entières sur les pierres où je relisais de multiples fois les lettres blanches d'un LIBÉREZ HENRI MARTIN, ou les traces à demi effacées
520 d'un slogan … I AU RÉFERENDUM sans être capable de trancher. Cette barre était-elle le I final du OUI ou la jambe ultime du N de NON ? Quant à cet Henri Martin, je ne savais lequel choisir dans la cohorte des Martin homonymes du dictionnaire :

Était-ce « Henri Martin 1830-1883 né à Saint-Quentin », historien
525 français (histoire de France 1833-1836). Membre du Collège de France. Ou « Henri Martin 1872-1934 né à Dunkerque », poète symboliste français, *Le Lys et le Papillon* (1902). Prix de l'Académie française en 1927 pour son recueil *Légumes et crustacés*.

Ou encore « Henri Martin 1912-1967 né à Saint-Denis », architecte
530 français. Rénovation de Paris. Projet du boulevard périphérique (percée Martin).

J'hésitai jusqu'au jour où Bourrassol, qui élargissait ses connaissances du milieu marin depuis que son fils naviguait à bord de

---

1. Ulcère : inflammation aiguë.

l'escadre[1] française, m'apprit que le Martin dont le mur retenait
le nom avait connu l'humidité des cales et la rigueur des chaînes,
pour s'être refusé à envoyer les quelques centaines d'obus dont
il avait la charge sur les quartiers populeux d'Haïphong[2], au
début des années cinquante.

Mais le mur ne vivait pas qu'au passé.

À la fin du mois de juin, une équipe de propagandistes de
confession chiite[3] avait tracé, en lettres blanches, une imposante
inscription SOLIDARITÉ AVEC L'IRAN.

D'autres peintres, en désaccord probable avec les thèmes khomeynistes[4], s'étaient contentés de rayer IRAN et de le remplacer
par PALESTINE. C'était sans compter sur la réaction des étudiants
sionistes[5] qui recouvrirent la PALESTINE et s'annexèrent[6] le slogan
en traçant, en lettres bleues, les caractères d'ISRAËL.

Un sage se manifesta en dernier lieu et mit tout le monde
d'accord en masquant au rouleau les noms d'Iran, de Palestine
et d'Israël. Pour faire bonne mesure, il badigeonna également
la préposition AVEC ne laissant que le mot SOLIDARITÉ.

Le commissaire Matabiau était de retour. Il fit irruption dans
mon bureau sur le coup de dix heures et ne me laissa pas le
temps de lui adresser un bonjour amical.

— Suivez-moi, Cadin. Je voudrais avoir des éclaircissements sur
ce qui s'est passé ici durant mon absence.

Il était d'une humeur exécrable[7]. Le bronzage corse dissimulait
difficilement son teint bilieux. Il ne retint pas la porte en entrant

---

1. Escadre : flotte navale de guerre.
2. Haïphong : ville et port du Vietnam.
3. Confession chiite : une des branches de la religion musulmane.
4. Khomeynistes : partisans de l'ayatollah Khomeyni, chef religieux iranien qui
fonda en 1979 la République islamique en Iran.
5. Sionistes : personnes favorables à l'établissement et à la consolidation d'un État
juif en Palestine.
6. S'annexèrent : s'approprièrent.
7. Exécrable : épouvantable.

dans son bureau ; je faillis la prendre en pleine figure. Matabiau
560 posa le bout de ses fesses sur le rebord du plateau et croisa ses
bras sur sa poitrine. Il avait dû se lever en vitesse, car je remarquai
qu'une de ses chaussettes était enfilée à l'envers.

– Alors, Cadin, j'attends !

– Il n'est rien arrivé de vraiment exceptionnel, commissaire,
565 si l'on excepte la grève des fossoyeurs.

Je cherchai à gagner du temps, à savoir si Cazes était déjà
intervenu pour se plaindre de ma visite.

– Enfin, cette grève n'a duré qu'une semaine et tout est rapidement rentré dans l'ordre. Quelques bagarres entre les grévistes
570 et les familles en deuil. Sinon le train-train habituel. Les dépôts
de plainte en tous genres, je ne vous fais pas de dessin. Personnellement j'ai consacré l'essentiel de mon temps à la plus grosse
affaire du mois. Le meurtre de Bernard Thiraud. Il y a un dossier
complet sur mes contacts, aussi bien à Paris qu'à Toulouse…

575 – C'est tout ?

Il prononça sa question d'un ton excédé en agitant les bras.

– Oui, je ne vois rien d'autre d'important. Je ne vous parle
pas du hold-up de l'allée Jean-Jaurès, il y a des placards[1] entiers
dans les journaux…

580 J'avais fait cette allusion à bon escient[2] ; les journalistes insis-
taient tous sur mon courage face à un gangster armé ; ils passaient
sous silence la nature du pistolet qui m'était opposé. La simple
évocation de mon récent exploit eut pour effet de radoucir l'attitude du commissaire.

585 – Oui, Cadin, j'ai lu tous ces papiers. Je vous félicite pour le
sang-froid dont vous avez su faire preuve dans ces circonstances.
Ce qui me préoccupe vraiment, c'est cette affaire de « situationnistes ». À peine rentré de vacances, je suis assiégé[3] de coups de

---

1. **Placards** : ici, colonnes.
2. **À bon escient** : avec discernement, à raison.
3. **Assiégé** : harcelé.

fil du maire, de l'adjoint à l'Information, Pradis. Méfiez-vous de cette pieuvre… Je n'ai rien compris à leurs divagations[1] sinon que le brigadier Bourrassol serait impliqué dans l'histoire. Je n'ai jamais rien entendu de plus grotesque ! Vous imaginez Bourrassol déguisé en situationniste ? Vous êtes au courant de cette légende ? Vous pouvez me dire d'où ça vient ?

Je dédouanai[2] le brigadier-chef.

– Bourrassol n'y est pour rien. Ils inventent n'importe quoi pour nous emmerder. On a tout simplement mis la main sur le réseau de situationnistes qui est à l'origine des faux journaux municipaux depuis 1977, ainsi que de l'affiche truquée du *Meilleur*. Le fils de Bourrassol trempait dans la combine, mais il n'a rien à voir avec les fausses convocations envoyées depuis le commissariat. Il a un alibi en béton : il se balade entre la Martinique et la Guadeloupe grâce aux croisières organisées par la marine nationale.

Le commissaire Matabiau s'éjecta du dessus du bureau et vint se planter devant moi.

– Des fausses convocations ! J'ai bien entendu ! Vous ne trouvez pas que c'est plus important que tout le reste ? Je me fous de votre meurtre et de votre fakir de bijouterie. Avant de partir en vacances je me doutais que vous parviendriez à me foutre dans la merde. Alors, ces documents falsifiés, c'est quoi au juste ?

– On cherche toujours. Plusieurs centaines de Toulousains ont reçu un papier imitant à la perfection un formulaire officiel leur enjoignant[3] de se présenter d'urgence au commissariat, pour la constitution du fichier anti-terroriste. La convocation était signée de votre nom avec un paraphe semblable au vôtre. Comme par hasard, les destinataires de ce courrier ont été choisis parmi les personnalités les plus en vue de la ville. Les gros commerçants, les

---

1. Divagations : délires.
2. Je dédouanai : je déchargeai de tout soupçon, je réhabilitai.
3. Enjoignant : ordonnant.

industriels, le clergé, les présidents d'associations, principalement
620 les groupements d'Anciens Combattants…

– Vous pouvez me montrer un de ces papiers ?

Je tirai mon portefeuille hors de la poche arrière de mon jean
et pris délicatement entre mes doigts un carré bleu que je dépliai
avant de le remettre à Matabiau. Il l'examina en silence, ligne
625 par ligne. Cette étude lui fit retrouver son calme, à mon grand
étonnement. Il me rendit la convocation.

– Ce n'est pas un faux. Ce formulaire est tout à fait authen-
tique. Je l'ai signé la veille de mon départ pour la Corse. Je ne
comprends pas comment cette salade a pu se produire !

630 Je crois bien que s'il m'avait avoué être l'assassin de Bernard
Thiraud ma surprise n'aurait pas été plus grande.

– Je ne suis pas encore fou, Cadin ! Je me vois en train de
remettre l'original de cette lettre au brigadier Lardenne ainsi que
la liste des quatre cents personnes concernées sur Toulouse. J'avais
635 estimé que vous aviez déjà assez à faire avec toute la paperasse du
commissariat pour ne pas vous coller cette corvée supplémentaire. Lardenne n'avait plus qu'à réaliser un jeu de photocopies
et assurer la mise sous pli… Allez me le chercher, je veux tirer
ça au clair immédiatement.

640 Le brigadier terminait une partie de flipper au café le plus
proche. Je l'arrachai à sa table clignotante, cent points avant la
partie gratuite au risque de m'en faire un ennemi. Je lui exposai
la situation rapidement avant de retrouver le bureau de Matabiau.
Le commissaire s'était composé un masque tragique. Il releva le
645 menton quand la porte s'ouvrit.

– Lardenne, vous me devez des éclaircissements. Tâchez de
vous montrer convaincant si vous voulez éviter d'être muté à la
guérite[1] ! L'inspecteur Cadin vous a mis au courant, j'imagine ?
Qu'avez-vous à déclarer pour vous justifier ?

---

1. Guérite : baraque abritant une sentinelle.

650   — Je ne sais pas...

— Eh bien, il s'agirait de faire marcher votre tête, Lardenne !

— ... J'ai apporté le travail à Mme Golan, au secrétariat. Je lui ai expliqué ce que vous désiriez. Dans les mêmes termes...

— Bravo, brigadier ! Je vous confie une mission précise, de la
655   plus haute importance et vous vous empressez de la fourguer[1] à la première venue ! Allez me chercher cette Mme Golan.

Lardenne s'absenta un court moment. Il réapparut accompagné de l'énorme matrone qui présidait depuis de longues années à la remise des cartes d'identité et des passeports. Elle occupait une
660   part non négligeable de l'espace, mais elle essayait néanmoins de se faire le plus discrète possible. Elle franchissait, à l'évidence, le seuil sacro-saint du bureau du patron pour la seconde fois de sa carrière, après la prise de contact au moment de l'embauche. Son attitude montrait qu'elle appréciait à sa juste valeur la solennité[2]
665   de l'événement. Matabiau fit preuve de beaucoup de délicatesse : avec un minimum d'efforts il parvint à percer le mystère à jour. La pauvre femme était la bonté personnifiée. Sa réputation avait très vite franchi les limites du service des cartes d'identité. Il était rare qu'elle refuse de rendre un service à un collègue embar-
670   rassé ; il ne se passait pas de jour sans qu'on lui demande tel ou tel dépannage au nom du débordement présent, accompagné d'un « je vous rendrai la pareille à l'occasion » de pure forme. La brave Mme Golan pliait, scotchait, encartait, agrafait pour le commissariat entier.

675   Lorsque Lardenne parut, auréolé de sa mission et qu'il lui demanda, au nom du commissaire Matabiau, d'assurer l'envoi des quatre cents convocations pour le fichier anti-terroriste, elle accepta sans hésiter, remerciant le brigadier d'avoir pensé à elle pour un travail aussi délicat.

---

1. Fourguer : transmettre (familier).
2. Solennité : importance.

680 Elle fit de même, le lendemain, quand un autre chef de service la sollicita au sujet d'une mise sous pli suivie de l'expédition de trois cent soixante-dix-huit cartons ainsi libellés.

Les Œuvres Sociales de la Police Toulousaine ainsi que l'en-
semble des Forces de Police de l'agglomération vous remercient de
685 *vos dons généreux qui serviront, comme chaque année, à soulager*
la peine des veuves et des orphelins de nos collègues tombés dans
leur lutte pour la Sécurité Publique.

On ne sait comment la liste « anti-terroriste » vint prendre la place du bordereau énumérant les noms des bienfaiteurs. Mais
690 si le gratin[1] toulousain se plaignit amèrement d'être assimilé aux ombres cosmopolites[2] et menaçantes, aucun poseur de bombe, ou soupçonné tel, ne se manifesta pour s'étonner qu'on le remercie d'une aumône fantôme.

Lardenne quitta le bureau le premier, la secrétaire sur les talons.
695 Matabiau traversait la pièce à grandes enjambées en pestant contre ses subordonnés et l'administration en général.

– Vous vous rendez compte, Cadin, une heure de travail et j'ai déjà perdu tout le bénéfice de mes vacances. Ça m'a remis sur les nerfs, d'un coup. Un mois de tranquillité, de détente,
700 c'était trop beau pour que ça dure… J'aurais préféré que ce soit le fils Bourrassol qui porte le chapeau. Au moins il ne faisait pas partie de la maison. Ah, on a l'air malin. Je vais passer pour quoi ? Un laxiste[3] ? Ce Lardenne ne perd rien pour attendre. Il va la connaître, la guérite. Je vous le promets ! Bon, ce n'est pas
705 tout, ce meurtre, ça avance ?

– Pas aussi bien, ni aussi vite que je le souhaiterais. On a un peu de solide. Bernard Thiraud a été tué par un Parisien d'une

---

1. **Gratin** : personnalités les plus en vue de la société (familier).
2. **Cosmopolites** : du monde entier.
3. **Laxiste** : personne qui est trop indulgente.

soixantaine d'années. Nous possédons une déclaration d'un témoin qui a repéré le meurtrier alors qu'il quittait une Renault 30 TX
710 de couleur noire immatriculée à Paris et qu'il suivait la victime. Ça se passait devant la préfecture quelques minutes avant l'assassinat. Lardenne a vérifié tous les points sensibles entre Paris et Toulouse, les autoroutes, les nationales, mais personne ne se souvient du passage de la voiture suspecte, ou d'un type répon-
715 dant au signalement du meurtrier.

— Si c'est Lardenne qui a fait ce travail, il vaut mieux vérifier…

— Je ne voudrais pas prendre sa défense, mais pour ce boulot je lui fais confiance.
720 — D'accord, poursuivez.

— Pour la détermination du mobile, nous ne sommes pas très avancés. Le jeune gars se rendait au Maroc en compagnie de sa fiancée…

— Je ne saisis pas pourquoi un Parisien passerait par Toulouse
725 en se rendant au Maroc! Ce n'est pas l'itinéraire le plus direct pour Marrakech.

— Non, en effet; Bernard Thiraud et sa fiancée sont historiens. Ils ont fait un crochet par Toulouse dans le but de consulter des archives au Capitole et à la préfecture. Des liasses de papier sur
730 l'histoire régionale. J'ai travaillé là-dessus deux jours avec Lardenne, sans résultat. Par contre, je me suis rendu à Paris et j'ai découvert des choses plus intéressantes. Le père de la victime a été tué dans des circonstances assez troublantes en octobre 1961, lors d'une manifestation organisée par les Algériens. Je peux
735 même dire qu'il a été exécuté scientifiquement.

— Par qui?

— À première vue, c'est une liquidation d'ordre politique. La raison d'État. J'ai retrouvé l'agent qui était chargé de ce travail. Il habite sur la route de Montauban, dans un petit bled. Il est à
740 la retraite. À l'époque il faisait partie des Brigades spéciales; des sortes de commandos clandestins créés par le ministère pour

neutraliser les responsables de l'OAS et du FLN. Au besoin, pour les neutraliser définitivement. Le service était dirigé par André Veillut, un ponte de la préfecture de police. Bien entendu,
745 ils s'arrangeaient pour éviter les enquêtes et les autopsies. Les dossiers sont vides. Je ne sais pas si ça servirait à grand-chose de les remplir, tous ces événements sont couverts par un décret d'amnistie[1].

– Mais vous pensez que ces deux affaires sont liées, c'est bien
750 ça? Il n'est pas trop difficile d'échafauder une hypothèse selon laquelle le fils Thiraud serait parvenu à identifier le meurtrier de son père et qu'il soit venu dans notre région dans le but de le venger. Cela explique son itinéraire.

– Ça ne me déplairait pas trop, mais j'ai tout un tas de détails
755 qui n'entrent pas dans ce schéma. D'abord Pierre Cazes. À part l'âge, il ne correspond pas beaucoup au portrait dressé par le témoin. Je ne le vois pas compliquer inutilement son boulot en se procurant une voiture immatriculée à Paris pour venir commettre son crime, en plein jour, avec le maximum de risques !

760 – Si c'est un professionnel, et nous avons affaire à un professionnel de premier ordre, c'est exactement le type de raisonnement qu'il aimerait vous voir adopter. Le tueur domine parfaitement la situation, Cadin. Si vous n'avez pas retrouvé de traces de cette Renault 30 TX, c'est peut-être qu'elle n'a jamais fait le trajet
765 Paris-Toulouse !

– Il faut bien qu'elle existe, pourtant ! Aucun véhicule de ce modèle n'a été volé au cours de la semaine précédant la mort de Bernard Thiraud. J'ai vérifié personnellement le listing national.

– Pourquoi ne lui aurait-on pas prêté cette voiture ? Grattez
770 l'emploi du temps de ce Pierre Cazes et voyez si l'un de ses amis ne roule pas en Renault noire… Vous êtes retourné aux archives après avoir déniché cette histoire de manifestation algérienne ?

---

1. **Amnistie** : mesure qui annule les poursuites pénales.

– Non, pourquoi ? je devrais ?

– À votre place, je me paierais une nouvelle séance de dépous-
775 siérage. Maintenant vous savez ce que vous cherchez : un rapport
avec ce Pierre Cazes ou les Brigades spéciales. Ça vaut la peine de
fureter deux ou trois heures. Vous avez une toute petite chance
de déterrer une explication. Mais peut-être que vous reviendrez
bredouille si la victime compulsait réellement un dossier concernant
780 son travail d'historien… Dans ce cas, l'affaire Thiraud gardera son
mystère. Jusqu'au jour où on mettra la main sur un formulaire
d'assurance-vie ou une banale lettre de rupture. Les plus beaux
crimes sont souvent les plus ordinaires. Non ?

– Pas celui-ci. Il y a trop de coïncidences, de ramifications. À
785 vrai dire, je dois démasquer l'assassin de Bernard Thiraud mais
la seule chose qui me passionne réellement, c'est de comprendre
pourquoi un petit prof du lycée Lamartine en arrive à se faire
liquider par un agent de la police politique déguisé en CRS,
au cours d'une manifestation algérienne. Si j'étais assez gonflé,
790 j'irais demander la raison de tout ça à André Veillut, l'ancien
patron des Brigades spéciales ! Tout est amnistié, il ne risque
rien à parler…

– Je ne vais pas vous apprendre à mener une enquête, Cadin,
pourtant je ne renoncerai jamais à donner quelques conseils.
795 Écoutez, vous travaillez à votre guise ; vous pouvez remonter à
Alésia[1] ou à la Saint-Barthélémy[2] si vous le jugez indispensable
et que cela aboutisse à l'arrestation du coupable ! Le but c'est de
solutionner le problème : en clair je me fiche des chemins que
vous empruntez pour y arriver. Mais si vous sortez un tant soit peu
800 de la légalité, n'ouvrez pas le parapluie[3]. Proclamez bien fort que

---

1. Alésia : place forte gauloise où Jules César vainquit Vercingétorix en 52
avant J.-C.
2. Saint-Barthélémy : massacre des protestants perpétré à Paris dans la nuit du
23-24 août 1572.
3. N'ouvrez pas le parapluie : ne vous abritez pas derrière vos supérieurs
hiérarchiques.

c'est du Cadin et rien d'autre. Je ne veux pas que mon nom soit mêlé à je ne sais quel tripatouillage ! Tenez-vous le pour dit.

— J'ai toujours pris mes responsabilités, commissaire. Je suis convaincu que ces deux crimes sont liés…

— Pour l'instant, la liaison est uniquement d'ordre familial. Rien ne vous autorise à extrapoler[1]. Soyez très prudent. Vous venez d'évoquer l'existence de *deux* crimes, alors qu'il y a moins de cinq minutes vous admettiez que la mort de Roger Thiraud était couverte par l'amnistie. Regardez bien attentivement où vous mettez vos pieds, Cadin.

— J'essaie, commissaire.

— Il ne suffit pas d'essayer. Surtout, ne vous basez pas sur vos « convictions ». Laissez ça aux juges. J'ai besoin d'un coupable tout aussi présentable que le cadavre ramassé près de l'église Saint-Jérôme. À tous points de vue, il serait préférable que vous demeuriez à la tête du commissariat le temps de boucler cette enquête. Vous aurez les coudées plus franches. Il me reste deux ou trois jours de récupération. Je comptais les prendre pour les palombes[2], mais rien ne m'interdit de les utiliser cette semaine ! Qu'en pensez-vous ?

Je n'en demandais pas tant.

— Je suis d'accord. Le jeu en vaut la chandelle.

Toutefois j'avais le vague pressentiment que cette soudaine générosité masquait autre chose. Matabiau me libéra de ce doute.

— J'en profiterai pour bricoler à la maison. Il y a toujours quelque chose à faire dans un pavillon. Une dernière chose, Cadin : voyez avec Pradis pour cette histoire de fichiers intervertis. Je compte sur votre sens de la diplomatie pour régler ça au mieux.

---

1. **Extrapoler** : généraliser.
2. **Palombes** : pigeons ramiers.

Un quiz pour commencer

Cochez les bonnes réponses.

❶ Qu'apprend l'inspecteur Cadin en interrogeant le photographe Rosner ?

- ❒ Le nom de l'assassin.
- ❒ La vérité sur le bilan des victimes des événements du 17 octobre 1961.
- ❒ Le mobile du meurtre de Roger Thiraud.

❷ Que découvre Cadin en visionnant le film de la RTBF ?

- ❒ Le visage du meurtrier de Bernard Thiraud.
- ❒ Une séquence où Muriel Thiraud apparaît à la fenêtre de son appartement.
- ❒ Le visage de l'assassin de Roger Thiraud, un faux CRS.

❸ Que comprend Cadin lors de sa visite à Muriel Thiraud ?

- ❒ Muriel Thiraud a assisté au meurtre de son mari.
- ❒ Muriel Thiraud a perdu la mémoire.
- ❒ Muriel Thiraud connaît l'assassin de son mari.

❹ *Quel document Claudine Chenet remet-elle à Cadin ?*
- ❏ Sa thèse sur les fortifications de Paris.
- ❏ La photographie de l'assassin de Roger Thiraud.
- ❏ La monographie sur Drancy rédigée par Roger Thiraud.

❺ *Au terme de son enquête à Paris, où se rend l'inspecteur Cadin ?*
- ❏ À Bruxelles.
- ❏ À Nice.
- ❏ À Toulouse.

❻ *Quel fait divers nécessite l'intervention de Cadin ?*
- ❏ Le hold-up d'une bijouterie.
- ❏ L'enlèvement d'un enfant.
- ❏ Le cambriolage d'une maison.

❼ *Quelle information Dalbois transmet-il à Cadin dans sa lettre ?*
- ❏ Le bilan réel des victimes de la manifestation du 17 octobre 1961.
- ❏ Le nom du CRS qui a tué Roger Thiraud.
- ❏ Le motif de l'assassinat de Roger Thiraud.

❽ *Pour quelle raison Pierre Cazes a-t-il assassiné Roger Thiraud ?*
- ❏ Pour assouvir une vengeance personnelle.
- ❏ Parce que Roger Thiraud était un dangereux terroriste.
- ❏ Pour obéir aux ordres de la police politique de l'époque.

❾ *Pourquoi Pierre Cazes ne peut-il pas être condamné pour ce meurtre ?*
- ❏ Parce qu'il est atteint d'une maladie mortelle.
- ❏ À cause d'un décret d'amnistie concernant la guerre d'Algérie.
- ❏ Parce que les faits sont trop anciens.

❿ *Pourquoi Cadin veut-il continuer à enquêter sur ce meurtre ?*
- ❏ Pour obéir à ses supérieurs.
- ❏ Pour découvrir le mobile du meurtre des Thiraud père et fils.
- ❏ Pour séduire Claudine Chenet.

Des questions pour aller plus loin

☞ Comprendre la fonction du témoignage dans le roman policier

Les oubliettes de l'histoire

❶ Comparez le témoignage de Rosner sur le 17 octobre 1961 (pp. 103-108) avec le récit des événements tel qu'il est fait dans le chapitre 2. Quelles sont les nouvelles informations qui apparaissent dans le récit du photographe ?

❷ Pourquoi le visionnage de la vidéo de la RTBF (pp. 114-116) est-il décisif pour l'enquête de Cadin ?

❸ Quelle information essentielle ressort du témoignage de Muriel Thiraud (pp. 123-127) ?

❹ Dans le témoignage de Pierre Cazes (pp. 155-160), quel mobile semble expliquer l'assassinat de Roger Thiraud ?

❺ Relevez les expressions qui appartiennent au champ lexical de la mémoire dans les témoignages des personnages (Rosner, pp. 103-108 ; Muriel Thiraud, pp. 123-127 ; Cazes, pp. 155-160).

❻ Relisez les pages 114 à 116 évoquant le visionnage par Cadin de la vidéo de la RTBF. Relevez les termes qui appartiennent au vocabulaire du cinéma. Qu'est-ce qui distingue ce témoignage des trois autres témoignages que recueille Cadin dans les chapitres 5, 6 et 7 ?

Muriel Thiraud, un personnage marqué par le passé (pp. 122-127, l. 83-262)

❼ Où l'inspecteur Cadin rencontre-t-il Muriel Thiraud ?

❽ Relevez les termes qui décrivent l'angoisse et le mal-être de Muriel Thiraud dans ce passage. Pour quelle raison est-elle terrifiée ?

❾ Quels sont les éléments descriptifs (pp. 124-125) qui semblent métaphoriquement annoncer une révélation finale ?

❿ Quels changements s'opèrent en Muriel Thiraud entre le début et la fin de cette scène ? Relevez les termes qui justifient votre réponse.

⓫ « Ses paupières *se soulevèrent* » (p. 125, l. 187-188). Pourquoi l'auteur a-t-il choisi cette formulation plutôt que « Elle souleva les paupières » ?

⓬ Cadin déclare à Muriel Thiraud : « Vous étiez là, n'est-ce pas ? Vous étiez là, à l'attendre quand il a été tué ? » (p. 125, l. 191-192). Dans cette scène, faites la liste des indices qui justifient l'intuition de l'inspecteur.

⓭ Pour découvrir la vérité, Cadin mène-t-il son interrogatoire comme ses confrères ? Pourquoi sort-il ici de son rôle ?

Les progrès de l'enquête

⓮ Quelles sont les enquêtes secondaires que l'inspecteur Cadin doit traiter parallèlement à l'enquête principale sur le meurtre de Bernard Thiraud ? Ces épisodes vous font-ils sourire ?

⓯ Relevez dans les chapitres 5, 6 et 7 les informations que découvre Cadin et qui font avancer son enquête (sur le meurtrier de Roger Thiraud et sur le mobile du crime).

⓰ Quel indice essentiel à l'enquête apparaît dans la lettre de Dalbois (pp. 152-153) ? Pour quelle raison ce dernier conseille-t-il une grande prudence à Cadin ?

⓱ Dans le témoignage de Pierre Cazes (pp. 155-160), quel indice peut mettre Cadin sur la piste du commanditaire du meurtre de Roger Thiraud ?

⓲ À la fin du chapitre 7, quels conseils le commissaire Matabiau donne-t-il à l'inspecteur Cadin ?

> *Rappelez-vous !*
> Le témoignage à la première personne du singulier est un genre littéraire qui met en jeu deux temps : celui du souvenir au passé (imparfait, passé simple), et celui de l'écriture ou de la parole au présent (présent, passé composé) exprimant souvent les difficultés du travail de la mémoire.

De la lecture à l'écriture

Des mots pour mieux écrire

❶ *Proposez un synonyme et un antonyme du mot* mémoire. *Donnez deux mots de la même famille. Que signifie ce mot lorsqu'il est au masculin ? Employez-le dans deux phrases différentes, d'abord au masculin puis au féminin.*

❷ *Complétez chacune de ces phrases avec les mots qui conviennent et accordez-les si nécessaire :* cinéaste, zoom, panoramique, scène, écran.

a. Le caméraman se déplaça en un mouvement _____ pour faire le tour de la pièce.
b. Un _____ de la caméra permit de faire apparaître sur l'_____ un gros plan du personnage.
c. Ce _____ tourne des films très régulièrement.
d. La plupart des _____ de ce film sont très émouvantes.

À vous d'écrire

❶ Vingt-deux ans après la mort de son mari, Mme Thiraud décide de rédiger un récit autobiographique où elle décrit les mois qui ont suivi ce tragique événement. Elle évoque son traumatisme à la mort de Roger Thiraud et sa résignation lorsqu'elle comprend qu'aucune enquête ne sera menée.
Consigne. Vous rédigerez ce récit à la première personne du singulier. Vous ferez alterner les temps du souvenir avec ceux de l'écriture, et emploierez le vocabulaire de la mémoire (vous pourrez vous aider du Lexique de la mémoire, p. 229).

❷ Claudine Chenet estime que le meurtre de Roger Thiraud ne devrait pas bénéficier du décret d'amnistie et que le meurtrier Pierre Cazes devrait être jugé et condamné pour ce crime. Dans un dialogue opposant Claudine Chenet à l'inspecteur Cadin, vous développerez le point de vue de chacun.

Consigne. Vous ferez clairement apparaître la stratégie argumentative des personnages : thèses, concessions, connecteurs logiques qui marquent la progression de l'argumentation.

Je m'acquittai de cette clause secrète[1] toutes affaires cessantes, en téléphonant au maire adjoint à l'Information. Pradis me laissa parler moins d'une dizaine de secondes avant de m'interrompre brutalement.

5 — Inspecteur, je me fiche de vos quatre cents cartes de remerciements ! C'est du détail… On croyait les tenir depuis la découverte des plaques à l'imprimerie municipale. Eh bien non. Le conducteur offset a dû nous refiler une liste de noms choisis au hasard. Et leur travail de sape repart de plus belle. On nous signale de partout la
10 distribution d'une lettre de l'Insee qui annonce l'annulation du recensement général de la population de Toulouse par décision du ministre de l'Intérieur. Je vous lis la lettre…

J'entendis le bruit caractéristique d'un papier qu'on déplie.

— … « *De nombreux dossiers confidentiels ayant été subtilisés par un*
15 *groupe intitulé Insee (Intervention nationale sur l'équipement électronique)*
et, circonstance aggravante, le recrutement trop permissif[2] par la mairie
du personnel recenseur ayant permis l'infiltration d'individus qui, se
servant d'un malaise légitime[3] vis-à-vis de l'informatique, cherchent à
nuire à la mise en fiche systématique des individus et à la planification

---

1. Clause secrète : disposition inscrite dans un contrat. Ici, l'intervention de Cadin pour expliquer à Pradis les circonstances de l'interversion du courrier antiterroriste et de la lettre de remerciement.
2. Permissif : large, laxiste.
3. Légitime : compréhensible, conforme à la raison.

20 *des rapports sociaux, le recensement est annulé dans l'agglomération toulousaine.* » Ils recommandent ensuite aux gens de se rendre à la mairie pour retirer leurs dossiers ! Ce n'est pas quatre cents personnes que nous avons sur les bras, mais au moins dix mille selon nos premiers sondages !

25 Je raccrochai en vitesse et laissai Pradis à sa parano. J'appelai Bourrassol. Il avait patiemment exploré l'hypothèse selon laquelle l'assassinat de Bernard Thiraud se résumait à une simple méprise[1] et que la victime ne constituait pas la cible réelle. À la suite d'un travail minutieux, Bourrassol était parvenu à dresser la liste de

30 la grande majorité des individus présents dans les locaux de la préfecture le jour du meurtre, entre seize et dix-huit heures.

– Vous savez, inspecteur, au lieu de placer nos gars en planque dans les quartiers chauds, il vaudrait mieux les faire embaucher comme hôtesses d'accueil dans le hall de la préfecture. J'ai dressé

35 une liste incroyable. Une dizaine de gros poissons qui ne se prennent jamais dans nos filets, mais qui se baladent sans être inquiétés à deux pas du cabinet du préfet ! Joé Cortanze, par exemple, si je ne me trompe pas, il est bien sous le coup d'un mandat d'arrêt pour un hold-up à main armée ?

40 – Oui, c'est exact.

– Ça ne l'empêche pas d'être reçu de manière très officielle par le secrétaire général adjoint et le chef de cabinet !

– Allons, brigadier, vous faites ce boulot depuis assez longtemps pour savoir que nos succès reposent à quatre-vingt-quinze pour

45 cent sur les confidences des indicateurs. Vous venez de découvrir l'œuf de Colomb[2]. Vous avez bien quelques relais autour des lycées pour suivre le passage du shit… Non ?

– Oui, mais pas de ce calibre.

– À part ça ?

---

1. **Méprise** : erreur.
2. **L'œuf de Colomb** : expression utilisée pour qualifier une idée simple mais ingénieuse.

50   – J'ai retrouvé une vieille connaissance, l'ex-brigadier Potrez.
Il ressemble vaguement à Bernard Thiraud. Même corpulence,
même allure. Il est plus vieux de cinq ans, mais pour quelqu'un
qui travaillerait sur photo, la confusion est possible…
     – Je ne me rappelle pas ce nom… Potrez…
55   – C'était un as du pistolet, la vedette de la 2e Brigade territo-
riale, jusqu'au jour où il a ouvert le feu sans sommation sur un
motocycliste. Il se trouvait en planque pour monter un flagrant
délit contre une bande de voleurs de voitures, le gang des BMW.
Un môme en moto qui passait dans le quartier a pris peur en
60 voyant un mec en civil qui se baladait avec un Magnum dans
les pognes[1]. Il a filé. Un véritable carton. Le médecin légiste[2] a
sorti cinq balles. Elles étaient logées dans une surface pas plus
grande que ma main… Potrez a été viré de la police ; il bosse
maintenant dans une boîte de convoyeurs de fonds. Dans la
65 presse, je me souviens que les amis du jeune motard se disaient
prêts à le venger… C'est souvent sous le coup de la colère, après
ça se tasse…
     – Oui, ou ça se réalise. Ça a demandé plusieurs années, mais
Tramoni s'est fait descendre pour le meurtre de Pierre Overney.
70 Même s'il y a une chance sur mille que ça nous mène à l'assassin,
il faut aller jusqu'au bout. On verra bien si ça mord !
     Je décidai de rentrer tôt ce soir-là ; je me mis au lit dès la fin
des informations de vingt heures. J'avais le choix entre une redif-
fusion de «Jeux sans frontières» opposant Bécon-les-Bruyères à
75 Knokke-le-Zoute, un magazine consacré à la renaissance de l'art
lyrique dans les Vosges et un débat sur l'étalement des vacances.
Je n'avais aucun recours, mon magnétoscope étant resté bloqué
à Poitiers. Je me rabattis sur Gutenberg[3] et je fouillai les étagères

---

1. Pognes : mains (familier).
2. Médecin légiste : médecin chargé des expertises en matière légale.
3. Gutenberg (av. 1400-1468) : imprimeur allemand, inventeur de la presse à
imprimer (1434) et d'une encre qui permettait l'impression des deux faces du papier
(1441).

de la bibliothèque en quête d'un livre oublié. Je tombai sur la
80 monographie inachevée de Roger Thiraud que Claudine m'avait
confiée. Je la soupesai, examinai la couverture et me décidai à
l'ouvrir. Ce n'était pas un livre à proprement parler, tout juste
une maquette. Il semblait destiné à être reproduit tel que. La
page de garde s'ornait du blason[1] de la ville de Drancy, surmonté
85 d'une dédicace calligraphiée «À Max Jacob[2]».

Le titre était composé en Letraset[3] :

DRANCY, des origines à nos jours
par Roger THIRAUD
professeur au lycée Lamartine

90 Je feuilletai rapidement le volume. De nombreuses pages
comportaient des blancs encadrés au crayon et annotés. Roger
Thiraud avait prévu l'emplacement exact des illustrations, photos,
graphiques, plans. Il indiquait pour chacune d'elles la source,
la référence bibliographique. Le premier chapitre de l'étude
95 évoquait en quelques paragraphes l'histoire de la terre à l'époque
secondaire[4].

Le commissaire n'avait pas poussé aussi loin. Il s'était arrêté
à Alésia ! Je lus en diagonale, retenant le sens général du texte.
«La mer recouvrait la région parisienne. Des sédiments argileux
100 et calcaires se déposèrent dans le site où, des milliers d'années
plus tard, allait naître Drancy.»

Je sautai plusieurs millénaires en passant au chapitre trois. J'appris
que le nom de cette ville venait d'un «colon romain, TERANTIACUM,
transformé en DERANTIACUM, DERENTI puis DRANCY».

---

1. Blason : écu représentant les symboles de la ville.
2. Max Jacob (1876-1944) : écrivain et peintre français qui est mort dans le camp de
Drancy.
3. Letraset : nom d'un caractère typographique (manière dont un texte est imprimé).
4. Époque secondaire : ère géologique s'étendant de 251 à 65,5 millions d'années
avant J.-C. au cours de laquelle apparurent les mammifères et les dinosaures.

105 Je m'amusai à décliner mon patronyme[1], en sens inverse. Je parvins à un CARADINATIACUM satisfaisant.

En l'an 800, la bourgade ne possédait pas l'école et sa population se limitait à deux cents personnes.

Je fis un bond de huit siècles consacrés aux semailles et aux
110 récoltes, pour faire connaissance avec la première célébrité locale : « CRETTE DE PALUEL, un pionnier du machinisme agricole », tel était le titre alléchant de ce chapitre. Roger Thiraud envisageait de réserver une page entière à la reproduction du buste de cet éminent savant. Il notait : « *Photo à réaliser au Cabinet des estampes, BN* ».
115 Je me plongeai dans la courte biographie de Crette de Paluel : « Né à Drancy en 1741, il inventa le cylindre à dents, le hache-racines, le hachoir à paille et la charrue-buttoir pour les pommes de terre. Grand ami de Parmentier[2], il participa à égalité avec lui à la promotion de ce tubercule. »
120 Roger Thiraud, dans des paragraphes d'un lyrisme vieillot mais efficace, tentait de mettre fin à cette injustice et s'attachait à asseoir la renommée de son grand homme.

La Révolution n'avait pas laissé de traces profondes dans les sillons drancéens, mais la chute et l'explosion, le 16 octobre
125 1870, d'un ballon dirigeable gonflé au gazomètre de la Villette occupaient une large place.

La période contemporaine constituait la seconde partie de l'ouvrage : elle s'ouvrait sur une citation des *Misérables*[3] :

« Paris Centre, la banlieue circonférence, voilà pour ces enfants
130 toute la terre. Jamais ils ne se hasardent au-delà. Pour eux, à deux lieues des barrières il n'y a plus rien. Ivry, Gentilly, Aubervilliers, Drancy, c'est là que finit le monde. »

Je fermai les yeux un court instant ; ces mots évoquaient en

---

1. Patronyme : nom de famille.
2. Antoine Parmentier (1737-1813) : agronome français qui répandit la culture de la pomme de terre en France.
3. *Les Misérables* : roman de Victor Hugo (1802-1885) paru en 1862.

moi les quelques heures passées avec Claudine sur les vestiges
135 des fortifications.

Roger Thiraud passait très rapidement sur les événements
politiques nationaux, dès lors qu'ils n'avaient pas d'incidence[1]
sur sa ville natale. Il insistait davantage sur les variations de
couleurs des élus municipaux et la construction des premiers
140 équipements modernes. Dans les derniers chapitres, il mettait
en lumière la vocation de précurseurs[2] des maires d'avant-guerre
et leur projet urbanistique[3] intéressant la ville. Il s'agissait de
l'édification d'une vaste cité jardin comprenant plusieurs milliers
de logements individuels et collectifs. Une sorte de métropole
145 idéale, un phalanstère[4] du XXe siècle dans lequel chaque habitant
aurait à sa disposition l'ensemble des services et des équipements
collectifs, écoles, stade, hôpital, crèches, commerces…

Les travaux de la cité pavillonnaire débutèrent en 1932 ; la
ville doubla de population pour atteindre près de quarante mille
150 habitants.

En 1934, on lança un programme encore plus audacieux :
Drancy abriterait les premiers gratte-ciel français ! Cinq tours
de quatorze étages chacune, une série de bâtiments en barre et
une imposante cité en forme de fer à cheval de quatre étages,
155 regroupant plusieurs centaines de logements répartis en une
trentaine d'escaliers. On baptisa le tout La Muette, du nom d'un
lieu-dit situé à proximité.

Hélas, les espoirs de vie communautaire[5] qui agitaient les esprits
des architectes d'avant-garde eurent un bien étrange destin.

160 Les techniques employées alors dans le bâtiment montrèrent
leurs limites et de nombreuses malfaçons[6] apparurent, avant même

---

1. **Incidence** : impact, conséquence.
2. **Précurseurs** : personnes ayant des idées nouvelles.
3. **Urbanistique** : qui a trait à l'aménagement d'une ville.
4. **Phalanstère** : domaine utopique, idéal, où vit et travaille une communauté.
5. **Communautaire** : qui caractérise un groupe ayant des intérêts communs.
6. **Malfaçons** : défauts de construction.

la mise en location des appartements. Si les pavillons trouvaient preneurs, les premiers *sky-scrapers*[1] français ne rencontraient pas le succès auprès du public qu'en attendaient leurs promoteurs.

165 Des étages demeuraient vides malgré la modicité des loyers[2].

Il fallut se rendre à l'évidence, les lapins n'étaient pas mûrs pour leurs cages ! On brada la cité entière au ministère de la Défense qui y cantonna un régiment de gardes mobiles.

Je me levai un moment pour boire une bière et me détendre.

170 Je me replongeai ensuite dans les aventures de la cité jardin de Drancy. Roger Thiraud se passionnait pour son sujet ; les détails abondaient.

Pour l'année 1940, il précisait le nombre exact de soldats allemands faits prisonniers sur le front et internés dans la cité de La

175 Muette. Au passage, je relevai ce détail qui sonnait comme une révélation : l'armée française avait réussi à faire des prisonniers durant la drôle de guerre[3].

Mais bientôt les Allemands s'installèrent à Drancy. Ce fut en changeant de rôle : de gardés ils passèrent gardiens. Dès l'été qua-

180 rante, ils internèrent les lambeaux des armées française et anglaise ainsi que des civils yougoslaves et grecs arrêtés à Paris. Le 20 août 1941, la cité de La Muette fut officiellement transformée en camp de concentration destiné au regroupement des Juifs français avant leur transfert en Allemagne et en Pologne occupée.

185 Roger Thiraud citait le chiffre de soixante-seize mille personnes, femmes, enfants, vieillards rassemblés, en trois ans, à quelques kilomètres de la place de la Concorde, et déportées vers Auschwitz. Il estimait le nombre des rescapés à moins de deux mille.

---

1. Sky-scrapers : gratte-ciel.
2. Modicité des loyers : loyers peu élevés.
3. Drôle de guerre : première période de la Seconde Guerre mondiale s'étendant de septembre 1939 (début de la guerre) à mai 1940 (invasion de la France, de la Belgique, du Luxembourg et des Pays-Bas par l'Allemagne nazie), et caractérisée par une absence totale d'activité sur le front, les soldats alliés restant retranchés derrière la ligne Maginot.

Chaque semaine, trois mille personnes passaient par Drancy, gardées par quatre soldats allemands, secondés dans leur tâche par plusieurs dizaines de supplétifs[1] français – Roger Thiraud soulignait le chiffre quatre.

Il reconstituait la vie du camp à l'aide de coupures de presse, d'entretiens avec des rescapés. Je me forçai à en lire certains passages.

« *Lorsque nous parlions de Drancy devant les enfants, nous avions inventé un nom, pour ne pas les effrayer. Un nom presque joyeux, Pitchipoï*[2]. *Drancy, c'était Pitchipoï.* »

La page suivante était barrée d'un trait de crayon et agrémentée d'une légende explicative : « *Reproduire le fac-similé*[3] *de la lettre du commandant de Drancy annonçant à Eichmann*[4] *le départ du premier convoi comportant des enfants de moins de deux ans (convoi D 901/14 du 14 août 1942).* »

Certains de ces documents se trouvaient réunis en annexe, dans une enveloppe de papier kraft. Je sortis une note du Bureau d'alimentation datée du 15 avril 1943.

« *En réponse à votre note du 9 courant, nous avons l'honneur de vous communiquer les renseignements suivants :*

1) Enfants de moins de 9 mois :   *347*
2) Enfants de 9 mois à 3 ans :   *882*
3) Enfants de 3 ans à 6 ans :   *1 245*
4) Enfants de 6 ans à 13 ans :   *4 134*
5) Quantité de lait perçue actuellement (par mois) : 3 223,50 litres.

---

1. Supplétifs : soldats constituant une force d'appoint pour aider ou pour seconder d'autres soldats.
2. Pitchipoï : terme yiddish désignant un tout petit village.
3. Fac-similé : reproduction exacte d'un document.
4. Adolf Eichmann (1906-1962) : officier allemand membre du parti nazi qui joua un rôle de premier plan dans la déportation et l'extermination des Juifs. Son arrestation en 1960 et le procès qui s'ensuivit révélèrent l'ampleur des atrocités nazies.

215 *« En raison des « sautes d'effectifs » très fréquentes, les renseignements ci-dessus ne donnent qu'une idée approximative et le nombre d'enfants peut varier de + ou − 50 unités d'un jour sur l'autre. »*

Une autre liasse de papiers portait la dénomination «Éléments chiffrés. À classer», de la main de Roger Thiraud. De longues colonnes de chiffres s'étageaient sous des titres de rubriques
220 dont la sécheresse de rédaction décuplait le tragique : «Date de départ», «Convoi», «Numéro d'ordre», «Camp de destination», «Gazés à l'arrivée», «Sélectionnés H», «Sélectionnés F», «Survivants en 45».

Le total des déportés recensés atteignait 73 853, celui des sur-
225 vivants 2 190.

Le dernier tableau établissait, région par région, l'origine géographique des personnes internées à Drancy; il comportait une sorte de classement par tranches d'âge.

La région parisienne venait en tête suivie de la région Midi-
230 Pyrénées, loin devant le Nord ou le Centre dont les ressortissants juifs semblaient avoir échappé à l'étau[1] gestapiste. La région parisienne tenait toutes les premières places de ce sinistre hit-parade, à l'exception de la première tranche d'âge concernant les enfants de moins de trois ans. Tandis que l'immense majorité
235 des circonscriptions avouaient des pourcentages situés entre cinq et huit pour cent, Paris atteignait onze pour cent et Midi-Pyrénées franchissait la barre des douze pour cent.

Je refermai le livre inachevé de Roger Thiraud en proie à une profonde angoisse. J'hésitai longtemps avant d'oser éteindre la
240 lumière. Le sommeil tardait à venir. Je me relevai pour suivre le dernier journal télévisé. Je m'endormis au matin, alors que la rue s'emplissait déjà des premiers bruits du travail.

Le commissaire Matabiau entra en scène le premier, étrangement vêtu d'une ample cape noire, la tête recouverte d'une

---

1. **Étau** : enfermement, encerclement.

245 cagoule. Je savais qu'il s'agissait de lui, sans même voir son visage. Il marchait lentement et traversait un couloir dont la naissance se fondait à l'infini. Son masque accrochait les reflets bleutés des néons enfouis dans le sol. Matabiau avançait, la tête posée sur son épaule gauche ; il distribuait à une multitude d'êtres chétifs[1]
250 de petits carrés de carton verts ornés de la photo de Pradis. Je me trouvais sur son passage, nu. Il me fit remarquer le caractère indécent de ma tenue en me remettant un papier. Sous la photo de l'adjoint à l'information, je reconnus le tampon officiel du commissariat ; mais les lignes de texte se brouillèrent dès que
255 j'essayai de les déchiffrer.

Je me tournai ensuite vers les autres participants à cette inquiétante cérémonie et j'identifiai sans peine une bonne moitié de ceux qui m'entouraient.

Les familles en deuil se mêlaient aux ex-grévistes du service
260 des cimetières tandis qu'une unité de gardes mobiles tentait d'extraire une imposante pépite des entrailles jaunâtres d'un hippopotame rigolard. Soudain un bruit assourdissant, fait de crissements suraigus et d'explosions, figea l'assistance. Matabiau se volatilisa dans le scintillement du carrelage.

265 Le couloir s'était élargi ; les parois, comme ramollies, bougeaient au rythme d'un cœur absent. L'horizon s'obscurcit alors et une Renault noire, démesurée, surgit, fonçant droit sur nous, ses roues posées sur des rails luisants qui semblaient naître de son mouvement.

270 Un visage hideux, déformé par les imperfections du pare-brise, grimaçait derrière le volant. Je distinguai d'un coup les traits de Pierre Cazes. Je restai paralysé et fermai les yeux pour ne pas voir ma mort. En pure perte. Mon regard perçait le voile de mes paupières. Le CRS était maintenant pris d'une sorte de folie ;
275 il sautait sur son siège en hurlant. Sa bouche, ses orbites, son nez se remplissaient de milliers de fourmis noires, aux pattes

---

1. **Chétifs** : maigres et faibles.

phosphorescentes, qu'il arrachait par milliers et qu'il rejetait contre les vitres du véhicule. La voiture traînait dans sa course folle une file de wagons interminable. De vieux wagons de mar-
280 chandises en bois, marron, dont les montants pliaient sous la violence des à-coups de la traction. La fin du convoi était composée de containers[1] sans toits qui bondissaient en l'air et retombaient lourdement sur les rails, provoquant des gerbes à l'odeur de poudre. À chacun de ses sauts, des milliers de crânes d'une
285 blancheur calcaire jaillissaient des containers et éclataient sur le ballast[2] du couloir.

Claudine Chenet apparut à la lisière d'un bois situé sur ma gauche. Elle était accompagnée de l'archiviste au pied bot de la préfecture de Toulouse. Ils réussirent à stopper la marche effré-
290 née du gigantesque convoi et ils ouvrirent les portes plombées, une à une. Des centaines d'Algériens ensanglantés sortirent des wagons. Ils formèrent d'immenses files pitoyables qui barrèrent l'horizon. Un employé de la RATP décrocha la voiture et libéra une vieille femme du coffre qui la retenait prisonnière. Je crus
295 distinguer le premier sourire de Mme Thiraud quand le train s'ébranla. Toutes les roues se mirent à crisser pour former une plainte insupportable. Deux mains monstrueuses se posèrent de chaque côté du capot de la Renault; les pouces obstruèrent les phares du véhicule. Je me sentis aspiré très loin, vers le fond de
300 mon lit. Toute la scène se fondit à une vitesse vertigineuse, en un minuscule point rouge qui rejoignit l'infini. J'eus le temps de voir une silhouette dont les contours rappelaient ceux du brigadier Lardenne qui se penchait sur le petit écran d'un jeu vidéo de poche, imitant la forme d'une automobile. Une musique
305 lancinante recouvrit le fracas du train, en adoptant le caractère saccadé. Des milliers de voix enfantines rythmaient la disparition du convoi: «Pitchipoï, Pitchipoï, Pitchipoï...»

---

1. Containers : caissons, wagons.
2. Ballast : lit de pierres sur lequel reposent les rails.

Je me réveillai en sursaut, couvert de sueur froide. Je restai de très longues minutes hagard[1], essayant de tricher avec la peur et d'oublier ces paysages de mort. Je tentai d'imposer d'autres images à mon esprit, cette promenade sur les fortifications, le repas chez Dalbois. En vain. Le visage de Claudine s'évanouissait, imperceptiblement[2] remplacé par celui de Bernard Thiraud. Dalbois prenait les traits de Pierre Cazes. Je parvins à contourner ma terreur en reprenant entre les mains le livre de Roger Thiraud.

Il achevait le récit de la cité de La Muette en moins d'une page. Le camp libéré en août 1944 abrita, à partir du mois de septembre, plusieurs milliers de Français accusés de collaboration avec l'ennemi. Roger citait le nom des personnalités les plus marquantes, de Tino Rossi[3] à Sacha Guitry[4], qui firent un bref séjour à Drancy dans ces circonstances. En 1948, on procéda à la réhabilitation des bâtiments qui furent rendus à leur destination première. En annexe l'auteur signalait le titre d'un film, *L'Enfer des anges*, tourné dans la cité, en 1936, avec Mouloudji pour vedette.

La contribution du fils, Bernard Thiraud, se limitait à un vague plan d'achèvement de l'ouvrage couvrant la période 1948-1982.

Le soleil inondait la pièce. Je m'approchai de la fenêtre ; de lourds nuages noirs naissaient à l'horizon, annonçant l'orage. Je me rallongeai sur la couverture les mains sous la nuque et demeurai là, l'esprit vide, jusqu'à huit heures. J'avalai un café en poudre, puis me décidai à aller au commissariat.

Quand j'arrivai, je surpris le brigadier Lardenne grimpé sur un meuble métallique qui oscillait sous ses semelles. Il décrochait l'imposante carte routière de la France, édition de 1971, qui recouvrait la presque totalité du mur d'entrée.

– Que faites-vous, Lardenne, vous allez vous casser la gueule !

---

1. **Hagard** : troublé, bouleversé.
2. **Imperceptiblement** : sans que l'on s'en rende compte.
3. **Tino Rossi** (1907-1983) : chanteur français.
4. **Sacha Guitry** (1885-1957) : acteur et auteur dramatique français.

Il se tourna vers moi et bafouilla une réponse. Impossible de saisir le moindre mot.

– Parlez distinctement, je ne comprends rien…

340 Il porta une main à sa bouche et cracha une demi-douzaine d'épingles.

– La Direction départementale de l'équipement nous a refilé une carte mise à jour de cette année. Il y a toutes les nouvelles routes et même le tracé des autoroutes programmées jusqu'en 345 1985. Je vire cette antiquité.

Je m'arrêtai un court moment pour admirer les talents de bricoleur du brigadier. Il déplia le nouveau plan, le disposa sur le mur en plantant une pointe tous les vingt centimètres. Sa tâche accomplie, il descendit du classeur et vint se placer à côté de moi 350 pour juger son œuvre avec le recul nécessaire.

– Il n'y a pas de comparaison, inspecteur ; ça redonne un peu de couleur à ce bureau. Vous ne trouvez pas ?

Je ne parvenais pas à détacher mon regard du tracé des autoroutes qui sillonnaient la France. Le graphiste n'avait pas lésiné[1] 355 sur la palette ; les artères les plus importantes étaient soulignées d'un trait jaune bordé de deux lignes parallèles orange vif.

– Regardez bien cette carte, Lardenne. Vous ne remarquez rien à propos des autoroutes ?

Il me dévisagea, visiblement interloqué.

360 – Non, il y en a un bon paquet… Vous croyez qu'ils ont fait une erreur ?

– Observez attentivement. C'est pourtant évident ! Vous reprenez toute l'enquête au début ! Dès maintenant.

– Quelle enquête, inspecteur ?

365 – Il n'y en a pas mille, Lardenne. Je parle de celle concernant le meurtre de Bernard Thiraud. Vous retournez interroger tous les postes de police situés sur l'autoroute, entre Paris et Toulouse,

---

1. **N'avait pas lésiné** : ne s'était pas montré avare.

les stations-service, les Restoroute. Dans les deux sens. Vous avez du boulot.

370 — Mais, inspecteur, ils me répondront la même chose qu'il y a quinze jours. Sans compter ceux qui auront des trous de mémoire… ou qui m'enverront balader !

Je me mis sous la carte. Avec une règle, je suivis un tracé orange.

375 — Qui vous parle d'interroger les mêmes personnes ? Nous nous sommes trompés de direction la dernière fois. Il n'est peut-être pas venu par l'autoroute A 10 mais par la A 6…

— C'est complètement idiot, il faut faire trois cents bornes supplémentaires !

380 — C'est jouable, Lardenne. Je veux un rapport ce soir au téléphone pour la montée sur Paris. Vous n'oubliez rien : le ratissage intégral ! N'hésitez pas à m'appeler à n'importe quel moment, ici comme à la maison. Faites signer votre ordre de mission par Bourrassol et bonne chance.

385 Lardenne me salua. Je me propulsai vers la préfecture de Toulouse. Je donnai le nom de Lécussan à l'hôtesse qui interdisait l'accès aux étages ; elle me laissa passer. Le chef archiviste me fit un signe d'amitié dès qu'il m'aperçut. Il se décida à venir à ma rencontre en claudiquant[1] laborieusement. À chaque pas, il

390 faisait l'effort de soulever son pied bot alors qu'un simple glissement de sa prothèse sur le parquet lui aurait évité un surcroît de fatigue et aurait mis un terme à cette impression pénible que provoque le déhanchement des infirmes chez ceux qui les observent.

395 — Monsieur l'inspecteur. Je suis heureux de vous revoir. Nos vieilleries ont bien du charme. N'est-ce pas ?

Je lui laissai le temps de parvenir à ma hauteur avant de répondre.

---

1. **Claudiquant** : boitant.

– Oui, je n'aurais jamais cru! J'aimerais jeter un nouveau coup
d'œil sur les documents de l'autre jour, ceux que ce malheureux
garçon a compulsés[1].

– Vous avancez? Si ce n'est pas indiscret…

– Oh, une simple vérification. D'autre part, je pense que vous
tenez à jour un fichier des personnes demandant à consulter
vos ouvrages?

– Bien entendu. C'est la règle dans l'ensemble des biblio-
thèques administratives françaises. Pourquoi cette question,
inspecteur?

J'inventai rapidement une explication plausible[2].

– C'est une idée du commissaire Matabiau. Nous sommes sur
la piste d'un retraité de la police qui a connu la famille de Bernard Thiraud. Je voudrais voir si son nom ne traîne pas dans un
fichier, à tout hasard.

Lécussan se montra très aimable.

– Je peux me charger de cette recherche; pour moi, c'est de la
routine. Vous pourrez ainsi vous consacrer aux autres dossiers.

– Non, c'est inutile. Je vous remercie. Indiquez-moi le lieu où
se trouve ce fichier.

– Il est derrière vous, dans le bureau de l'archiviste adjointe.
Chaque fiche de lecture est numérotée, puis classée par ordre
chronologique.

– Pas de classement alphabétique?

– Non, cela ne présenterait aucune utilité pour nous. D'ailleurs,
c'est un travail mécanique, ces fiches ne servent jamais à rien
mais la loi nous oblige à les constituer.

L'archiviste adjointe, une jeune femme, le visage caché derrière d'imposantes lunettes d'écaille, me remit la collection des
fiches de l'année en cours. Je retrouvai sans difficulté le carton
sur lequel Bernard Thiraud avait inscrit son nom, le motif de sa

---

1. A compulsés : a consultés.
2. Plausible : crédible, possible.

430 recherche et les références des dossiers qu'il désirait consulter, «ensemble de la cote DE».

Je restai un bon moment à feuilleter les fiches sans trouver quoi que ce soit qui ressemble au nom de Pierre Cazes.

Je rendis le classeur à l'archiviste. Sous le coup d'une inspi-
435 ration subite, je lui demandai de me donner la compilation de l'année 1961. J'ouvris fébrilement[1] le volume au mois d'octobre. Je ressentis un violent choc qui me coupa le souffle, en tombant sur une fiche du 13 octobre 1961 remplie au nom de Roger Thiraud.

440 Je fermai les yeux. Je relus une seconde fois, calmement, pour être sûr de ne pas me tromper.

Préfecture de Toulouse Bibliothèque administrative
DATE : 13.10.1961
Nom du demandeur : Roger Thiraud Domicile Paris : IIe Objet de la recherche : Personnelle Nature des documents consultés : Ensemble cote DE

Je rendis le document à la jeune femme.

– Vous avez trouvé ce que vous désiriez, monsieur ?

– Oui, je crois. Merci.

445 Le chef de service m'attendait dans la travée, une boîte d'archives sous le bras.

– Voilà la cote DE. Ce sont exactement les mêmes papiers que lors de votre précédente visite. Vous aurez peut-être plus de chance. Et cet ancien policier, vous avez trouvé sa trace ?

---

1. Fébrilement : fiévreusement, avec excitation.

450 – Non, je pense que le commissaire Matabiau faisait fausse route.

J'étalai le contenu de la boîte sur une table de consultation et triai les différentes chemises. J'écartai les DÉbroussaillage, DÉdommagements, DÉfense passive, et autre DÉsinfections pour
455 concentrer mon attention sur les dizaines de pièces référencées DÉportation.

J'affrontai avec dégoût l'horreur insidieuse[1] de ces notes de service qu'échangeaient les fonctionnaires afin de parfaire l'efficacité de la machine à broyer les corps. Une suite de correspondances
460 mettait ainsi en lumière les différentes phases de la déportation des enfants juifs de la région Midi-Pyrénées. En premier lieu, une lettre du Secrétaire aux questions juives de la préfecture de Toulouse, signée des seules initiales A.V. demandant à Jean Bousgay, ministre de l'Intérieur, s'il fallait exécuter les ordres
465 allemands. Ceux-ci prévoyaient l'envoi à Drancy des enfants juifs dont les parents étaient déjà déportés.

Le ministre répondait par l'affirmative. Le Secrétaire aux affaires juives de Toulouse donnait ses instructions à la police locale pour la mise en œuvre du programme nazi.
470 Ce parfait fonctionnement de l'administration locale allait permettre à cette région de ravir la première place à Paris au championnat de l'épouvante, loin devant le reste du pays !

Aucun document ne mentionnait le nom de Pierre Cazes ; je ne me sentais pas d'attaque pour un nouvel examen. Je replaçai
475 toutes les chemises dans le carton. Je cognai à la porte du bureau de Lécussan sans obtenir de réponse. Je fis le tour des rayons sans le trouver ni entendre le bruit caractéristique de son déplacement heurté. Je finis par m'adresser à son adjointe.

– L'archiviste en chef n'est plus ici ?
480 – Non, M. Lécussan est sorti il y a une dizaine de minutes. Vous voulez lui laisser une commission ?

---

1. Insidieuse : hypocrite, sournoise.

– Ce n'est pas la peine. Remerciez-le simplement de ma part pour toute son aide.

*

La première pluie me surprit sur les marches du perron de la préfecture. Des rafales de vent, qui gagnaient en violence à chaque minute, soulevaient la poussière sèche accumulée sur les trottoirs et dans les caniveaux. Je me hâtai de rentrer dans le commissariat pour éviter de prendre le gros de l'orage sur le dos.

Il n'était pas encore six heures mais il faisait nuit : un tapis de gros nuages assombrissait le ciel. On avait allumé les plafonniers de la salle de permanence et leur lueur blême enveloppait la pièce dans une atmosphère sinistre. Le coup de téléphone de Lardenne me surprit dans le bureau de Matabiau, à la recherche d'un Bottin de Toulouse.

– Inspecteur, vous aviez peut-être raison ; je crois qu'on tient une piste…

– Vous m'appelez de quel coin ?

– De Saint-Rambert-d'Albon, sur l'autoroute A6, entre Lyon et Valence. J'ai fait plus de cinq cent cinquante bornes depuis Toulouse ! C'est chouette comme coin, on voit le Rhône en contrebas. C'est pas loin du mont Pilat…

– Vous me lirez le dépliant du Syndicat d'initiative à la prochaine veillée du comité d'entreprise, Lardenne. Qu'est-ce que vous avez trouvé ?

– Je le saurai demain avec certitude… Je viens de rencontrer une équipe de motards qui sillonnent l'autoroute entre Lyon et Avignon, à longueur de journée. Un des gars était de permanence la nuit qui a suivi le meurtre de Bernard Thiraud. Il travaillait en doublette avec un autre gendarme, c'est pour ça qu'il faut attendre demain.

– Expliquez-vous clairement. C'est encore pire que si vous aviez une poignée de punaises sur la langue !

– En deux mots, François Leconte, le motard en question, était occupé à vérifier les papiers d'un camionneur, à la hauteur de
515 Loriol, au-dessus de Montélimar. À onze heures cinquante-sept minutes exactement...

– Il a une sacrée mémoire !

– Non, il lui a foutu un PV ; l'heure figure sur la souche... Pendant ce temps-là, son collègue a arrêté une Renault 30 TX
520 noire qui roulait à plus de cent cinquante à l'heure...

– Immatriculée à Paris ?

– Je me renseigne. En tout cas le conducteur se faisait passer pour une huile[1] de première. Il a montré une carte tricolore, du moins c'est ce dont François Leconte se souvient. Il était en
525 train de remplir la contravention de son client...

– Interrogez son collègue, ça ira plus vite !

– Justement, c'est le problème. Il est en congé depuis le début de la semaine. Je me débrouille pour obtenir ses coordonnées. Il parait qu'il fait le beau en Bretagne, dans un caravaning.
530 – On est verni[2] ! Notre seul témoin est en pleine nature, sans téléphone...

– Vous voulez que j'aille faire un tour vers Brest, inspecteur ?

– Non, continuez de cuisiner vos motards et tâchez de leur soutirer l'adresse de leur pote. Ça a vraiment l'air de coller. Le
535 crime a eu lieu à six heures. Il a fait cinq cents kilomètres avant minuit, y compris la sortie de Toulouse... Nous avançons, je le sens. Dès que vous avez fini à Saint-Albert-de-Rambon...

– Saint-Rambert-d'Albon !

– Comme vous voulez. Donc, dès que c'est terminé, vous filez
540 à Paris. Vous m'attendez à mon hôtel, je ne tarderai pas à vous rejoindre.

---

1. Huile : personne importante, qui a du pouvoir (familier).
2. On est verni : on a de la chance (familier).

– Prenez l'autoroute A10, inspecteur, c'est plus direct! Je ne comprends toujours pas pourquoi, s'il s'agit bien de notre homme, il s'est envoyé le trajet Paris-Toulouse aller et retour en empruntant l'autoroute du Sud au lieu de suivre tout bonnement l'itinéraire par Bordeaux. J'ai fait le calcul, Paris-Bordeaux-Toulouse, aller-retour, ça monte à 1 600 kilomètres tandis que Paris-Lyon-Montpellier-Toulouse aller-retour, ça dépasse allégrement les 2 200 kilomètres. Il n'a pas fait six cents bornes supplémentaires pour la beauté du paysage?

– Le mont Pilat n'a rien à voir dans cette affaire, Lardenne, je suis au moins sûr de ça!

– Pourquoi alors?

– Parce que jusqu'à maintenant c'est lui qui fixe les règles du jeu...

*

Je devais régler divers dossiers en instance[1]; je me décidai à quitter les locaux du commissariat à l'arrivée de la brigade de nuit. Une chaleur lourde avait remplacé la fraîcheur apportée par l'orage de la fin d'après-midi. Au contact du macadam surchauffé, l'eau s'évaporait; une sorte de buée écœurante stagnait au-dessus du sol. Je choisis de descendre à pied jusque chez moi. Je contournai l'église Saint-Sernin pour plonger vers la Garonne par la rue Lautmann. Le flot de voitures et de piétons qui empruntaient le pont Saint-Pierre aux heures d'entrée et de sortie des bureaux s'était calmé. Je longeai le fleuve pour atteindre le quartier des Catalans, cela m'évitait le détour par l'allée de Brienne.

---

1. **Dossiers en instance** : dossiers en en attente d'être traités.

C'est à la hauteur de l'avenue Séjourné que j'eus la première fois conscience d'une présence, comme un écho déphasé[1] de mon propre mouvement. Je marchai quelques dizaines de mètres encore pour me convaincre de la réalité de la filature et me retournai brusquement en scrutant les quais en enfilade. Une silhouette se détacha dans la lumière d'un réverbère sans que je puisse distinguer les traits de mon suiveur, masqués par le contre-jour. L'homme, de petite taille, reposait ostensiblement[2] sur sa jambe droite. Il braquait sur moi un pistolet sombre dont le canon accrochait quelques parcelles de lumière. Je me rendis compte qu'un autre lampadaire se trouvait à moins de deux mètres derrière moi. Mon adversaire devait me distinguer dans une même pénombre. Je ramenai doucement mon bras droit sur mon ventre et déboutonnai ma veste avec d'infinies précautions. Ma tentative ne provoqua pas de réaction de celui qui me mettait en joue. Il n'était pas difficile de comprendre qu'il se servait d'une arme pour la première fois de sa vie : il se tenait les membres raides, la colonne vertébrale rigide ; il maintenait l'arme à bras tendu dirigée à la hauteur de mon visage.

À cette distance, il n'avait pas une chance sur dix de m'atteindre. Il lui aurait fallu fléchir les genoux, courber les reins, plier le bras droit, viser ma poitrine, tout en assurant la stabilité de la pose à l'aide de sa main libre.

Je l'interpellai afin de le distraire davantage.

– Que voulez-vous ? Si c'est de l'argent je suis prêt à vous lancer mon portefeuille…

– Cela ne m'intéresse pas, inspecteur Cadin, je n'ai pas besoin d'argent. Vous n'auriez pas dû fouiller partout… Je ne voulais pas…

Les intonations de cette voix m'étaient familières, mais je ne parvenais pas à l'identifier avec précision. L'homme se chargea

---

1. Déphasé : au rythme décalé.
2. Ostensiblement : de façon visible, évidente.

de me rafraîchir la mémoire en balançant son pied bot vers
600 l'avant.

– Vous êtes fou, Lécussan. Vous ne vous en sortirez pas vivant.
Rangez votre arme pendant qu'il est encore temps.

Le chef archiviste avançait toujours de sa démarche saccadée,
le pistolet pointé en avant.

605 J'avais eu le temps de libérer la pression de l'étui. Je me laissai
tomber sur le côté gauche en saisissant dans ma chute la crosse
de l'Heckler. Instinctivement, mon index glissa sur la culasse et
déverrouilla la sûreté avant de se poser sur la détente.

Je vidai la première balle du chargeur allongé sur les pavés
610 humides du quai, tandis qu'un jet de feu sortait du poing de
Lécussan. Le projectile siffla au-dessus de ma tête. J'appuyai à
plusieurs reprises sur la détente, sans réfléchir, haletant. Seule la
peur de mourir me commandait de tirer. Lécussan s'était écroulé
après son premier coup de feu. Son arme avait glissé dans une
615 flaque d'eau. Je me relevai pour la ramasser. En l'orientant vers la
lumière pour chasser les reflets, je distinguai l'inscription gravée
sur le canon : « Llema. Gabilondo. Y. Vitoria[1]. »

Un modèle identique à celui qu'avait utilisé le meurtrier de
Bernard Thiraud.

620 Lécussan avait cessé de vivre. Deux de mes projectiles lui avaient
fracassé le crâne, un troisième était venu se ficher dans le pied
bot, juste au-dessus du talon. Je téléphonai au commissariat depuis
une cabine située sur le quai. Je donnai la consigne impérative
au chef de poste de garder l'information secrète durant vingt-
625 quatre heures.

Des passants, intrigués par les détonations, commençaient à
se rassembler mais aucun n'eut le courage de m'aborder… Je
me demande même si le courage aurait suffi !

---

1. Voir p. 57.

En m'éloignant, j'entendis les avertisseurs criards du SAMU
630 mêlés à ceux du fourgon de Police-Secours qui se rendaient sur
les lieux de la fusillade.

À minuit trente, l'express de Paris quittait la gare centrale
de Toulouse. J'avais pu obtenir une couchette. Je m'endormis
avant de passer Montauban, bercé par les ronflements satisfaits
635 de deux représentants de commerce.

Chapitre 9

Ils s'étaient couchés tôt, comme d'habitude. Elle dormait sans bruit ; il la regardait avec tendresse, dans la pénombre. Il ne cessait de se retourner dans le lit, gêné par les draps, par la chaleur qui montait du matelas, sensible comme jamais au moindre bruisse-
5 ment dans le jardin, au craquement de l'escalier. Ce n'était pas sa maladie qui l'empêchait de se reposer ni le dernier examen de son toubib, en milieu d'après-midi.

Il savait depuis longtemps qu'on lui jouait la comédie. Depuis un an exactement, quand il avait mis la main sur les bouquins
10 de médecine que sa femme planquait dans le grenier. Ensuite, il avait remarqué sa façon de se jeter avec avidité sur le moindre article…

Il avait compris que son «ulcère» n'y était pour rien, que la bête immonde le bouffait de l'intérieur.
15 Il faisait semblant de rien, comme s'il croyait à leur fable[1]. On prenait soin de lui, on choisissait ses plats, on lui épargnait le moindre effort.

Ils avaient, de cette manière, grappillé un an de bonheur, un sursis de quelques dizaines de semaines… l'éternité en somme !
20 Non, si le sommeil ne venait pas, la raison était ailleurs, dans la visite de ce petit flic de Toulouse, avec tout ce qu'elle avait fait remonter de souvenirs, de dégoût, de honte. Il ne se passait

---

1. **Fable** : ici, récit mensonger.

plus une minute sans qu'il y pense. Les images défilaient dans sa mémoire, tragiques, faisant l'impasse sur ce que l'on privilégie
25 en temps ordinaire, les bons moments. Il se leva. Sa brusquerie réveilla sa femme, immédiatement aux aguets.

– Tu te sens mal ? Tu veux quelque chose, une infusion[1] ?

Il la rassura et se dirigea vers le téléphone, dans l'entrée. Il composa le numéro du commissariat que lui avait laissé l'inspec-
30 teur Cadin. Le gardien de permanence décrocha.

– Je voudrais parler à l'inspecteur Cadin, c'est très important.

– L'inspecteur n'est pas à Toulouse, il est parti de toute urgence à Paris pour une enquête.

35 – Oh, ce n'est pas vrai ! Le con… Comment peut-on le joindre ? Son hôtel…

– Je suis désolé, monsieur.

Il reposa le combiné, réfléchit un moment, puis il s'habilla à la hâte. Il sortit une boîte en carton planquée sur le haut de
40 l'armoire et, de la boule de chiffon huilée qu'elle contenait, il exhuma un pistolet Browning, un modèle 1935, son arme de prédilection[2]. Il éjecta le chargeur pour le garnir de ses treize cartouches. Il réenclencha le tout d'un bref coup de paume.

Sa femme se tenait devant lui, silencieuse. Il était inutile de
45 prononcer le moindre mot.

Dès qu'il eut fini de vérifier l'arme il la glissa dans sa poche de veste et gagna le garage.

La Mercedes vert métallisé répondit au premier coup de démar-
reur, sans qu'il tire le starter.

50 Moins de dix minutes plus tard, Pierre Cazes s'engageait sur l'autoroute menant à Paris. Pleins phares, l'aiguille du compteur bloquée sur le chiffre 180.

---

1. Infusion : tisane.
2. De prédilection : favorite, préférée.

Le brigadier Lardenne finissait de prendre son petit déjeuner, au bar de l'hôtel, tout en essayant de décrypter les définitions des mots croisés du *Figaro*. Je le vis poser sa tartine et remplir plusieurs lignes d'un coup.

5 – Bonjour, Lardenne, vous êtes également cruciverbiste[1] ! Vous devriez aller au casino, de temps en temps ! Ça doit vous manquer…

Il sursauta en entendant ma voix.

– Inspecteur ! Déjà à Paris ! Je ne vous attendais pas avant cet
10 après-midi. Vous avez voyagé de nuit… vous avez dormi ?

– Oui, j'ai trouvé une couchette. Alors, ce motard, vous avez réussi à le joindre ?

– Oui, hier soir vers onze heures. Au camping du Marrek Rose, à Trebeurden. C'est un gendarme de Lannion qui s'est rendu sur
15 place ; il a ramené le motard au commissariat de Trebeurden. Je l'ai eu au téléphone. La Renault 30 TX était bien immatriculée à Paris, je dois me mettre en rapport avec le Service des cartes grises pour obtenir le nom du propriétaire…

– Il ne l'a pas relevé ?

20 – Non. Aussitôt arrêté le gars a sorti une carte tricolore ; il s'est mis à gueuler qu'il était en mission. Le flic l'a laissé filer mais il a retenu le numéro, machinalement. Le 3627 DHA 75.

---

1. **Cruciverbiste** : amateur de mots croisés.

– Excellent, Lardenne. Je me charge de vérifier le nom du propriétaire de la voiture. Quant à vous, foncez chez Mme Thi-
25 raud, rue Notre-Dame-de-Bonne-Nouvelle. Demandez-lui si elle se souvient d'un voyage de son mari à Toulouse, en octobre 1961. Quelques jours avant sa mort. Ensuite passez prendre Claudine Chenet à son domicile. Attendez-moi bien sagement tous les deux au Café du Palais. Ça se trouve en bord de Seine, un peu
30 plus haut que la préfecture. J'y serai vers quatorze heures.

La matinée fut juste assez longue pour me permettre de passer au Service des cartes grises, obtenir le nom du possesseur de la Renault, retrouver le véhicule et m'entretenir avec son chauffeur habituel.

35 Je me mis ensuite en rapport avec le responsable des Affaires générales de la préfecture de Toulouse qui répondit favorablement à mes questions. Pour clore la série, je me fis annoncer à Dalbois.

– Salut, Cadin. Ma lettre a servi à quelque chose ? Tu sais, ça
40 n'a pas été facile de débusquer ton bonhomme ; ils tiennent au secret ! C'était bien lui ?

– Oui, il a exécuté Roger Thiraud en 61, sur ordre. Par contre, je ne pense pas qu'il soit dans le coup pour l'assassinat du fils. En fait, j'ai rencontré un retraité malade qui ne souhaitait plus
45 qu'une chose : se faire oublier. À moins qu'il ne soit meilleur acteur que je ne le crois…

– C'est bien possible ; ton retraité paisible s'est remué après ta visite. J'en ai eu des échos par le collègue qui m'a repassé sa fiche. Ne te fie surtout pas à ce genre de mec. Pour faire un
50 boulot pareil, ça ne devait pas être un enfant de chœur[1] ! Fais gaffe aux ombres…

– Peut-être bien. Je l'ai à l'œil et mon entrevue avec lui m'a pas mal appris. Si je ne me goure pas, je talonne le meurtrier.

---

1. **Ça ne devait pas être un enfant de chœur** : il ne devait pas avoir beaucoup de morale.

Il ne me manque plus qu'une toute petite pièce et le puzzle est
55 reconstitué !

– Et tu comptes la trouver ici… Je me trompe ?

– Non, tu as raison. Voilà, il me faut une confirmation. Mon
opinion est faite, mais tu sais bien qu'on doit présenter du solide…
Chaque fonctionnaire de police est suivi par l'Administration, du
60 jour de son entrée en service à celui de son départ en retraite.
J'ai mon dossier, comme toi. Il est remis à jour chaque année
avec une mention du supérieur hiérarchique, d'accord ?

– Oui, c'est naturel. Je ne vois pas comment on pourrait gérer
un corps de près de cent mille hommes autrement !

65 – Je ne critique pas le système. Toute notre carrière est résumée
sur ce document qui est transmis au commissaire au moment
des mutations. Lorsque je suis arrivé à Toulouse, Matabiau a pu
prendre connaissance de mon comportement antérieur et du
jugement de mes précédents supérieurs. Eh bien, je souhaiterais
70 avoir une photocopie d'un dossier de ce genre. C'est possible ?

– Ton dossier personnel ? Non, je ne peux pas, il est classé à
Toulouse ! Ici je ne peux accéder qu'au fichier de Paris.

– Je me fous de mon dossier ; je le connais mieux que personne ! Je veux tenir entre les mains celui d'un fonctionnaire
75 de la préfecture de Paris.

– C'est mieux comme ça. Je vais bien dégoter un délégué syndical qui prendra le temps de jeter un coup d'œil au service du
personnel…

– Tu fricotes avec les syndicats, toi ! C'est bien la dernière chose
80 à laquelle je m'attendais !

– Modérément. Quand on bosse aux Renseignements généraux,
il est indispensable de varier les fréquentations… Certaines sont
surprenantes mais utiles. Les syndicats de police sont assez particuliers, surtout les groupes minoritaires. Quand ils recueillent
85 moins de dix pour cent des voix aux élections ils cherchent des
appuis. Moralité, c'est le moment d'intervenir. S'ils grossissent, on
peut toujours leur rappeler certaines relations un peu gênantes !

Tout se négocie, surtout l'honnêteté. Donne-moi le nom de ton gars et attends-moi dans le couloir. Je t'apporte ton papier d'ici une heure.

*

Je me contentai d'un souvlaki acheté dans la cabane d'un faux Grec pour tout déjeuner. J'avalai le sandwich en marchant vers l'île de la Cité. Trop d'oignons.

Le brigadier Lardenne et Claudine Chenet bavardaient, tranquillement assis à la terrasse du Café du Palais. La jeune femme avait passé une robe ; je vis pour la première fois ses jambes lisses et dorées. Elle se leva à mon approche.

– Inspecteur Cadin, que se passe-t-il ? Votre collègue ne veut rien dire. Il y a du nouveau ?

– Oui, nous ne sommes plus très loin du dénouement. Je tiens à ce que vous soyez présente lors des aveux du meurtrier de Bernard. Vous vous sentez assez solide ?

– Oui, allons-y.

Je pénétrai dans la cour de la préfecture, suivi du brigadier et de Claudine. Une Mercedes vert métallisé était garée dans la cour d'honneur. Un huissier en uniforme nous indiqua la porte C en tendant le bras vers la voûte. On avait installé un bureau et un fauteuil dans l'entrée, le planton[1] nous arrêta au pied d'un escalier monumental.

– Que désirez-vous ?

Je m'avançai vers lui.

– Nous souhaitons obtenir une entrevue avec M. Veillut.

– M. le directeur est occupé. Il donne une audience. Vous avez rendez-vous ?

Je répondis négativement. Il me tendit un registre et un stylo.

---

1. **Planton** : employé affecté à l'accueil des visiteurs.

– Inscrivez votre nom et le motif de votre demande sur ce cahier.

Je repoussai le registre.

– Nous ne pouvons pas attendre ! J'arrive de Toulouse spé-
120 cialement pour le rencontrer. Prenez votre téléphone et dites
à M. Veillut que l'inspecteur Cadin est en bas, qu'il veut le voir
sur-le-champ.

Il s'exécuta de mauvaise grâce et composa le numéro du directeur des Affaires criminelles. Quand il reposa le combiné il baissa
125 la tête et prononça d'une voix étouffée.

– C'est impossible, monsieur Cadin. Essayez de revenir dans
l'après-midi ou demain…

Je décidai de passer outre. L'huissier tenta de s'interposer mais
je le repoussai sans ménagement. Les marches étaient recou-
130 vertes d'épais tapis ; nous progressions dans l'escalier, sans faire
le moindre bruit.

Le claquement sec d'une détonation nous surprit au moment
d'atteindre le deuxième étage, où se trouvait le bureau de Veillut. Lardenne sortit son arme, instantanément, tandis que mon
135 premier réflexe avait été de plaquer Claudine au sol. Je dégainai
à mon tour. Un second coup de feu retentit alors derrière la
porte du bureau. Des flics en uniforme firent irruption sur le
palier. Un court instant, ils crurent avoir affaire à un groupe de
tueurs ; ils braquèrent leurs armes sur nous.
140 Je levai les bras.

– Nous sommes des collègues. Je suis l'inspecteur Cadin, de
Toulouse. Ça tire chez le directeur !

Je désignai la pièce en remuant mon arme dont le canon était
pointé en l'air.
145 Deux policiers prirent position de part et d'autre de la porte. Ils
s'apprêtaient à l'enfoncer mais n'eurent pas à mettre leur projet
à exécution car elle s'ouvrit, laissant le passage à un vieil homme
au visage totalement défait, comme blessé intérieurement.

Lardenne me toucha l'épaule.

150   – Mais, c'est le retraité de Montauban !

Les flics étaient restés immobiles, choqués par l'apparition de cette silhouette tragique.

J'entrai dans le vaste bureau de Veillut. Le directeur des Affaires criminelles avait cessé de vivre, un filet de sang sourdait[1] de
155 sa tempe, aussitôt absorbé par l'épaisse moquette bleue. Un Browning était posé près de lui, un vieux modèle de collection d'avant la guerre.

Quand je repassai dans le couloir, Pierre Cazes esquissa un sourire douloureux.

160   – Il vous aurait eu, petit... C'était joué d'avance.

Et on l'emmena.

*

Un peu plus tard, alors que nous mangions dans un petit restaurant turc, près du Sentier, Lardenne et Claudine me pressaient de questions.

165   – On ne saura jamais si c'est vraiment lui le meurtrier. Comment avez-vous pu deviner ?

– C'est pourtant clair... C'est Veillut qui a tué Bernard Thiraud le 18 juillet dernier à Toulouse. Il a également commandité l'assassinat du père de Bernard, en octobre 61, alors qu'il dirigeait
170 les Brigades spéciales.

– Vous en êtes sûr ?

– C'est simple. Le 18 juillet, Lécussan, le chef archiviste de la préfecture de Toulouse, a téléphoné à Veillut pour l'avertir qu'un jeune garçon du nom de Bernard Thiraud avait demandé
175 à consulter les documents classés en cote DE. Tout comme vingt-deux années auparavant un autre Thiraud...

---

1. **Sourdait** : naissait, commençait à sortir.

Claudine m'interrompit.

– Vous appelez ça une preuve ? Comment pouvez-vous affirmer que Lécussan l'a appelé, il est mort lui aussi.

– Un peu de patience. Le coup de fil a bien existé. La préfecture de Toulouse est équipée d'un central électronique qui sélectionne l'ensemble des appels et les regroupe par services. Ce central a été installé dans un but de rigueur budgétaire[1], pour déterminer la consommation téléphonique de chacun des employés. Les communications urbaines s'additionnent sur une cassette mais les liaisons interurbaines et internationales sont décomptées à part. Sur simple demande, le système peut fournir la liste des appels de tel ou tel poste. Lécussan utilisait le poste 214. La bande témoin a enregistré une communication avec Paris-Préfecture le 18 juillet à huit heures quarante-six. Si vous voulez en avoir le cœur net, appelez Trombel au service des Affaires générales de la préfecture de Toulouse, il se fera un plaisir de vous le confirmer.

Claudine et Lardenne hochèrent la tête avec un bel ensemble. Je continuai sur ma lancée.

– Je crois qu'il a demandé à Lécussan de se débarrasser de Bernard Thiraud mais l'autre a refusé en prétextant son handicap. Veillut était coincé. Il n'a pas hésité une seconde. Il a quitté son bureau sur-le-champ ; son rang lui donnait droit à ce genre de privilèges. Il suffirait d'interroger sa secrétaire ou l'huissier pour obtenir confirmation. Malgré tout, je lui reconnais une sorte de génie : n'importe quel criminel se serait précipité à Toulouse en empruntant le plus court chemin et nous l'aurions pincé depuis un bon bout de temps. L'autoroute A 10, Paris-Bordeaux-Toulouse ! Il a joué serré, il se doutait que nous n'aurions rien de plus pressé que de vérifier tous les points de passage. Il nous a bluffés[2] en choisissant le chemin des écoliers, l'autoroute du Soleil. Un vrai

---

1. **Dans un but de rigueur budgétaire** : dans le but de faire des économies.
2. **Bluffés** : trompés.

parcours touristique : Paris-Lyon-Avignon-Carcassonne-Toulouse !
Onze cents kilomètres… Toi, Lardenne, tu t'es payé le circuit
par Bordeaux dans les deux sens en interrogeant les gérants de
Restoroute, de stations-service, les employés de péage, les flics.
Pour rien. On croyait être sur la piste d'une voiture fantôme.
Qui pouvait se douter qu'un type plus malin que tous les autres
s'offrirait un supplément de trois cents kilomètres à l'aller et
autant au retour pour brouiller les cartes ? Ça a failli marcher !
C'est la Direction départementale de l'équipement de Haute-
Garonne qui nous a remis sur les rails, sans le faire exprès ! Ils
ont eu la bonne idée de remplacer notre vieille carte murale et
de nous en donner une où les tracés autoroutiers sont presque
phosphorescents.

Le visage de Lardenne s'illumina.

– Je me disais bien que ça avait un rapport.

Je repris ma démonstration.

– Veillut a couvert les onze cents kilomètres, le compteur bloqué.
Il prenait tout juste le temps de faire le plein d'essence. Il a rejoint
Toulouse avant six heures, s'est garé devant la préfecture pour
attendre la sortie de Bernard Thiraud. Lécussan lui en avait tracé
un portrait précis au téléphone et il s'est arrangé pour le retenir
jusqu'au soir. Dès que le jeune s'est montré, il l'a suivi et assassiné
au moment le plus propice[1]. Il est immédiatement reparti pour
Paris afin qu'on puisse constater sa présence au bureau dès les
premières heures de la matinée. Dommage pour lui, les meilleurs
scénarios ne tiennent pas le coup devant le destin. Cette fois-ci,
il s'est présenté sous l'apparence d'un motard, aux alentours
de Montélimar… à…

Le brigadier compléta la phrase.

– Saint-Rambert-d'Albon.

– Merci, Lardenne. À onze heures cinquante-sept minutes exactement, le soir même. C'est ce motard qui nous a fourni le numéro

---

1. **Propice** : favorable.

d'immatriculation du véhicule de fonction, une Renault 30 TX. J'ai pas mal discuté avec le chauffeur de Veillut, au garage de la préfecture… Comme tous les chauffeurs professionnels, il est attentif à la bonne marche de son outil de travail. Surtout qu'en cas de pépin, on lui fait porter le chapeau. Il n'a pas manqué de remarquer le bond effectué par le chiffre du compteur kilométrique dans la nuit du 18 au 19 juillet. Plus de deux mille bornes, ça se voit ! D'autant plus qu'il avait programmé une vidange pour le 21 : la voiture atteignait les trente-cinq mille kilomètres. Veillut ne lui adressait jamais la parole, sinon il lui aurait fait remarquer que le chef du garage lui avait passé un savon à cause du dépassement du kilométrage d'entretien.

Claudine était restée silencieuse jusque-là.

– C'est drôle, mais sa mort ne me soulage même pas… Je pensais que l'arrestation du meurtrier de Bernard me rendrait heureuse…

Je payai les trois repas. Sur le trottoir, avant qu'elle ne s'éloigne, je lui glissai quelques mots.

– On pourrait dîner ensemble ce soir, je ne repars que demain matin.

Elle fit un signe en direction de Lardenne et baissa la voix.

– Avec le brigadier ?

– Non, il préfère les compagnies électroniques. Il attend avec impatience la mise au point d'une assiette vidéo !

– D'accord. On se retrouve à huit heures. Passez me prendre à la maison. Vous vous souvenez de l'adresse ?

Comme si un flic de ma trempe pouvait oublier un renseignement de cette importance !

Le juge prononça l'inculpation de Pierre Cazes dans la soirée, peu après sept heures. On doutait qu'il puisse survivre jusqu'au procès. Une bonne occasion pour étouffer l'affaire. Je filai rejoindre Claudine Chenet. Elle vint m'ouvrir. Elle ne me laissa pas le temps de faire connaissance avec la pièce où je pénétrai. Elle se serra contre moi et posa ses mains sur ma nuque. Mes paumes glissèrent le long de son dos. Je l'embrassai, les yeux clos, tandis que du pied droit je repoussais la porte donnant sur le couloir. Elle se détacha de moi, en silence et vint s'installer sur le bord du lit. Je la regardai sans oser bouger, des larmes coulaient sur ses joues.

– Pourquoi pleures-tu ? Tout est terminé, il faut oublier…

– Non, ce n'est pas pour ce que tu crois. J'ai honte d'être heureuse après tout ça. Tu ne peux savoir combien j'ai pu me sentir seule, abandonnée depuis ce jour… J'avais besoin de sentir quelqu'un près de moi… Toi surtout. C'est difficile à avouer, mais je ne veux pas m'habituer au malheur, comme la mère de Bernard.

Elle sourit et m'embrassa à nouveau.

– Allez, c'est fini, je ne pleure plus. Tiens j'ai acheté des fruits. Des fraises et des pêches, ça te dit ?

Je m'assis sur la couverture et la pris dans mes bras.

– Moi aussi, j'en avais envie, depuis notre première rencontre.

25 – Je ne t'en parlerai plus après, je te promets. Mais explique-moi pourquoi ce vieux bonhomme en voulait tellement à Bernard. Et à son père. J'ai besoin de comprendre. Ce n'est pas un secret?

– Non. Les journalistes doivent suer sur le sujet dans toutes les rédactions parisiennes! André Veillut n'avait rien contre la
30 famille Thiraud. Il a vu Bernard une seule fois, à Toulouse. Je pense qu'il ne connaissait même pas Roger Thiraud…

– C'était un fou alors…

– Non, un simple fonctionnaire. Il a commencé sa carrière administrative en 1938, à Toulouse. Il avait tout juste vingt ans.
35 Il se lançait à la conquête de la préfecture, bardé[1] de diplômes. En moins d'un an, il est passé secrétaire général adjoint chargé du secteur social: l'aide aux familles en difficultés. En 1940 il dirigeait l'organisation de l'assistance aux personnes déplacées et l'accueil des Français qui fuyaient l'avance des troupes alle-
40 mandes. En 1941, on a étendu ses compétences aux Affaires des réfugiés et aux Questions juives.

«En fonctionnaire zélé, Veillut a suivi les instructions du gouvernement de Vichy. Il a scrupuleusement organisé le transfert des familles juives vers le centre de regroupement de Drancy.
45 Ni par conviction politique ni par antisémitisme, mais tout simplement en obéissant aux règlements et en exécutant les ordres de la hiérarchie. Actuellement, des dizaines d'obscurs chefs de service décident des calibres de tomates ou de pêches qui seront envoyées à la décharge pour cause de surproduction. Pour eux,
50 les milliers de tonnes de fruits qui finiront arrosées de mazout ont la seule apparence d'un chiffre et d'un code sur un listing mécanographique. En 1942-1943, Veillut ne faisait pas autre chose, il alimentait la machine de mort nazie et liquidait des centaines d'êtres humains au lieu de gérer des surplus de stock.
55 Lécussan travaillait avec lui, au secrétariat administratif. Une équipe redoutable: la région qu'ils couvraient vient en tête de

---

1. **Bardé** : couvert.

toutes les régions de France pour les déportations d'enfants juifs. Dans les autres préfectures, les gens essayaient de brouiller les cartes, de mettre les sbires de la Gestapo[1] sur de fausses pistes.
60 Pas à Toulouse. Veillut allait au-devant de leurs désirs. Par souci d'efficacité. Jamais il n'y aurait eu un tel massacre si les nazis n'avaient pas bénéficié de la complicité de nombreux Français. Ils ont même touché aux gosses de moins de deux ans qui étaient pourtant épargnés par les textes pétainistes[2]…

65 – Mais le père de Bernard était un enfant, à cette époque, il n'a pas pu être mêlé à tout ça.

– Roger Thiraud est né à Drancy, voilà le lien. Il est suffisant ! Pour occuper ses loisirs, il rédigeait une petite monographie sur sa ville natale, tu sais, le petit livre que tu m'as confié. À
70 part Crette de Paluel, Drancy n'avait pas de quoi retenir l'intérêt. Jusqu'à la création du camp de concentration qui l'a rendu tristement célèbre. Le père de Bernard lui a consacré un long chapitre ainsi qu'au projet initial des architectes d'édifier là une cité futuriste. Il a compulsé des centaines de documents d'ar-
75 chitecture, des statistiques, des listes de noms. Et puis, un jour, il a remarqué le nombre disproportionné d'enfants déportés depuis la région toulousaine. En historien conséquent[3], il s'est attaché à comprendre la raison de ce déséquilibre. Peut-être y avait-il une communauté juive importante, ou l'existence d'un
80 centre de regroupement inter-régional… Roger Thiraud s'est rendu à Toulouse, au Capitole d'abord, puis à la préfecture. Il a vite compris, en étudiant le détail des documents classés à la cote DE, que la responsabilité du gonflement du contingent d'enfants incombait à un haut fonctionnaire toulousain chargé des Affaires

---

1. Gestapo : police politique de l'Allemagne nazie.
2. Textes pétainistes : pendant l'Occupation allemande, lois, décrets et statuts promulgués par le gouvernement français de Vichy (juillet 1940-août 1944) sous la direction du maréchal Pétain, visant notamment à mettre en œuvre une collaboration active avec le régime allemand pour organiser la déportation des Juifs.
3. Conséquent : qui agit de manière logique.

85　juives, identifié par ses seules initiales : A. V. Il est reparti pour Paris vraisemblablement[1] décidé à trouver l'identité de cet inconnu. Malheureusement pour lui, Lécussan qui occupait le poste de chef archiviste, était au courant de sa visite et de l'objet de ses recherches. Il a aussitôt averti Veillut qu'un historien s'intéressait

90　de trop près à des documents explosifs.

Claudine m'interrompit.

– Mais… il n'y a pas eu d'enquête à la Libération pour déterminer les responsabilités de chacun ?

– Si, bien sûr. Veillut et Lécussan ne sont pas des idiots. Ils

95　l'ont prouvé en restant insoupçonnables pendant plus de quarante ans. Ils ont senti, au début 44, que les grands moments de la collaboration touchaient à leur fin, qu'il faudrait bientôt rendre des comptes. Ils ont pris leurs distances avec Vichy et ils ont consacré leurs efforts à aider les réseaux de résistance. De

100　la manière la plus voyante. À la Libération, Veillut a été décoré pour son courage ! Personne ne se serait permis de contester les mérites d'un héros arborant la rosette[2] au revers de son pardessus. Depuis cette époque, Veillut n'a cessé de gravir les échelons : secrétaire général de la préfecture de Bordeaux en 1947, chef de

105　cabinet du préfet de Paris en 1958. Au cours de l'année 1960 on lui a confié une mission secrète : constituer une équipe chargée de liquider les responsables FLN les plus remuants. Ses activités se sont étendues à l'OAS en 1961.

Je pris un abricot dans la coupe de fruits et poursuivis :

110　– … Quand, en 1961, Lécussan l'a prévenu des recherches menées par Roger Thiraud, le père de Bernard, Veillut a tout naturellement utilisé les compétences d'un de ses hommes, Pierre Cazes. Il a bien entendu omis[3] de révéler le véritable motif qui présidait à l'exécution de Roger Thiraud. Le policier était encore

---

1. **Vraisemblablement** : sans doute.
2. **Arborant la rosette** : portant l'insigne de la Légion d'honneur.
3. **Omis** : volontairement oublié.

115 persuadé, la semaine dernière, d'avoir mis fin aux activités d'un dangereux terroriste. En bon professionnel, Pierres Cazes a profité des troubles du 17 octobre 1961, la manifestation algérienne, pour remplir son contrat. Bernard, en voulant terminer le livre de son père, est parvenu aux mêmes conclusions sur les dépor-
120 tations d'enfants. Il a voulu vérifier les sources. Résultat, il a subi le même sort. Mais cette fois de la propre main de Veillut. Vingt ans après son père…

– Tu crois que toute cette histoire sera publiée dans la presse?

125 Je ne pouvais pas lui répondre qu'on m'avait déjà ordonné de mettre la pédale douce. Au ministère, on préparait un scénario plus conforme à l'idée que les citoyens devaient se faire des garants de l'ordre public.

– Ils ne sortiront peut-être pas tout, mais ils seront obligés d'en
130 lâcher un bon morceau.

Claudine se pencha et se blottit contre ma poitrine. Je cessai de parler. Je lui caressai les cheveux, doucement, en la balançant de droite à gauche, comme pour la bercer, la rassurer. Le sommeil me surprit, bien plus tard, enveloppé par l'odeur de sa peau.

Épilogue

Lardenne regagna Toulouse sans moi. Je m'étais octroyé un jour de relâche. Claudine et moi étions sortis pour récupérer ma valise à l'hôtel. La station Bonne-Nouvelle se trouvait à quelques pas. Elle était en rénovation. Une dizaine d'ouvriers, grimpés sur des échafaudages, étaient occupés à arracher les couches successives d'affiches qui recouvraient les panneaux publicitaires. Plus loin, au bout du quai, deux autres ouvriers grattaient les carreaux de céramique blanche à l'aide de spatules métalliques.

En se déchirant, les papiers laissaient apparaître de vieilles réclames[1] collées dix, vingt années auparavant.

Un couple de punks aux cheveux ras et colorés s'embrassait sous une affiche de Savignac vantant les bienfaits de l'huile Calvé, l'huile grasse et légère, cent pour cent végétale…

Un jeune cadre, attaché-case au poing, walkman aux oreilles, déambulait devant le slogan chantant d'une eau minérale. « Et badadi et badadoi… »

Claudine s'arrêta devant un coin de mur. Elle me montra un carré de céramique à demi recouvert de lambeaux de papier jauni qui résistaient aux efforts d'un travailleur algérien. On ne distinguait qu'une partie du texte mais le sens ne s'en trouvait pas affecté :

---

1. **Réclames** : publicités.

«... *est interdite en France... coupable à être condamn... cour martia... lemande... personne qui porte... sortissants jui... peine allant jusqu'à la mo... éléments irrespon... à soutenir les ennemis de l'Allemagne.*

25   *... met en garde... coupables eux-mêmes et la population des territoires occupés.*

Signé : le Militaerbefehlshaber
Stülpnagel. »

Aubervilliers,
janvier-février 1983.

Un quiz pour commencer

Cochez les bonnes réponses.

❶ *Qu'apprend Cadin en lisant la monographie de Drancy rédigée par Roger Thiraud ?*

- ❒ Drancy a abrité un camp de concentration en 1942.
- ❒ Drancy est la ville natale de Roger Thiraud.
- ❒ De nombreux enfants juifs de la région Midi-Pyrénées ont été déportés à Drancy.

❷ *Que comprend Cadin grâce à la carte routière qu'affiche Lardenne ?*

- ❒ L'assassin de Bernard Thiraud a dû venir de Paris par la route nationale.
- ❒ L'assassin a dû faire un détour par l'A 6, l'autoroute du Sud.
- ❒ L'assassin a dû éviter les péages de l'autoroute A 10.

❸ *Que découvre Cadin aux archives de la préfecture de Toulouse ?*

- ❒ Que Roger Thiraud y avait fait les mêmes recherches que son fils.
- ❒ Que le meurtrier de Bernard Thiraud y a fait des recherches.
- ❒ Que Bernard Thiraud n'y a jamais fait de recherches.

❹ Sur quoi portaient les recherches de Roger Thiraud à la préfecture de Toulouse ?

- ❑ La déportation des enfants juifs de la région Midi-Pyrénées vers Drancy.
- ❑ La ville de Toulouse sous l'Occupation allemande.
- ❑ La ville de Drancy à l'époque médiévale.

❺ Qu'arrive-t-il à Cadin après sa deuxième visite à la préfecture de Toulouse ?

- ❑ Ses supérieurs lui interdisent de poursuivre son enquête sur l'affaire Thiraud.
- ❑ Il abandonne l'enquête.
- ❑ Il est victime d'une tentative de meurtre.

❻ Comment Cadin retrouve-t-il l'assassin de Bernard Thiraud ?

- ❑ Grâce aux témoignages des personnes interrogées.
- ❑ Grâce à l'immatriculation de la voiture de l'assassin.
- ❑ Grâce aux empreintes de l'assassin sur l'arme du crime.

❼ Qu'arrive-t-il à l'assassin de Bernard Thiraud ?

- ❑ Il est arrêté, jugé et condamné.
- ❑ Il n'est pas jugé grâce à un décret d'amnistie.
- ❑ Il est assassiné par Pierre Cazes.

❽ Quel était le mobile du meurtre des Thiraud organisé par Veillut ?

- ❑ Cacher le rôle de ce dernier sous l'Occupation allemande.
- ❑ Cacher le rôle de ce dernier dans les événements d'octobre 1961.
- ❑ Se débarrasser de potentiels terroristes.

❾ Quel a été le rôle de Veillut sous l'Occupation allemande ?

- ❑ Il a refusé de livrer des Juifs aux Allemands.
- ❑ Il a clandestinement organisé la Résistance dans la région de Toulouse.
- ❑ Il a organisé le transfert de familles juives vers Drancy.

Des questions pour aller plus loin

☞ Étudier le dénouement de l'intrigue policière

Le rêve de Cadin : une vision onirique du dénouement (pp. 186-189, l. 238-310)

❶ Faites la liste des personnages qui sont convoqués dans le rêve de Cadin en précisant leur apparence, leur comportement et en indiquant s'il s'agit de personnages principaux ou secondaires.

❷ Dans ce passage, relevez les éléments caractéristiques d'un rêve (situations étranges, mélange des époques et des lieux, images fantasmagoriques).

❸ «Les parois, comme ramollies, bougeaient au rythme d'un cœur absent» (p. 187, l. 265-266). «Toutes les roues se mirent à crisser pour former une plainte insupportable» (p. 188, l. 296-297). Quelle figure de style est employée dans ces deux phrases?

❹ Dans quel état d'esprit Cadin s'endort-il? Relevez les termes qui appartiennent au champ lexical de la mort. Quelle est la tonalité de ce passage?

❺ Relisez le chapitre 11 du roman. À la lumière du dénouement, interprétez certaines visions métaphoriques contenues dans le rêve de Cadin : le masque du commissaire Matabiau, la nudité de Cadin, les Algériens ensanglantés sortant des wagons.

La résolution de l'enquête

❻ Le dénouement d'un roman policier doit répondre à quatre questions : qui? quand? comment? pourquoi? Peut-on désormais répondre à ces quatre questions pour le meurtre de Roger Thiraud et pour celui de Bernard Thiraud ?

❼ La résolution de cette intrigue policière ressemble-t-elle à un dénouement classique de roman policier (sort du coupable, mobile du crime) ? Cadin a-t-il uniquement procédé par déduction logique pour identifier le coupable ?

❽ « Malgré tout, je lui reconnais une sorte de génie : n'importe quel criminel se serait précipité à Toulouse en empruntant le plus court chemin et nous l'aurions pincé depuis un bon bout de temps » (p. 209, l. 201-204). Quel type de lien unit la première proposition à la deuxième, puis la deuxième à la troisième ? Remplacez le premier lien par un lien de coordination exprimant la cause et le second par un lien de subordination exprimant la conséquence.

❾ Quelle est la fonction narrative de l'intrigue amoureuse qui se noue entre Cadin et Claudine Chenet ? Cette intrigue amoureuse s'inscrit-elle dans la tonalité du reste du roman ?

❿ Quel est le lien réel entre le meurtre de Roger Thiraud et celui de son fils ?

Un roman engagé

⓫ Faites la liste des victimes d'André Veillut de 1942 à 1982 et justifiez le titre du roman. Ce titre peut-il être interprété de différentes façons ?

⓬ « Il a bien entendu omis de révéler le véritable motif qui présidait à l'exécution de Roger Thiraud » (p. 215, l. 113-114). Dans cette phrase, quelle expression indique l'opinion de l'inspecteur Cadin au sujet d'André Veillut ?

⓭ En vous aidant du contexte historique (voir pp. 265-267), précisez de quel homme réel Didier Daeninckx s'est inspiré pour construire le personnage fictif d'André Veillut. Pourquoi l'auteur a-t-il choisi de faire mourir André Veillut dans son roman ?

⓮ Derrière l'intrigue policière, que dénonce Didier Daeninckx dans son roman ? Comment pouvez-vous interpréter le fait que les deux principales victimes de ce roman soient des historiens ?

⓯ Didier Daeninckx a placé au début de *Meurtres pour mémoire* l'épigraphe suivante : «En oubliant le passé, on se condamne à le revivre» (p. 11). En quoi le roman illustre-t-il cette phrase ? Que signifie l'anecdote du dernier paragraphe de l'épilogue ?

> *Rappelez-vous !*
> Dans un roman policier, le dénouement doit répondre à quatre questions : qui ? (le coupable est identifié), quand ? (les circonstances sont élucidées), comment ? (les conditions du crime sont connues), pourquoi ? (le mobile du crime est découvert).

De la lecture à l'écriture

Des mots pour mieux écrire

❶ *Complétez chacune de ces phrases avec les mots qui conviennent et accordez-les ou conjuguez-les si nécessaire :* obstruer, vertigineux, indécent, phosphorescent, lancinant.

a. Il me fit remarquer le caractère_____ de ma tenue.

b. Sa bouche, ses orbites, son nez se remplissaient de milliers de fourmis noires, aux pattes_____.

c. Ce chemin est_____ de troncs d'arbres.

d. Une musique_____ recouvrit le fracas du train.

e. Toute la scène se fondit à une vitesse_____.

❷ *Que signifie le mot* épilogue *? Vous proposerez deux autres mots de la même famille dont vous donnerez également la définition, puis vous emploierez chacun d'eux dans une phrase.*

À vous d'écrire

❶ Imaginez la scène du meurtre d'André Veillut dans son bureau. Vous insérerez dans ce récit un portrait de ce personnage et un bref dialogue entre Pierre Cazes et sa future victime avant de décrire le meurtre lui-même et la sortie de Pierre Cazes.

Consigne. Votre récit d'une trentaine de lignes devra être fait selon le point de vue de Pierre Cazes. Vous rédigerez votre texte à la troisième personne du singulier.

❷ Imaginez un autre épilogue à ce roman policier, mettant en scène cette fois-ci Pierre Cazes et Mme Thiraud. Vous définirez vous-même les circonstances et le contenu de cet épilogue.

Consigne. La rédaction de votre épilogue devra correspondre à la définition de ce mot (voir « Des mots pour mieux écrire », p. 223).

Du texte à l'image

➡ Deux estampes réalisées au camp de Drancy par Georges Horan.
(Images reproduites en fin d'ouvrage, au verso de la couverture.)

👁 Lire l'image

❶ Observez les deux estampes placées à la fin de l'ouvrage, en troisième de couverture. Décrivez précisément l'image du haut de la page (personnages, lieu).

❷ Quel détail du décor est commun aux deux estampes ? Où se passent ces deux scènes selon vous ?

❸ Dans le dessin du bas de la page, quel contraste remarquez-vous entre le cadre qui apparaît en arrière-plan et l'activité du personnage au premier plan ? Quel est l'effet produit ?

Comparer le texte et l'image

❹ Quel est le lien entre ces deux dessins et l'intrigue de *Meurtres pour mémoire* ?

❺ Entre les photographies de la manifestation du 17 octobre 1961 et ces deux estampes, quelle illustration vous semble avoir le lien le plus étroit avec le roman de Didier Daeninckx ? Pourquoi ?

À vous de créer

❻ Sur l'estampe du haut de la page, l'un des enfants tient un journal intime. Rédigez une page de ce journal évoquant ses activités de la journée. Le récit sera fait à la première personne du singulier et pourra s'appuyer sur l'extrait du *Journal* d'Anne Frank figurant dans les groupements de textes (pp. 245-247).

Arrêt sur l'œuvre

Des questions sur l'ensemble du roman

Temporalité et géographie du roman

1 Relevez les dates mentionnées dans chacun des chapitres du roman et précisez quelles sont les trois époques qui s'entrelacent dans *Meurtres pour mémoire*.

2 Outre les récits des personnages, quels sont les supports matériels (archives, livres...) qui témoignent des événements de l'histoire récente ou plus ancienne dans ce roman ? Classez ces supports en fonction des périodes historiques évoquées. Quelle est la fonction de ces supports tout au long de l'enquête ?

3 Dans quel lieu précis de Paris s'ouvre et se clôt le livre ? Quel est l'effet produit par ce choix de l'auteur ?

Des personnages complexes

4 Classez les personnages du roman selon les critères-types d'un roman policier : victimes, coupables, témoins, enquêteurs. Quels sont les personnages qui aident l'inspecteur Cadin dans son enquête, et ceux qui au contraire s'opposent à lui ?

5 Quels sont les meurtriers du roman dont on peut dresser un portrait assez détaillé (physique, caractère, passé) et ceux qui semblent être des personnages secondaires juste esquissés ? À quelle catégorie l'assassin de Bernard Thiraud appartient-il ?

6 Roger Thiraud est l'un des personnages du roman que le lecteur connaît le mieux alors qu'il n'apparaît qu'une seule fois au début du roman pendant les dernières heures de sa vie. Comment expliquez-vous cela ? Classez dans un tableau les éléments de son portrait que vous aurez relevés au fil de la lecture (physique, caractère, profession, loisirs) et montrez comment ce portrait se construit et s'enrichit tout au long du roman.

L'univers du polar

7 Reconstituez les grandes étapes de l'enquête de Cadin : meurtres, indices, pistes, hypothèses, témoignages, déductions, révélations, résolutions. À travers quelle forme de discours (description, dialogue, narration) ces faits sont-ils le plus souvent exposés ? D'un point de vue narratif, quels sont les intérêts de ce choix dans un roman policier en général et dans celui-ci en particulier ?

8 Relevez quelques éléments qui contribuent à ancrer le roman dans le réel : thèmes des enquêtes secondaires, description du commissariat, portrait moral des différents enquêteurs (Dalbois, Lardenne, Matabiau, Bourrassol). En quoi ces éléments contribuent-ils à mettre en place l'univers du polar ?

9 Faites la liste des personnages qui décèdent de mort violente dans ce roman. Comme dans de nombreux romans policiers, l'intérêt majeur de ces meurtres réside-t-il dans le mystère qui entoure l'identité du meurtrier ? Cherchez la définition de « roman policier » et de « roman noir ». À quel genre littéraire *Meurtres pour mémoire* semble-t-il davantage appartenir ?

Des mots pour mieux écrire

Lexique de l'enquête policière

Autopsie : dissection d'un cadavre en vue de déterminer les causes de la mort.

Balistique : science qui étudie le mouvement des projectiles, le trajet des balles.

Cible : personne visée, que l'on cherche à atteindre, qui est l'objet d'une attaque.

Complice : qui participe au délit, au crime commis par un autre.

Confidentiel : secret.

Débusquer : chasser d'une cachette.

Dénouement : solution d'une affaire.

Déposition : déclaration d'un témoin en justice.

Extrapoler : généraliser à partir d'hypothèses, de données fragmentaires.

Filature : action de suivre quelqu'un pour noter ses faits et gestes.

Flagrant délit : délit commis sous les yeux de ceux qui le constatent.

Inculpation : mise en examen d'une personne qui est présumée coupable d'un délit ou d'un crime.

Mobile : motif qui explique le crime.

Piste : trace ou indice.

Signalement : description physique d'une personne permettant de l'identifier.

Sommation : avertissement préalable enjoignant à une ou plusieurs personnes de s'arrêter avant de recourir à la force.

Source : origine d'une information.

Subtiliser : voler habilement quelque chose sans se faire remarquer.

Suspect : individu qui inspire la méfiance et que la police considère comme l'auteur possible d'une infraction.

Témoin oculaire : personne appelée à raconter à une institution ce qu'elle a vu.

Complétez les phrases suivantes à l'aide des mots du lexique de l'enquête policière.

a. Le cambrioleur fut pris en _____ de vol.

b. Le juge prononça l'_____ de Pierre Cazes.

c. Il lui tira dans le dos sans _____.

d. Le _____ fut mis en examen.

e. Ce dossier contient des documents secrets, il est classé _____.

Lexique de la violence

Affrontement : combat face à face.

Agresseur : individu qui en attaque brusquement un autre sans avoir été provoqué.

Assener une volée : porter avec violence une série de coups.

Braquer : menacer avec une arme à feu.

Détonation : bruit violent produit par une explosion.

Éclater : se briser avec violence, exploser.

Ensanglanté : couvert de sang.

Explosion : fait d'éclater avec violence. Bruit qui accompagne cet éclatement.

Fracassé : brisé en plusieurs morceaux.

Martèlement : bruit qui se répète et qui fait penser à celui d'un marteau.

Offensive : attaque.

Rouer de coups : battre, frapper violemment.

Sanglant : qui s'accompagne d'effusion de sang.

Dans la liste de mots ci-dessus, trouvez les synonymes des mots suivants : combat, déflagration, frapper violemment.

Lexique de la mémoire

Archives : ensemble de documents relatifs à l'histoire d'une ville, d'une famille, rassemblés, répertoriés et conservés à des fins historiques.

Document : écrit qui peut servir à renseigner, à prouver.

Empreinte : marque imprimée, trace.

Exhumer : tirer de l'oubli.

Mémoire : faculté de se souvenir.

Monographie : ouvrage étudiant un sujet précis de manière complète.

Nostalgie : regret mélancolique du passé.

Omettre : oublier volontairement.

Ranimer : faire revenir à l'esprit.

Raviver : faire revivre.

Remémorer : remettre en mémoire.

Renaissance : renouveau.

Ressasser : répéter sans cesse.

Ressurgir : sortir de nouveau.

Souvenir : pensée, représentation passée que la mémoire conserve.

Témoignage : preuve, marque, déposition.

Trace : empreinte laissée par le passé.

Usure : détérioration faite par le temps et l'usage.

Mots croisés

Tous les mots à placer dans cette grille simplifiée se trouvent dans le lexique de la mémoire de la page précédente.

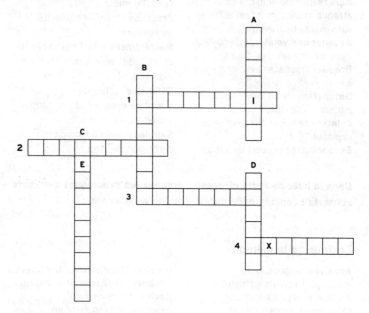

Horizontalement

1. Réapparaître
2. Regret accompagné de mélancolie
3. Image que garde et fournit la mémoire
4. Tirer de l'oubli

Verticalement

A. Faculté de se souvenir
B. Documents rassemblés à des fins historiques
C. Déclaration qui confirme la véracité de ce que l'on a vu, entendu, perçu, vécu
D. Empreintes laissées par le temps

À vous de créer

La rédaction d'une scène de scénario

Vous écrivez des scénarios pour le cinéma. Enthousiasmé(e) par votre lecture de *Meurtres pour mémoire*, vous décidez de travailler sur une adaptation cinématographique du polar de Didier Daeninckx.

La première scène de votre scénario est une séquence décrivant la manifestation du 17 octobre 1961 et le meurtre de Roger Thiraud.

Commencez par relire attentivement le chapitre 2 du roman (pp. 29-40).

Consignes

- Votre scénario se présentera sous la forme de courtes didascalies rédigées au présent décrivant la manifestation et la scène du meurtre de Roger Thiraud.

- Les pensées des personnages ne doivent pas apparaître dans le scénario. Elles ne peuvent être perçues par le spectateur qu'à travers la description des attitudes et du ton des personnages.

- Votre scénario intégrera les dialogues des personnages tels qu'ils sont écrits dans le roman.

- Vous préciserez également les mouvements que fait la caméra en vous aidant du vocabulaire relevé dans l'Arrêt sur lecture 3 (voir p. 174).

- Vous pourrez également vous appuyer sur les deux textes suivants : le chapitre 5 de *Meurtres pour mémoire* (la scène du visionnage du documentaire de la RTBF, pp. 114-116) et l'extrait de *Playback*, scénario de Raymond Chandler (voir pp. 240-241).

Groupements de textes

Le roman policier dans tous ses états

Edgar Poe, *Double assassinat dans la rue Morgue*

Edgar Poe (1809-1849) publie en avril 1841 la nouvelle *Double assassinat dans la rue Morgue*, considérée comme l'une des premières intrigues policières modernes. En compagnie du narrateur, le détective Dupin s'intéresse à un mystérieux fait divers relaté dans une gazette parisienne : un double meurtre a été commis dans la rue Morgue.

Voilà une femme étranglée par la force des mains, et introduite dans une cheminée, la tête en bas. Des assassins ordinaires n'emploient pas de pareils procédés pour tuer. Encore moins cachent-ils ainsi les cadavres de leurs victimes. Dans cette façon de fourrer le corps dans la cheminée, vous admettrez qu'il y a quelque chose d'excessif et de bizarre, – quelque chose d'absolument inconciliable avec tout ce que nous connaissons en général des actions humaines, même en supposant que les auteurs fussent les plus pervertis des hommes. Songez aussi quelle force prodigieuse il a fallu pour pousser ce corps dans une pareille ouverture, et l'y pousser si puissamment que les efforts réunis de plusieurs personnes furent à peine suffisants pour l'en retirer.

Portons maintenant notre attention sur d'autres indices de cette vigueur[1] merveilleuse. Dans le foyer[2] on a trouvé des mèches de cheveux, – des mèches très épaisses de cheveux gris. Ils ont été arrachés avec leurs racines. Vous savez quelle puissante force il faut pour arracher seulement de la tête vingt ou trente cheveux à la fois. Vous avez vu les mèches en question, aussi bien que moi. À leurs racines grumelées[3], – affreux spectacle ! – adhéraient des fragments de cuir chevelu, – preuve certaine de la prodigieuse puissance qu'il a fallu déployer pour déraciner peut-être cinq cent mille cheveux d'un seul coup.

Non seulement le cou de la vieille dame était coupé, mais la tête absolument séparée du corps ; l'instrument était un simple rasoir. Je vous prie de remarquer cette férocité *bestiale*. Je ne parle pas des meurtrissures du corps de Mme l'Espanaye ; M. Dumas et son honorable confrère, M. Étienne, ont affirmé qu'elles avaient été produites par un instrument contondant[4] ; et en cela ces messieurs furent tout à fait dans le vrai. L'instrument contondant a été évidemment le pavé de la cour sur laquelle la victime est tombée de la fenêtre qui donne sur le lit. Cette idée, quelque simple qu'elle apparaisse maintenant, a échappé à la police […].

Edgar Poe, *Histoires extraordinaires* [1856], trad. de l'anglais par Charles Baudelaire, Gallimard, «Folio classique», 1973.

Conan Doyle, *L'Association des Hommes roux*

À travers ses nombreux romans et nouvelles, Conan Doyle (1859-1930) a raconté les enquêtes du célèbre détective Sherlock Holmes et de son fidèle acolyte, le docteur Watson. Étrange association que celle des Hommes roux ! Comme son nom l'indique, elle ne regroupe que des hommes… roux ; et offre à ses heureux membres un salaire honorable en échange d'un travail insignifiant. Mais Sherlock Holmes comprend

1. **Vigueur** : force physique.
2. **Foyer** : partie de la cheminée où brûle le feu.
3. **Grumelées** : qui présentent des grumeaux.
4. **Contondant** : qui blesse sans couper.

vite que, sous couvert de cette association, un certain John Clay essaie de braquer une grande banque londonienne. L'extrait suivant se situe à la fin de la nouvelle, au moment de l'arrestation de John Clay.

Sherlock Holmes n'avait fait qu'un bond et avait saisi l'intrus au collet. L'autre avait plongé dans le trou et j'entendis un bruit de tissu qui se déchirait car Jones s'était cramponné à son paletot[1]. La lumière fit soudain luire le canon d'un revolver, mais la solide canne de Holmes s'abattit sur le poignet de l'homme et l'arme tomba avec fracas sur les dalles.

– Inutile, John Clay, dit Holmes, doucement. C'est sans espoir.

– C'est ce que je vois, répondit l'autre le plus froidement du monde. J'imagine que mon copain s'en est tiré bien que, à ce que je vois aussi, vous gardiez les pans[2] de sa veste.

– Il y a trois hommes qui l'attendent à la porte, dit Holmes.

– Ah! vraiment. Vous me paraissez avoir très bien fait les choses. Il faut que je vous en félicite.

– Et moi aussi je te félicite. Ton idée des hommes roux était aussi originale qu'efficace.

– Tu verras ton copain tout à l'heure, dit Jones, il dégringole dans les trous plus vite que moi, mais tends les mains, que je te boucle les poucettes[3].

– Je vous prie de ne pas me toucher avec vos sales pattes, observa notre prisonnier, comme les menottes sonnaient sur ses poignets. Il se peut que vous ignoriez que j'ai du sang royal dans les veines. Ayez donc la bonté aussi, quand vous m'adressez la parole, de me dire «Monsieur» et «s'il vous plaît».

– Très bien! dit Jones, étonné mais réjoui. Eh bien! voudriez-vous, s'il vous plaît, monter. Nous pourrons trouver un fiacre[4] pour conduire Votre Altesse au poste de police.

– Voilà qui est mieux, dit John Clay avec sérénité.

Il nous fit à tous les trois un profond salut et s'en alla tranquillement sous la garde du détective.

---

1. **Paletot** : veste ample qui arrive à mi-cuisse.
2. **Pans** : parties tombantes et flottantes d'un vêtement.
3. **Poucettes** : menottes.
4. **Fiacre** : ancienne voiture tirée par des chevaux.

– En vérité, monsieur Holmes, dit Merryweather quand nous sortions de la cave derrière eux, je ne sais de quelle façon vous remercier ou vous récompenser. Il ne fait aucun doute que vous avez découvert et déjoué en tout point la tentative la plus audacieuse dont j'aie jamais entendu parler en fait de vol de banque.

– J'avais un ou deux petits comptes à régler avec M. John Clay, dit Holmes. J'ai engagé quelques dépenses dans l'affaire qui nous occupe et je compte que la banque me les remboursera, mais, en dehors de cela, je suis amplement payé par le fait que j'ai vécu ici une expérience unique à bien des points de vue et aussi parce que cela m'a valu de connaître l'histoire, fort remarquable, de l'Association des Hommes roux.

Conan Doyle, *L'Association des Hommes roux* [1891] dans *La Bande mouchetée*, trad. de l'anglais par Lucien Maricourt et Michel Le Houbie, Librio, «Policier», 2007.

Gaston Leroux, *Le Mystère de la chambre jaune*

Lecteur assidu d'Edgar Poe et de Conan Doyle, Gaston Leroux (1868-1927) fait paraître en 1907 *Le Mystère de la chambre jaune*. Au château du Glandier, on a tenté d'assassiner la jeune Mathilde Stangerson endormie dans la chambre jaune. Quelle est l'identité du meurtrier ? Et comment ce dernier a-t-il pu réussir à s'enfuir d'une chambre fermée de l'intérieur ? Chargé de l'enquête, le reporter-détective Rouletabille se rend sur le lieu du crime à la recherche d'indices...

Ainsi, à quatre pattes, il s'en fut aux quatre coins de la pièce, reniflant tout, faisant le tour de tout, de tout ce que nous voyions, ce qui était peu de chose, et de tout ce que nous ne voyions pas et qui était, paraît-il, immense.

La table-toilette était une simple tablette sur quatre pieds ; impossible de la transformer en une cachette passagère... Pas une armoire... Mlle Stangerson avait sa garde-robe au château.

Le nez, les mains de Rouletabille montaient le long des murs, *qui étaient partout de brique épaisse*. Quand il eut fini avec les murs et passé ses doigts agiles sur toute la surface du papier jaune, atteignant ainsi le plafond auquel il put toucher, en montant sur une chaise qu'il avait placée sur la table-toilette, et en faisant glisser autour de la pièce cet ingénieux escabeau[1]: quand il eut fini avec le plafond où il examina soigneusement la trace de l'autre balle, il s'approcha de la fenêtre et ce fut encore le tour des barreaux et celui des volets, tous bien solides et intacts. Enfin, il poussa un ouf! «de satisfaction» et déclara que, «maintenant, il était tranquille!»

«Eh bien, croyez-vous qu'elle était enfermée, la pauvre chère mademoiselle quand on nous l'assassinait! quand elle nous appelait à son secours!… gémit le père Jacques.

– Oui, fit le jeune reporter, en s'essuyant le front… la *Chambre Jaune était, ma foi, fermée comme un coffre-fort…*

– De fait, observai-je, voilà bien pourquoi ce mystère est le plus surprenant que je connaisse, *même dans le domaine de l'imagination.* Dans le *Double assassinat de la rue Morgue,* Edgar Poe n'a rien inventé de semblable[2]. Le lieu du crime était assez fermé pour ne pas laisser échapper un homme […].

Gaston Leroux, Le Mystère de la chambre jaune [1907],
Gallimard, «Folioplus classiques», 2003.

Georges Simenon, *Le Chien jaune*

En 1931, Georges Simenon (1903-1989) commence à écrire les aventures du commissaire Maigret. Le roman *Le Chien jaune* se passe à Concarneau où des faits troublants s'enchaînent et jettent en quelques jours l'émoi dans toute la ville. C'est d'abord la tentative d'assassinat dont a été victime M. Mostaguen; puis c'est au tour de Jean Servières, rédacteur au *Phare de Brest,* de disparaître. L'inspecteur Maigret enquête et se plonge dans la presse locale qui relate ces sombres événements.

Du chien jaune, le regard de Maigret passa à la porte qui s'ouvrait, au marchand de journaux qui entrait en coup de vent

---

1. **Escabeau** : petit escalier transportable.
2. Voir le premier extrait de ce groupement de textes, pp. 232-233.

et enfin à une manchette[1] en caractères gras qu'on pouvait lire de loin :

La peur règne à Concarneau

Des sous-titres disaient ensuite :

Un drame chaque jour
Disparition de notre collaborateur
Jean Servières
Des taches de sang dans sa voiture
À qui le tour ?

Maigret retint par la manche le gamin aux journaux.

– Tu en as vendu beaucoup ?

– Dix fois plus que les autres jours. Nous sommes trois à courir depuis la gare…

Relâché, le gosse reprit sa course le long du quai en criant :

– *Le Phare de Brest…* Numéro sensationnel…

Le commissaire n'avait pas eu le temps de commencer l'article qu'Emma annonçait :

– On vous demande au téléphone… […]

Maigret, sans broncher, raccrocha, rentra dans le café, s'assit et commença à lire. Michoux et Le Pommeret parcouraient des yeux un même journal posé sur le marbre de la table.

Notre excellent collaborateur Jean Servières a raconté ici même les événements dont Concarneau a été récemment le théâtre. C'était vendredi. Un honorable négociant[2] de la ville, M. Mostaguen, sortait de l'Hôtel de l'Amiral, s'arrêtait sur un seuil pour allumer un cigare et recevait dans le ventre une balle tirée à travers la boîte aux lettres de la maison, une maison inhabitée.

Samedi, le commissaire Maigret, récemment détaché de Paris[3] et placé à la tête de la Brigade Mobile de Rennes, arrivait sur les lieux, ce qui n'empêchait pas un nouveau drame de se produire.

---

1. Manchette : ici, titre en gros caractères en tête de la première page d'un journal.
2. Négociant : commerçant.
3. Détaché de Paris : nommé, muté hors de Paris.

Le soir, en effet, un coup de téléphone nous annonçait qu'au moment de prendre l'apéritif trois notables de la ville, MM. Le Pommeret, Jean Servières et le docteur Michoux, à qui s'étaient joints les enquêteurs, s'apercevaient que le pernod[1] qui leur était servi contenait une forte dose de strychnine[2].

Or, ce dimanche matin, l'auto de Jean Servières a été retrouvée près de la rivière Saint-Jacques sans son propriétaire qui, depuis samedi soir, n'a pas été vu.

Le siège avant est maculé de sang. Une glace est brisée et tout laisse supposer qu'il y a eu lutte.

Trois jours : trois drames ! On conçoit que la terreur commence à régner à Concarneau dont les habitants se demandent avec angoisse qui sera la nouvelle victime.

Le trouble est particulièrement jeté dans la population par la mystérieuse présence d'un chien jaune que nul ne connaît, qui semble n'avoir pas de maître et que l'on rencontre à chaque nouveau malheur.

Ce chien n'a-t-il pas déjà conduit la police vers une piste sérieuse ? Et ne recherche-t-on pas un individu qui n'a pas été identifié mais qui a laissé à divers endroits des traces curieuses, celles de pieds beaucoup plus grands que la moyenne ?

Un fou ?... Un rôdeur ?... Est-il l'auteur de tous ces méfaits ?... À qui va-t-il s'attaquer ce soir ?...

Sans doute rencontrera-t-il à qui parler, car les habitants effrayés prendront la précaution de s'armer et de tirer sur lui à la moindre alerte.

En attendant, ce dimanche, la ville est comme morte et l'atmosphère rappelle les villes du Nord quand, pendant la guerre, on annonçait un bombardement aérien.

---

1. **Pernod** : apéritif anisé.
2. **Strychnine** : poison.

Agatha Christie, *Dix petits nègres*

Dans *Dix petits nègres*, Agatha Christie (1891-1976) compose une intrigue habilement ficelée au suspense haletant. Au fil des années, ce roman deviendra un classique de la littérature policière. Sur l'île du Nègre, les dix invités d'un hôte absent meurent mystérieusement les uns après les autres jusqu'au dernier. Mais qui les a tués ? Au terme d'une enquête insoluble, la police de Scotland Yard reçoit la confession du meurtrier.

Depuis le début, je suis parti du principe que le mystère de l'île du Nègre resterait insoluble[1]. Mais, bien entendu, il se peut que la police se montre plus astucieuse que je ne le pense. Après tout, elle dispose de trois indices. Primo, elle sait parfaitement qu'Edward Seton était coupable. Par conséquent, elle sait que l'un des dix occupants de l'île n'était en aucune manière un assassin ; paradoxalement, il s'ensuit que c'est celui-là – en toute logique – qui doit être *le* meurtrier. Le second indice se trouve dans le septième couplet de la comptine. La mort d'Armstrong est associée à un « poisson d'avril » qui l'a gobé – ou, plus exactement, qu'il a gobé, lui. Autrement dit, à ce stade de l'affaire, il est clairement indiqué qu'il y a mystification[2]... qu'Armstrong a trouvé la mort en s'y laissant prendre. Voilà qui pourrait orienter l'enquête dans une direction prometteuse. Car il ne restait plus alors que quatre personnes sur l'île et, de ces quatre personnes, j'étais de toute évidence la seule susceptible d'inspirer confiance au médecin.

Le troisième indice est d'ordre symbolique : la marque que la mort aura laissée sur mon front. Le signe de Caïn[3].

Il ne me reste plus grand-chose à ajouter.

Après avoir confié à la mer ma bouteille et son message, je monterai dans ma chambre et je m'allongerai sur le lit. À mon lorgnon[4] est fixé ce qui a tout l'air d'un long cordon noir... – en réalité, c'est un élastique. De tout mon poids, je pèserai sur le

---

1. **Insoluble** : qu'on ne peut résoudre.
2. **Mystification** : tromperie, imposture.
3. **Caïn** : dans la Bible, fils aîné d'Adam et Ève qui tua son frère Abel par jalousie et fut condamné par Dieu à errer jusqu'à sa mort, marqué du « signe de Caïn ».
4. **Lorgnon** : paire de lunettes sans branches.

lorgnon. Quant au cordon, je le passerai autour de la poignée de la porte et, à son extrémité, j'attacherai – pas trop solidement – le revolver. Selon moi, voici ce qui se passera.

Ma main, protégée par un mouchoir, pressera sur la détente puis retombera à mon côté. Le revolver, tiré par l'élastique, ira heurter la poignée de la porte ; sous le choc, il se détachera du cordon et tombera sur le seuil. L'élastique coulissera autour de la poignée et, libéré, reviendra alors pendre innocemment au lorgnon sur lequel mon corps repose.

Agatha Christie, *Dix petits nègres* [1939], trad. de l'anglais
par Gérard de Chergé, Le Masque, 1994.

Raymond Chandler, *Playback*

Auteur de nombreux romans noirs, l'écrivain américain Raymond Chandler (1888-1959) rédige le scénario de *Playback* en 1947 pour les studios Universal. Le film ne fut jamais tourné à cause de restrictions budgétaires. Betty Mayfield est acquittée du meurtre de son mari. Menacée par son beau-père qui a juré d'avoir sa peau, elle décide de s'enfuir en compagnie de Larry Mitchell, rencontré à la frontière canadienne. En rentrant à l'hôtel de Vancouver, elle découvre Larry sur le balcon de sa chambre, une balle en plein cœur.

EFFET DE VOLET

114   INTÉRIEUR – UNE VOITURE DE POLICE EN MARCHE, PRISE VERS L'AVANT

La radio de la police est en train de diffuser un message.

VOIX À LA RADIO. – Police de Vancouver. Répétons. Bulletin 611 à toutes les radios. Alerte générale. Recherchée pour interrogatoire. Jeune femme. Américaine. Se présentant sous le nom de Betty Mayfield, auparavant Élisabeth Kinsolving, de Greenwater, Caroline du Nord. Taille, 1,64 m. Poids, 58 kilos. Blonde, mais couleur actuelle peut-être plus foncée. Yeux bleus. Mince. Pointure, 36. Allure douce et distinguée. Retenir toute personne répondant à ce signalement. Contacter immédiatement commissaire J. McKechnie, police de Vancouver.

COUPE

115   INTÉRIEUR DE LA CHAMBRE DE MITCHELL AU ROYAL HOTEL – PLAN RAPPROCHÉ

Un luxueux poste de radio, à côté duquel se tient Gore. Le message, commencé à la scène précédente, se poursuit sans interruption, cependant sur un son de voix légèrement différent, dû au fait qu'il s'agit d'un autre appareil.

VOIX À LA RADIO. – Demandons à toutes les villes et bourgades éloignées de retransmettre, ainsi qu'aux postes de gardes-côte. La personne suspecte pourrait essayer de franchir la frontière. Nous allons répéter ce bulletin.

Gore va fermer la radio. *Travelling arrière*[1] *pour arriver à un plan d'ensemble de la chambre de Mitchell.* Une chambre d'hôtel classique, d'un standing[2] moyen, mais avec un certain nombre d'objets et d'arrangements personnels tels que lampes, étagères chargées de livres, qui témoignent d'une occupation régulière. Gore se dirige vers le lit, où Killaine est en train d'inventorier le contenu d'une valise. Le dessus de lit est couvert de sous-vêtements, chemises, chaussettes, etc.

GORE. – Ça n'avait pourtant pas l'air d'être le genre à prendre la poudre d'escampette… même si elle en avait la possibilité. On a déjà tout retourné hier soir. Vous cherchez quelque chose de précis, inspecteur ?

KILLAINE. – Je vous le dirai quand j'aurai trouvé.

Raymond Chandler, *Playback* [1947],
trad. de l'américain par Philippe Bonnet, Ramsay, 1986.

---

1. Travelling arrière : mouvement arrière de la caméra.
2. Standing : niveau de confort.

Jean-Claude Izzo, *Total Khéops*

Premier opus de la trilogie marseillaise de Jean-Claude Izzo
(1945-2000), *Total Khéops* raconte les tribulations du narrateur Fabio
Montale, policier déclassé de la Brigade de surveillance des secteurs.
Au début du roman, Ugo revient chez Lole, dans le Vieux Quartier de
Marseille, où sévit la mafia. Venu venger son ami Manu mort trois mois
auparavant, Ugo se fait tuer à son tour. Arrivé sur les lieux du crime,
Fabio Montale se penche, impuissant, sur le corps sans vie de son
« vieux copain d'enfance ».

Je m'accroupis devant le cadavre de Pierre Ugolini. Ugo. Je
venais d'arriver sur les lieux. Trop tard. Mes collègues avaient
joué les cow-boys. Quand ils tiraient, ils tuaient. C'était aussi
simple. Des adeptes du général Custer[1]. Un bon Indien, c'est un
Indien mort. Et à Marseille, des Indiens, il n'y avait que ça, ou
presque.

Le dossier Ugolini avait atterri sur le mauvais bureau. Celui du
commissaire Auch. En quelques années, son équipe s'était taillé
une sale réputation, mais elle avait fait ses preuves. On savait
fermer les yeux sur ses dérapages, à l'occasion. La répression du
grand banditisme est à Marseille une priorité. La seconde, c'est
le maintien de l'ordre dans les quartiers nord. Les banlieues de
l'immigration. Les cités interdites. Ça, c'était mon job. Mais, moi,
je n'avais pas droit aux bavures.

Ugo, c'était un vieux copain d'enfance. Comme Manu. Un
ami. Même si Ugo et moi on ne s'était plus parlé depuis vingt
ans. Manu, Ugo, je trouvais que ça cartonnait dur sur mon passé.
J'avais voulu éviter ça. Mais je m'y étais mal pris.

Quand j'appris qu'Auch était chargé d'enquêter sur la présence
d'Ugo à Marseille, je mis un de mes indics[2] sur le coup. Franckie
Malabe. Je lui faisais confiance. Si Ugo venait à Marseille, il irait
chez Lole. C'était évident. Malgré le temps. Et Ugo, j'étais sûr
qu'il viendrait. Pour Manu. Pour Lole. L'amitié a ses règles, on

---

1. George Custer (1839-1876) : général américain célèbre pour ses faits de guerre
contre les Indiens.
2. Indics : abréviation d'« indicateurs », individus qui renseignent la police en
échange d'une rémunération.

n'y déroge pas[1]. Ugo, je l'attendais. Depuis trois mois. Parce que, pour moi aussi, la mort de Manu, on ne pouvait pas en rester là. Il fallait une explication. Il fallait un coupable. Et une justice. Je voulais rencontrer Ugo pour parler de ça. De la justice. Moi le flic et lui le hors-la-loi. Pour éviter les conneries. Pour le protéger d'Auch. Mais pour trouver Ugo, je devais retrouver Lole. Depuis la mort de Manu, j'avais perdu sa trace.

Jean-Claude Izzo, Total Khéops,
Gallimard, « Folio policier », 1995.

Fred Vargas, *Pars vite et reviens tard*

Fred Vargas (née en 1957) est l'une des grandes plumes de la littérature policière contemporaine. Dans son roman *Pars vite et reviens tard*, le lecteur retrouve l'une des figures récurrentes de l'univers de la romancière : le commissaire Jean-Baptiste Adamsberg. Tout juste affecté à l'antenne de la brigade criminelle du XIIIe arrondissement de Paris, Adamsberg médite ici sur sa condition de policier...

– Je me demande, dit le commissaire Adamsberg, si, à force d'être flic, je ne deviens pas flic.

– Vous l'avez déjà dit, observa Danglard qui organisait le rangement futur de son armoire métallique.

Danglard avait l'intention de démarrer d'une base nette, ainsi qu'il l'avait expliqué. Adamsberg, qui n'avait aucune sorte d'intention, avait étalé ses dossiers sur les chaises avoisinant sa table.

– Vous en pensez quoi ?

– Qu'après vingt-cinq ans de métier, ce serait peut-être une bonne chose.

Adamsberg enfonça ses mains dans ses poches et s'adossa au mur fraîchement repeint, considérant d'un regard vague les nouveaux lieux où il avait pris pied depuis moins d'un mois. Nouveaux locaux, nouvelle affectation, Brigade criminelle de

---

1. On n'y déroge pas : on n'y échappe pas, on n'enfreint pas les règles de l'amitié.

la préfecture de police de Paris, groupe homicide[1], antenne du XIIIe. Fin des cambriolages, des vols à l'arraché, voies de fait[2], types armés, types désarmés, à cran, pas à cran, et des kilos de papiers y afférents[3]. « Y afférent », il se l'était entendu dire deux fois ces derniers temps. À force d'être flic.

Non que les kilos de papier *y afférents* ne le suivraient pas ici comme ailleurs. Mais, ici comme ailleurs, il trouverait des types qui aimeraient le papier. Il avait découvert très jeune, en quittant les Pyrénées, que ces types existaient et il avait conçu pour eux un grand respect, un peu de tristesse et une formidable gratitude. Lui aimait essentiellement marcher, rêver et faire, et il savait que de nombreux collègues l'avaient considéré avec un peu de respect et beaucoup de tristesse. « Le papier, lui avait un jour expliqué un gars volubile[4], la rédaction, le procès-verbal, est à la naissance de toute Idée. Pas de papier, pas d'idée. Le verbe hisse l'idée comme l'humus[5] hisse le petit pois. Un acte sans papier, et c'est un petit pois de plus qui meurt dans le monde. »

Bien, il avait donc dû faire mourir des camions de petits pois depuis qu'il était flic. Mais il avait souvent senti émerger des pensées intrigantes à l'issue de ses déambulations. Pensées qui ressemblaient plus à des paquets d'algues qu'à des petits pois, sans doute, mais le végétal reste le végétal et l'idée reste l'idée, et nul ne vous demande une fois que vous l'avez énoncée si vous l'avez cueillie dans un champ labouré ou ramassée sur un bourbier[6].

Fred Vargas, *Pars vite et reviens tard*,
Éditions Viviane Hamy, 2001.

---

1. **Groupe homicide** : groupe spécialisé dans les enquêtes relatives à des meurtres.
2. **Voies de fait** : actes illicites.
3. **Y afférents** : relatifs à ces différents cas, s'y rapportant.
4. **Volubile** : qui parle beaucoup et rapidement.
5. **Humus** : matière résultant de la décomposition de végétaux (terreau).
6. **Bourbier** : lieu très boueux, dans lequel on s'enlise ; par extension, situation inextricable.

Écrire contre l'oubli

La Seconde Guerre mondiale

Anne Frank, *Journal*

Née le 12 juin 1929, Anne Frank a vécu cachée à Amsterdam avec sa famille à partir de juillet 1942 pour échapper aux persécutions nazies. Elle tient un journal intime du 12 juin 1942 au 1er août 1944, témoignage poignant sur le quotidien d'une adolescente juive durant la Seconde Guerre mondiale. Déportée à Auschwitz puis à Bergen-Belsen, Anne Frank meurt du typhus au début de l'année 1945.

Vendredi 9 octobre 1942.

Chère Kitty,

Aujourd'hui, je n'ai que des nouvelles sinistres et déprimantes à te donner. Nos nombreux amis juifs sont emmenés par groupes entiers. La Gestapo ne prend vraiment pas de gants avec ces gens, on les transporte à Westerbork, le grand camp pour juifs en Drenthe[1], dans des wagons à bestiaux.

Miep[2] nous a parlé de quelqu'un qui s'est échappé de Westerbork. Westerbork doit être épouvantable. On ne donne presque rien à manger aux gens, et encore moins à boire, car ils n'ont de l'eau qu'une heure par jour et un WC et un lavabo pour plusieurs milliers de personnes. Ils dorment tous ensemble, hommes, femmes et enfants ; les femmes et les enfants ont souvent la tête rasée. Il est presque impossible de fuir, les gens du camp sont tous marqués par leurs têtes rasées et pour beaucoup aussi par leur physique juif.

---

1. Drenthe : province du Nord-Est des Pays-Bas.
2. Miep Gies (née en 1909) : protectrice principale d'Anne Frank à l'Annexe, lieu d'Amsterdam où se cachait la famille Frank durant la Seconde Guerre mondiale.

S'il se passe déjà des choses aussi affreuses en Hollande, qu'est-ce qui les attend dans les régions lointaines et barbares où on les envoie ? Nous supposons que la plupart se font massacrer. La radio anglaise parle d'asphyxie par les gaz ; c'est peut-être la méthode d'élimination la plus rapide.

Je suis complètement bouleversée. Miep raconte toutes ces horreurs de façon si poignante, elle est elle-même très agitée. L'autre jour, par exemple, une vieille femme juive paralysée était assise devant sa porte, elle attendait la Gestapo qui était allée chercher une voiture pour la transporter. La pauvre vieille était terrifiée par le bruit des tirs qui visaient les avions anglais et les éclairs aveuglants des projecteurs. Pourtant Miep n'a pas osé la faire entrer, personne ne l'aurait fait. Ces messieurs les Allemands ne sont pas avares de punitions.

Bep[1] n'est pas très gaie non plus, son fiancé doit partir en Allemagne. Chaque fois que des avions survolent nos maisons, elle tremble que leur cargaison de bombes, qui va souvent jusqu'à un million de kilos, ne tombe sur la tête de Bertus. Des plaisanteries du genre : il n'en recevra sans doute pas un million et une bombe suffit, me paraissent un peu déplacées. Bertus est loin d'être le seul à partir, tous les jours des trains s'en vont, bondés de jeunes gens. Lorsqu'ils s'arrêtent à une gare sur le trajet, ils essaient parfois de se glisser hors du train et de se cacher ; un petit nombre d'entre eux y réussit peut-être. Je n'ai pas fini ma complainte. As-tu déjà entendu parler d'otages ? C'est leur dernière trouvaille en fait de punition pour les saboteurs. C'est la chose la plus atroce qu'on puisse imaginer. Des citoyens innocents et haut placés sont emprisonnés en attendant leur exécution. Si quelqu'un commet un acte de sabotage et que le coupable n'est pas retrouvé, la Gestapo aligne tout bonnement quatre ou cinq de ces otages contre un mur. Souvent, on annonce la mort de ces gens dans le journal. À la suite d'un « accident fatal », c'est ainsi qu'ils qualifient ce crime. Un peuple reluisant, ces Allemands, et dire que j'en fais partie ! Et puis non, il y a longtemps que Hitler a fait de nous des

---

1. Bep Voskuijl (1919-1983) : autre protectrice d'Anne Frank à l'Annexe.

apatrides[1], et d'ailleurs il n'y a pas de plus grande hostilité au monde qu'entre Allemands et juifs.

Bien à toi,

Anne.

Anne Frank, *Journal* [1947], trad. du néerlandais
par Philippe Noble et Isabelle Rosselin-Bobulesco, Calmann Lévy, 2001.

Primo Levi, *Si c'est un homme*

Primo Levi (1919-1987) est arrêté en février 1944 puis déporté à Auschwitz où il restera jusqu'en février 1945. Il se suicide en 1987, après avoir publié quarante ans auparavant *Si c'est un homme*, témoignage des conditions de vie des déportés durant la Seconde Guerre mondiale. Le début du livre revient sur l'ordre donné aux juifs de se préparer au départ pour un camp de la mort.

Le 21 au matin, on apprit que les juifs partiraient le lendemain. Tous sans exception. Même les enfants, même les vieux, même les malades. Destination inconnue. Ordre de se préparer pour un voyage de quinze jours. Pour tout juif manquant à l'appel, on en fusillerait dix.

Seule une minorité de naïfs et de dupes s'obstina à espérer : nous, nous avions eu de longues conversations avec les réfugiés polonais et croates, et nous savions ce que signifiait l'ordre de départ.

À l'égard des condamnés à mort, la tradition prévoit un cérémonial austère[2], qui marque bien que toute colère et toute passion sont désormais sans objet, et que l'accomplissement de la justice, n'étant qu'un triste devoir envers la société, peut admettre de la part du bourreau un sentiment de pitié envers la victime. Ainsi évite-t-on au condamné tout souci extérieur, il a droit à la solitude et, s'il le désire, à toute espèce de réconfort spirituel ;

---

1. Apatrides : personnes qui n'ont pas de patrie.
2. Austère : ici, sobre, dépouillé.

bref, on fait en sorte qu'il ne sente autour de lui ni haine ni arbi-traire[1], mais la nécessité et la justice, et le pardon dont s'accom-pagne la punition.

Mais nous, nous n'eûmes rien de tout cela, parce que nous étions trop nombreux, et que le temps pressait. Et puis, finale-ment, de quoi aurions-nous dû nous repentir ? Qu'avions-nous à nous faire pardonner ? Le commissaire italien prit donc des dispositions pour que tous les services continuent à fonctionner jusqu'à l'ordre de départ définitif ; les cuisines restèrent ouvertes, les corvées de nettoyage se succédèrent comme à l'accoutumée, et même les instituteurs et les professeurs de la petite école don-nèrent leur cours du soir, comme chaque jour. Mais ce soir-là les enfants n'eurent pas de devoirs à faire.

La nuit vint, et avec elle cette évidence : jamais être humain n'eût dû assister, ni survivre, à la vision de ce que fut cette nuit-là. Tous en eurent conscience : aucun des gardiens, ni italiens ni allemands, n'eut le courage de venir voir à quoi s'occupent les hommes quand ils savent qu'ils vont mourir.

Primo Levi, *Si c'est un homme* [1947], trad. de l'italien
par Martine Schruoffeneger, Julliard, 1987.

Fred Uhlman, *L'Ami retrouvé*

Peintre britannique d'origine allemande, Fred Uhlman (1901-1985) raconte dans *L'Ami retrouvé* l'histoire d'une amitié impossible entre deux adolescents allemands : le juif Hans Schwarz et le protestant Conrad Von Hohenfels dont les parents sont antisémites. Contraint de s'exiler en Amérique en 1932 pour échapper aux persécutions nazies, Hans Schwarz ne reverra plus jamais son meilleur ami. Trente ans plus tard, il reçoit la liste des anciens élèves de son lycée morts pendant la Seconde Guerre mondiale.

Je continuai à parcourir toute la liste, sauf les noms commen-çant par « H », et, quand j'eus fini, je vis que vingt-six garçons de

---

1. Arbitraire : autorité qui n'a d'autre fondement que la fantaisie de celui qui l'exerce, souvent aux dépens de la justice et de la raison.

ma classe, sur quarante-six, étaient morts pour « das 1000-jährige Reich[1] ».

Je reposai la liste… et attendis.

J'attendis dix minutes, une demi-heure, sans quitter du regard ces pages imprimées qui émanaient de l'enfer de mon passé antédiluvien[2] et avaient fait irruption pour me troubler l'esprit et me rappeler quelque chose que je m'étais tant efforcé d'oublier.

Je travaillai un peu, donnai quelques coups de téléphone et dictai quelques lettres. Et je ne pouvais encore ni délaisser cet appel, ni me forcer à chercher le nom qui m'obsédait.

Je décidai finalement de détruire cette chose atroce. Avais-je vraiment envie ou besoin de savoir ? S'il était mort ou vivant, quelle différence cela ferait-il pour moi, puisque, de toute façon, je ne le reverrais jamais ?

Mais en étais-je bien certain ? Était-il absolument hors de question que la porte pût s'ouvrir pour lui laisser passage ? Et n'étais-je pas, en cet instant même, en train de prêter l'oreille pour entendre son pas ?

Je saisis le fascicule et j'étais sur le point de le mettre en pièces lorsque, au dernier moment, je retins ma main. M'armant de courage, tremblant, je l'ouvris à la lettre « H » et lus :

« VON HOHENFELS, Conrad, impliqué dans le complot contre Hitler. *Exécuté.* »

Fred Uhlman, *L'Ami retrouvé* [1971], trad. de l'anglais
par Léo Lack, Gallimard, « Folio », 1983.

Joseph Joffo, *Un sac de billes*

Dans ce roman autobiographique, Joseph Joffo (né en 1931) évoque ses souvenirs d'enfance sous l'Occupation allemande à Paris. Joseph et son frère Maurice doivent porter à leur veste une étoile jaune pour la première fois de leur vie. Ils subissent alors les vexations et les moqueries de leurs camarades d'école.

---

1. Das 1000-jährige Reich : le Reich de mille ans, en allemand ; allusion au IIIe Reich (1933-1945) instauré par Adolf Hitler et destiné à durer un millénaire.
2. Antédiluvien : qui a précédé le Déluge ; par extension, très ancien.

Mais qu'est-ce qui vient d'arriver ? J'étais un gosse, moi, avec des billes, des taloches[1], des cavalcades[2], des jouets, des leçons à apprendre, papa était coiffeur, mes frères aussi, maman faisait la cuisine, le dimanche papa nous emmenait à Longchamp[3] voir les canassons[4] et prendre l'air, la semaine en classe et voilà tout, et tout d'un coup on me colle quelques centimètres carrés de tissu et je deviens juif.

Juif. Qu'est-ce que ça veut dire d'abord ? C'est quoi, un Juif ?

Je sens la colère qui vient doublée de la rage de ne pas comprendre.

Le cercle s'est resserré.

– T'as vu son tarin[5] ?

Rue Marcadet il y avait une affiche au-dessus du marchand de chaussures, juste à l'angle, une très grande affiche en couleur. Dessus, on voyait une araignée qui rampait sur le globe terrestre, une grosse mygale velue avec une tête d'homme, une sale gueule avec des yeux fendus, des oreilles en chou-fleur, une bouche lippue[6] et un nez terrible en lame de cimeterre[7]. En bas c'était écrit quelque chose du genre : «Le Juif cherchant à posséder le monde». On passait souvent devant avec Maurice. Ça nous faisait ni chaud ni froid, c'était pas nous ce monstre ! On n'était pas des araignées et on n'avait pas une tête pareille, Dieu merci ; j'étais blondinet, moi, avec les yeux bleus et un pif comme tout le monde. Alors c'était simple : le Juif c'était pas moi.

Et voilà que tout d'un coup, cet abruti me disait que j'avais un tarin comme sur l'affiche ! Tout ça parce que j'avais une étoile.

– Qu'est-ce qu'il a mon tarin ? C'est pas le même qu'hier ?

Il a rien trouvé à répondre le grand dadais, je voyais qu'il cherchait la réplique lorsque ça a sonné.

Avant de me mettre en rang j'ai vu Maurice à l'autre bout de la cour, il y avait une dizaine d'élèves après lui et ça avait l'air de

---

1. Taloches : petites tapes données sur la tête ou le visage (familier).
2. Cavalcades : courses agitées et bruyantes.
3. Longchamp : hippodrome situé dans le bois de Boulogne, à Paris.
4. Canassons : chevaux.
5. Tarin : nez (familier).
6. Lippue : qui a de grosses lèvres.
7. Cimeterre : sabre oriental.

discuter dur, quand il est allé se ranger derrière les autres, il avait sa tête des mauvais jours. J'ai eu l'impression qu'il était temps que ça sonne parce que la bagarre n'aurait pas tardé.

Joseph Joffo, *Un sac de billes*,
Éditions Jean-CLaude Lattès, 1973.

Georges Perec, *W ou le Souvenir d'enfance*

Georges Perec (1936-1982) publie *W ou le Souvenir d'enfance* en 1975. Dans ce livre, Perec, qui revient sur ses années d'enfance et la mort de ses parents, fait alterner deux types de textes : un récit fictif et une autobiographie. L'extrait suivant, de nature autobiographique, se situe au début de *W* et permet à l'auteur de préciser son projet d'écriture.

Je n'ai pas de souvenirs d'enfance. Jusqu'à ma douzième année à peu près, mon histoire tient en quelques lignes : j'ai perdu mon père à quatre ans, ma mère à six ; j'ai passé la guerre dans diverses pensions de Villard-de-Lans. En 1945, la sœur de mon père et son mari m'adoptèrent.

Cette absence d'histoire m'a longtemps rassuré : sa sécheresse objective, son évidence apparente, son innocence, me protégeaient, mais de quoi me protégeaient-elles, sinon précisément de mon histoire, de mon histoire vécue, de mon histoire réelle, de mon histoire à moi qui, on peut le supposer, n'était ni sèche, ni objective, ni apparemment évidente, ni évidemment innocente ?

« Je n'ai pas de souvenirs d'enfance » : je posais cette affirmation avec assurance, avec presque une sorte de défi. L'on n'avait pas à m'interroger sur cette question. Elle n'était pas inscrite à mon programme. J'en étais dispensé : une autre histoire, la Grande, l'Histoire avec sa grande hache, avait déjà répondu à ma place : la guerre, les camps.

À treize ans, j'inventai, racontai et dessinai une histoire. Plus tard, je l'oubliai. Il y a sept ans, un soir, à Venise, je me souvins tout à coup que cette histoire s'appelait « W » et qu'elle était, d'une certaine façon, sinon l'histoire, du moins une histoire de mon enfance.

En dehors du titre brusquement restitué, je n'avais pratiquement aucun souvenir de W. Tout ce que j'en savais tient en moins de deux lignes : la vie d'une société exclusivement préoccupée de sport, sur un îlot de la Terre de Feu.

Une fois de plus, les pièges de l'écriture se mirent en place. Une fois de plus, je fus comme un enfant qui joue à cache-cache et qui ne sait pas ce qu'il craint ou désire le plus : rester caché, être découvert.

Je retrouvai plus tard quelques-uns des dessins que j'avais faits vers treize ans. Grâce à eux, je réinventai W et l'écrivis, le publiant au fur et à mesure, en feuilleton, dans *La Quinzaine littéraire*[1], entre septembre 1969 et août 1970.

Aujourd'hui, quatre ans plus tard, j'entreprends de mettre un terme – je veux tout autant dire par là «tracer les limites» que «donner un nom» – à ce lent déchiffrement. W ne ressemble pas plus à mon fantasme olympique que ce fantasme olympique ne ressemblait à mon enfance. Mais dans le réseau qu'ils tissent comme dans la lecture que j'en fais, je sais que se trouve inscrit et décrit le chemin que j'ai parcouru, le cheminement de mon histoire et l'histoire de mon cheminement.

Georges Perec, *W ou le Souvenir d'enfance* [1975],
Éditions Denoël, 1975.

La guerre d'Algérie

Virginie Buisson, *L'Algérie ou la Mort des autres*

Virginie Buisson, née en France en 1944, a vécu en Algérie et retrace dans ce court roman l'itinéraire d'une adolescente de onze ans qui doit quitter la Lorraine pour rejoindre l'Algérie où son père a été muté. Et si au dépaysement enchanteur succède bien vite l'horreur de la guerre, la narratrice parvient toutefois à isoler quelques instants de paix au sein

---

1. *La Quinzaine littéraire* : revue littéraire française fondée en 1966.

du chaos. De cette époque troublée, elle retient notamment la fraîcheur de ses premières amours.

Après le 13 mai, nous nous sommes installés dans une drôle de paix, les militaires étaient encore là.

Des ralliés arrivaient, l'armée les incorporait ; ils restaient quelquefois, mais il arrivait aussi qu'ils partent avec des armes. Pendant plusieurs semaines, nous avons vu des soldats en uniforme vert foncé, béret noir de parachutiste, poignard à la ceinture. On les appelait « les Bélounistes ». Un jour, ils ont disparu. Le couvre-feu était repoussé, mais pas levé, la route de Tablat de nouveau fermée.

Il n'y avait plus d'opérations.

Maman soignait tous ceux qui se présentaient, avec la pharmacie familiale, devant la porte de la caserne.

Elle fut récupérée par l'armée qui l'installa dans une SAS[1].

C'était l'époque de la pacification. Elle continuait à faire des accouchements dans les douars[2], mais le taxi ne venait plus la chercher ; l'armée lui donna une jeep et un chauffeur. Elle refusa qu'il soit armé.

Tous les jeudis, elle faisait des cours de puériculture dans l'école. Elle avait réussi à faire sortir une vingtaine de femmes.

Le cinéma aux armées passait des documentaires sur les châteaux de la Loire.

Après les séances, je distribuais de la poudre de lait de la Croix-Rouge américaine.

Pendant la semaine, ma mère tenait une permanence à l'infirmerie du 27e Dragons[3].

---

1. SAS : section administrative spécialisée chargée de promouvoir l'« Algérie française », notamment par l'apport d'une assistance scolaire, sociale et médicale auprès des populations rurales locales.
2. Douars : au Maghreb, divisions administratives rurales.
3. Dragons : régiments de blindés.

J'ai vu la ferme des Gilles. C'était au moment où de Gaulle faisait sa tournée des états-majors.

La ferme avait été choisie comme PC[1] d'une opération.

J'étais partie le matin avec ma mère, Jean-Pierre et Patrick.

Nous avons installé l'infirmerie dans la grange.

De Gaulle est arrivé en hélicoptère.

Maman était invitée au repas sous la tente avec le général De Maison Rouge.

J'ai préféré rester avec les soldats.

Nous avons partagé des rations ; ils m'ont donné leurs pâtes de fruit, je leur ai laissé l'eau-de-vie.

Puis nous sommes allés ramasser des raisins dans nos casques.

À l'heure de la sieste, nous avons rejoint le lit[2] de l'oued[3]… il restait un peu d'eau, nous avons dérangé les lézards.

C'est là que j'ai rencontré Daniel.

Il était de garde.

Je lui ai offert des raisins.

J'ai attendu avec lui l'heure de la relève.

Il a lâché son fusil pour un harmonica.

Il m'a emmenée sous les lauriers roses.

J'avais un chemisier en nylon transparent et mon premier soutien-gorge.

Mon père était en opération, j'avais évité la blouse réglementaire.

Daniel me regardait.

Je compris ce qu'était le désir.

Il m'a demandé mon âge.

Je lui ai menti en lui répondant 17 ans.

J'en avais à peine 14.

Il m'a embrassée gentiment.

Pacification.

Virginie Buisson, L'Algérie ou la Mort des autres,
Éditions La pensée sauvage, 1978.

---

1. **PC** : poste de contrôle.
2. **Lit** : creux du sol dans lequel s'écoule un cours d'eau.
3. **Oued** : rivière, en Afrique du Nord.

Leïla Sebbar, *La Seine était rouge, Paris, octobre 1961*

Leïla Sebbar est née en 1941 à Aflou en Algérie d'un père algérien et d'une mère française. Elle publie en 1999 *La Seine était rouge, Paris, octobre 1961*, roman qui évoque la manifestation parisienne du 17 octobre 1961. Pour briser le silence sur ce rassemblement tragique, Amel et Louis décident de recueillir différents témoignages : parmi eux, celui d'un Algérien qui fut jeté dans la Seine comme tant d'autres cette nuit-là.

Octobre 1961
L'Algérien sauvé des eaux

Extérieur nuit

C'était le 17 octobre 1961. Il pleuvait.

J'ai pensé que j'allais mourir, je buvais l'eau de la Seine, j'étais lourd, lourd. J'ai fait la prière. Je l'avais oubliée, avec le travail on a plus le temps, on va au café, on boit un peu, les tournées, ça fait boire. J'ai pas trop bu, mais j'ai bu et c'est défendu chez nous, les musulmans. J'ai bu et la prière... Ce soir-là, la pluie, les coups, l'eau froide, elle sentait mauvais la Seine... La prière est revenue. J'ai prié, prié... et j'ai été sauvé. Sinon, je me noyais, comme d'autres. On a retrouvé des corps charriés[1] par la Seine. Sûrement la Seine était rouge ce jour-là, de nuit on voyait pas. On a repêché des Algériens, ils avaient les mains liées dans le dos et les pieds attachés... Pour faire ça, il a fallu du temps. Je comprends pas. On les a enlevés, on les a ligotés et après des coups à la tête on les a jetés dans la Seine ? Ou avec trois balles ?

La Seine les a rejetés. Même la Seine, elle en voulait pas des Algériens. Combien ? On saura peut-être un jour. Et ceux qu'on a retrouvés, pendus dans les bois, près de Paris... Il paraît. Et ceux qui ont été tués pendant la manifestation pacifique ? Je sais qu'elle était pacifique. Pas de couteaux, pas de bâtons, pas d'armes, c'était la consigne de la Fédération de France[2]. Je le sais. Manifester en famille avec femmes et enfants, même les vieilles et

---

1. Charriés : emportés, entraînés.
2. Fédération de France : association des Algériens de France qui organisa la manifestation pacifique du 17 octobre 1961.

elles criaient, elles chantaient l'hymne national… Elles frappaient dans leurs mains. Les hommes se sont pas défendus, ils ont pas riposté. Ils ont obéi aux consignes du FLN.

Et moi, je me suis retrouvé isolé, je sais pas comment, avec deux flics et un « calot bleu », ils avaient des matraques et des nerfs de bœuf[1]. Je me suis évanoui sous les coups, c'est l'eau froide qui m'a réveillé. Je sais pas nager. Je viens de la montagne. Je suis venu ici tout petit, mais quand même, j'aime pas la mer, j'aime pas l'eau. Je priais tellement que j'ai pas vu des compatriotes s'approcher de la Seine, pour moi. Ils m'ont sauvé. Un Français m'a emmené au dispensaire. J'ai raconté. Je sais pas si le médecin m'a cru. Je voudrais qu'il témoigne, si un jour…

J'étais bien habillé, ce jour-là. Cravate et tout.

Leïla Sebbar, *La Seine était rouge*, Paris, octobre 1961,
Actes Sud, 1999.

Pierre Davy, *Oran 62, la rupture*

Engagé à 23 ans comme sous-lieutenant de réserve à Oran durant la guerre d'Algérie, Pierre Davy, dans *Oran 62, la rupture*, met en scène un adolescent de onze ans, Christophe, dont la mère est absente depuis longtemps déjà et dont la grand-mère vient d'être hospitalisée. Sa tante Lalie l'envoie alors rejoindre son père, marin à Oran. L'extrait suivant se déroule sur le bateau, peu avant le débarquement en terre algérienne, au moment où s'engage entre le jeune garçon et Yvon, un homme d'équipage, une ultime conversation, révélatrice de bien des appréhensions de l'enfant face à ce qui l'attend.

Christophe regardait défiler devant lui la côte d'Algérie, déjà très proche. Lui qui avait toujours vécu dans la verdure bretonne, il s'étonnait de cette maigre végétation poussiéreuse qui semblait souffrir sur une terre ocre et sèche. Le soleil levant soulignait d'ombre chaque ride, chaque cicatrice du sol. Plus loin, dans le fond de la baie, sous un piton plus élevé que les autres, il distingua une tache blanche, indécise : Oran ! Il en éprouva une

---

1. **Nerfs de bœuf** : cravaches.

émotion nouvelle pour lui : cette sorte de joie mêlée d'angoisse que procure l'entrée dans l'inconnu.

Le second[1] s'arrêta à son côté. Il avait dû voir ce spectacle des centaines de fois, et cependant, lui aussi semblait fasciné. Christophe lui donna un léger coup de coude.

– Yvon. Quand on fait la guerre, il y a forcément un ennemi...

– Forcément.

– En Algérie, en ce moment, qui c'est l'ennemi ?

– Bonne question, moussaillon[2]. Écoute : il était une fois une belle colonie, l'Algérie. Pendant plus d'un siècle, de braves colons français ont beaucoup souffert pour la mettre en valeur et la faire prospérer. Ils ont aussi beaucoup fait travailler ceux qui étaient là avant eux...

– Les Arabes ?

– Exact. Tout n'allait pas toujours très bien entre les uns et les autres. Puis, il y a quelques années, c'est devenu très sérieux. Certains Arabes ont tout bonnement décidé qu'ils en avaient assez, qu'ils voulaient être Algériens, libres et indépendants. Ils se révoltent, prennent les armes, commettent des attentats et, bientôt, deviennent une véritable armée. Qui est l'ennemi ?

– Les Arabes, les fellagas[3] du moins.

– Bien. Pendant sept ans, l'Armée française se bat contre ces fellagas. Le général de Gaulle arrive au pouvoir en France et comprend que cette guerre ne finira jamais, même si on croit l'avoir gagnée. Alors, on commence à discuter avec les rebelles, le FLN.

– À Évian.

– Tu en sais des choses ! Donc, on discute. Mais les Français d'Algérie, les anciens colons, ceux qu'on appelle les pieds-noirs, sont catastrophés. Que vont-ils devenir dans une Algérie indépendante, alors que, jusqu'à maintenant, ils étaient les maîtres ? Beaucoup refusent cette idée, et ils créent une armée secrète qu'ils appellent l'OAS[4]. Ils commettent à leur tour des attentats contre

---

1. **Le second** : ici, le second capitaine.
2. **Moussaillon** : petit mousse, jeune marin.
3. **Fellagas** : partisans algériens luttant contre l'armée française pour obtenir l'indépendance de leur pays.
4. **OAS** : Organisation armée secrète. Mouvement clandestin et terroriste qui tenta de s'opposer par la violence à l'indépendance de l'Algérie.

ceux qui veulent ou qui acceptent l'indépendance de l'Algérie. Qui est l'ennemi, cette fois?

– Les pieds-noirs. Enfin, ceux de l'OAS.

– Si tu ajoutes à cela le fait que quelques militaires, comme le général Salan, se mettent de leur côté, tu comprendras que ce ne soit pas très simple.

Christophe réfléchit un instant et déclara:

– En fait, c'est comme s'il y avait une guerre dans la guerre…

– On peut dire les choses comme ça.

Pierre Davy, *Oran 62, la rupture*,
Nathan/VUEF, 2002.

Michel Le Bourhis, *Les Yeux de Moktar*

Dans *Les Yeux de Moktar*, Michel Le Bourhis (né en France en 1965), raconte l'histoire d'Adrien qui, tombé amoureux de Souad, est amené à rencontrer Moktar, son grand-père algérien arrivé en France au milieu des années 1950. Entre l'enfant et le vieillard s'instaure peu à peu une relation de confiance: Moktar se confie à Adrien au point de lui décrire avec précision ce jour d'octobre 1961 qui l'a privé de l'usage de ses yeux.

Mille questions brûlaient les lèvres d'Adrien. Une manifestation… Il savait depuis peu qu'une grande manifestation s'était déroulée dans Paris, la nuit du 17 octobre 1961. Elle avait réuni des milliers d'Algériens qui entendaient protester contre le couvre-feu instauré par le préfet de police Maurice Papon, une dizaine de jours auparavant. Les Algériens, plus exactement les «Français musulmans d'Algérie» (l'Algérie ne deviendrait indépendante que l'année suivante), se voyaient interdire toute circulation dans les rues de Paris et de la banlieue entre vingt heures trente et cinq heures trente du matin.

D'après ce qu'il avait lu, la manifestation avait été sauvagement réprimée, des corps avaient même été repêchés dans la Seine, les jours suivants. Certains avaient les mains liées dans le dos. Pour autant, le bilan officiel faisait état de trois victimes et de dizaines de blessés, même si diverses sources récentes, des historiens, des journalistes, avançaient celui plus probable de deux cents morts et disparus.

Adrien se tait, attentif aux lèvres de Moktar qu'il voit trembler légèrement. Il sent la main de Souad se presser dans la sienne, quand le vieil homme ouvre à nouveau la bouche :

– Il pleuvait… Une petite pluie fine qui s'accrochait partout. Parfois, ça se calmait pendant quelque temps puis ça se remettait à tomber de plus belle… Quand on a quitté les baraquements, vers sept heures du soir, je me souviens que j'ai regardé le ciel, pour voir si les nuages étaient chargés. Il ne faisait pas très froid, mais j'ai dit à Brahim et à tous les voisins de se couvrir, de prendre des manteaux. Certains de mes frères ne m'ont pas écouté, ils voulaient que les Français les voient bien habillés, qu'ils voient leur cravate et leur chemise blanche, leur gilet boutonné… Cette élégance, on la retrouvait chez les femmes, aussi. Elles avaient enfilé leurs plus belles tuniques, leurs plus belles robes, certaines n'hésitant pas à choisir les chaussures les plus fines, malgré les kilomètres qui les attendaient… Elles avaient cru qu'on prendrait l'autobus, mais on n'a pas pris l'autobus… On a marché dans la nuit vers le pont de Neuilly, un des points de rassemblement de la manifestation… Pour les encourager, on disait qu'on prendrait l'autobus plus tard, quand on rejoindrait la place de l'Étoile… Combien étions-nous, partis de Nanterre ? Cinq cents, mille ? Je ne sais pas… On a très vite croisé d'autres frères, venus de Colombes, de Courbevoie… Le cortège s'enflait rapidement, on se sentait forts, sûrs de nous… Parfois, dans les rangs, j'entendais des rires, des youyous[1], des slogans. On criait « Vive l'Algérie ! » Les hommes fumaient des cigarettes, les femmes parlaient entre elles, se relayaient pour porter les enfants… On a marché une heure dans les rues, jusqu'au pont de Neuilly. Tout semblait tranquille, normal. On croisait des militants du FLN qui s'occupaient de la circulation, ils agitaient des lampes rouges et bloquaient les véhicules pour laisser passer les manifestants. Oui, tout se passait bien… On savait qu'on serait nombreux dans les rues de Paris ce soir-là, pour refuser le couvre-feu. Des cortèges étaient

---

1. Youyous : cris poussés par les femmes arabes à l'occasion de certaines cérémonies ou manifestations.

prévus sur les grands boulevards, quartier Saint-Michel, place de l'Étoile… Nombreux, mais sans la moindre arme sur nous… Les consignes dictées par le FLN avaient été strictes : la manifestation serait pacifiste, et on avait interdit jusqu'au plus petit canif dans les poches… (Un temps.) Un canif… Qu'est-ce qu'on aurait pu faire, de toute façon, avec un canif, face aux pistolets et aux matraques des policiers ?

Michel Le Bourhis, *Les Yeux de Moktar*,
Syros/VUEF, 2003.

Autour de l'œuvre

Interview de Didier Daeninckx

▶▶ *Comment et quand avez-vous commencé à écrire ?*

J'ai commencé à écrire en 1977. Mon premier roman s'appelait *Mort au premier tour*, j'avais 28-29 ans. Je l'ai écrit pendant une période de chômage. J'étais ouvrier imprimeur depuis 1966, j'avais commencé à travailler assez tôt, à environ dix-sept ans. En 1977, c'est-à-dire onze ans après avoir commencé, ce fut la crise de l'imprimerie. Les imprimeries fermaient les unes après les autres et je me suis retrouvé plusieurs fois au chômage, dont une fois assez longuement, en 1977. J'ai donc eu du temps devant moi, que j'ai décidé d'utiliser pour écrire.

Didier Daeninckx
(né en 1949)

J'ai cherché à savoir pourquoi m'était venue cette envie d'écrire. Je crois que la raison profonde c'est que lors de ma dernière année de travail en tant qu'ouvrier imprimeur, j'ai imprimé pendant un an à des centaines de milliers d'exemplaires le même formulaire de réparation des voitures Renault. J'étais alors dans la position de Charlot dans le film *Les Temps modernes*, qui fait un travail répétitif dépourvu de sens. D'un seul coup, il n'y avait plus du tout de créativité dans mon travail alors que, jusque-là, le métier d'ouvrier imprimeur s'était révélé vraiment passionnant. Il me semble que, quand je me suis retrouvé au chômage, j'ai écrit un roman pour affirmer que je n'étais pas réductible à un morceau de machine à produire du papier publicitaire. Dans ce besoin d'écrire, il n'y avait pas de vocation d'écrivain, ni de volonté de laisser une trace, ni enfin tout ce que l'on peut entendre ou lire sur le pourquoi on écrit : en ce qui me concerne, c'était simplement pour échapper au néant qu'était devenu mon travail d'imprimeur.

▶▶ *Pourquoi avoir choisi, au départ, d'écrire des romans noirs ?*

Parce que quand j'étais gamin, puis adolescent, j'étais passionné par les romans d'aventure, par Jack London, Zola et Roger Martin du Gard. Je me souviens des lectures gourmandes que j'ai faites pendant des années et des années, notamment avec les Conan Doyle ; j'ai lu absolument toute la série des Sherlock Holmes, et je dois dire que je me suis senti orphelin lorsque j'ai fini le dernier. J'ai retrouvé cette soif de lecture quand j'ai découvert la « Série noire » et les auteurs américains comme Chester Himes ou Jim Thompson. Ce fut, pour moi, la révélation de l'Amérique, en ce début des années 60, la découverte des villes et du mode de vie américains, c'était vraiment passionnant. Quand j'ai commencé à écrire, j'étais encore plongé dans ces lectures-là ; mais je venais de découvrir Jean-Patrick Manchette et les premiers bouquins de Jean Vautrin. Je me disais alors qu'il y avait des gens qui, tout en traitant de la réalité française, avaient trouvé le moyen d'écrire des choses aussi fortes que celles qu'écrivaient les Américains.

Ainsi, mon ambition, quand j'ai commencé à écrire, c'était de trouver une manière de renouer avec l'histoire littéraire française du roman-feuilleton et du roman réaliste, et donc de retrouver cette force du regard sur notre réalité nationale, tout en tenant compte de la modernisation extraordinaire du roman qu'avaient accompli les romanciers américains comme Hammett, Chandler, Steinbeck, ou Hemingway. Autrement dit, je voulais arriver à faire la liaison entre la littérature qui porte un regard d'acuité sur une société (représentée par tout un tas d'écrivains réalistes français), et puis la vivacité de la langue et de la structure et le modernisme extraordinaire qu'avaient apportés les écrivains américains.

▶▶ *Qu'est ce qui vous a amené à écrire* **Meurtres pour mémoire** *?*

C'est pour une part le fruit du hasard : en février 1962, il y a eu un attentat contre le domicile du ministre de la Culture du général de Gaulle,

André Malraux. Une grenade a été jetée et une gamine, Delphine Renard, a été aveuglée par le souffle de la grenade et défigurée. Une manifestation a eu lieu après cet accident, à Charonne, qui a fait huit morts. Parmi eux se trouvait une de mes voisines, Suzanne Martorell. Une autre voisine, Mme Renaudat, a été battue par la police lors de cette manifestation au point qu'elle n'a plus jamais bougé ni prononcé une parole ; elle est morte des suites de cette manifestation vingt ans après.

Cet événement m'a donc fort choqué ; j'étais enfant, et c'était la première fois que je rencontrais la mort, ici, à travers le destin tragique de cette voisine tuée à Charonne par la police du préfet Maurice Papon. Donc le thème de la mort est, pour moi, complètement lié à la notion d'individu d'une part et à celle de force policière de l'État d'autre part.

J'ai toujours voulu écrire sur Charonne, sur ces gens ordinaires qui sont descendus dans les rues de Paris au nom de la solidarité, pour rendre hommage à une gamine de sept ans et demander la paix et auxquels on a répondu par une brutalité inouïe, en faisant tuer par la police des gens désarmés.

Et puis, en commençant à écrire sur Charonne, je me suis aperçu que six mois auparavant, c'est-à-dire en octobre 1961, il y avait eu une autre manifestation, d'Algériens cette fois, où la répression avait été dix fois, voire vingt fois plus forte encore que celle de février 1962. Et donc le sujet du livre s'est décentré : il n'a plus été question de Charonne mais du 17 octobre 1961.

▶▶ *En 1984, lors de la publication de votre roman, cette manifestation et la répression dont elle a été l'objet n'étaient pas connues. Comment en avez-vous eu connaissance ?*

Je suis allé à la Bibliothèque nationale et j'ai dépouillé la presse de l'époque. Il y avait quelques informations datant de 1961 sur le 17 octobre. J'ai lu les pages des faits divers qui racontaient qu'on retrouvait des dizaines de cadavres dans la Seine, dans les écluses, au Havre, à Rouen, et encore un peu partout, comme ça, pendant des mois. Et puis, j'ai rencontré des témoins et j'ai consulté la presse clandestine. Un jour, un Algérien m'a donné un document extraordinaire, des photocopies de lettres : le FLN, après la manifestation, avait demandé aux survivants d'écrire tout ce qu'ils avaient vu. Il y avait là deux cents lettres poignantes qui ont été les principales sources d'émotion et de vérité de *Meurtres pour mémoire*. De plus, même s'il n'y avait pas eu de travail historique sur le 17 octobre 1961, de petites choses existaient de façon dispersée : un article dans *Les Temps modernes*, d'autres dans *L'Express*, des articles de Françoise Giroud, de Marguerite Duras et également de Jean Cau.

▶▶ *On vous présente encore souvent comme l'auteur de* **Meurtres pour mémoire**, *alors que c'est votre deuxième roman et que vous en avez publié d'autres depuis. Comment expliquez-vous l'importance particulière que l'on accorde à ce roman ? Cela vous semble-t-il justifié ?*

Avec *Meurtres pour mémoire*, le roman fait œuvre de travail de mémoire. Il fait aussi œuvre de travail politique, même si celui-ci s'effectue par le biais romanesque de personnages fictifs. Ce qui est curieux, c'est que le roman est décrypté ; ce n'est pourtant pas un roman à clés, il n'est pas du tout écrit de cette façon-là, mais on a l'impression que d'un seul coup les lecteurs s'aperçoivent de quoi on y parle. De plus, ce qui est intéressant, c'est que j'ai écrit ce roman en 1983, alors qu'il faut attendre octobre 1998, c'est-à-dire quinze ans, pour que le principal personnage du roman soit jugé pour ses attitudes... Cela pose une question essentielle pour moi : comment quelqu'un qui a démarré de cette manière dans la vie publique, en 1942, peut-il continuer sa carrière, traverser toutes les époques et avoir tous les honneurs jusqu'à la fin de sa vie alors que, logiquement, il aurait dû être mis au ban de la société dès le lendemain de la Libération ? Comment une démocratie arrive-t-elle à conforter ainsi ses pires ennemis ? Cela pose le problème de la responsabilité des citoyens et moi, en tant que citoyen, j'ai répondu à cette question en écrivant ce livre. Quand les gens me parlent de *Meurtres pour mémoire*, je me dis que le 17 octobre 1961 est une date qui est dorénavant connue de nous tous, et sur laquelle on a tous à réfléchir. Pour ma part, je suis fier d'en avoir été partie prenante.

Contexte historique

Dans *Meurtres pour mémoire*, l'Histoire joue un rôle fondamental : l'intrigue policière est intimement liée à deux événements majeurs de l'histoire française du xxe siècle, la Seconde Guerre mondiale (1939-1945) et la guerre d'Algérie (1954-1962). Au-delà de l'enquête policière, on peut ainsi lire en creux une dénonciation politique et historique des moments les plus sombres de ces deux périodes.

La Seconde Guerre mondiale et le génocide juif

En envahissant la Pologne le 1er septembre 1939, Adolf Hitler déclenche la Seconde Guerre mondiale. Deux jours plus tard, le 3 septembre 1939, la France et le Royaume-Uni déclarent la guerre à l'Allemagne.

La France se retire de la guerre le 22 juin 1940, lorsque le maréchal Pétain signe un armistice avec l'Allemagne reconnaissant la défaite de son pays. La zone Nord de la France est alors occupée et soumise à l'administration allemande. Le gouvernement français s'installe en zone libre, à Vichy, dans le Sud de la France. Pendant quatre ans, la France est occupée par les troupes allemandes. Dès l'automne 1940, le gouvernement de Vichy, de sa propre initiative, met en place des mesures antisémites.

C'est en prenant le pouvoir en Allemagne en 1933 qu'Adolf Hitler institue un régime totalitaire et place le racisme et l'antisémitisme au cœur de son projet politique. Le parti nazi concentre tous ses efforts sur l'anéantissement de ceux qu'il considère comme ses ennemis. En 1935, les lois de Nuremberg enlèvent la citoyenneté allemande aux Juifs. Aux camps d'internement ouverts en 1933 succèdent en 1936 les camps de concentration. À partir de 1942, l'extermination des Juifs devient industrielle avec l'utilisation des chambres à gaz dans des camps comme Sobibor, Treblinka ou Auschwitz-Birkenau. Hommes, vieillards, femmes, enfants et nourrissons sont envoyés à la mort. 1 500 000 enfants sont exterminés.

En France, le gouvernement de Vichy collabore à la déportation des Juifs en organisant des rafles et en parquant les Juifs dans des camps, comme celui de Drancy, avant de les envoyer en Allemagne. L'administration française, les préfectures et les forces de police secondent troupes allemandes et la Gestapo dans l'internement et la déporta des résistants et des Juifs.

C'est précisément la collaboration du gouvernement français à l'organisation du génocide que dénonce Didier Daeninckx à travers le personnage d'André Veillut, fonctionnaire collaborationniste zélé et assassin du père et du fils Thiraud. La figure d'André Veillut est en effet largement inspirée par celle de Maurice Papon (1910-2007), secrétaire général de la préfecture de Gironde chargé des «affaires juives» et ayant organisé des rafles dans le Sud-Ouest de la France.

Meurtres pour mémoire a été écrit deux ans après «l'affaire Papon» (1981) qui dévoila le rôle actif de Maurice Papon dans la déportation massive de 1 690 Juifs (dont 207 enfants) vers le camp de Drancy. Ce roman est un réquisitoire contre Papon.

Le récit est donc fortement ancré dans une réalité historique qui trouve son épilogue en 1998 avec le procès Papon, et la condamnation de cet ancien préfet à dix ans de réclusion pour complicité de crimes contre l'humanité. Son double romanesque, André Veillut, quant à lui, est assassiné à la fin du roman.

La guerre d'Algérie et la manifestation du 17 octobre 1961

La seconde référence historique importante de *Meurtres pour mémoire* est la manifestation des Algériens de France, le 17 octobre 1961, à Paris, événement qui est relaté dans les premières pages du roman.

L'Algérie est une colonie française depuis 1848, et sa particularité est d'avoir connu un peuplement européen de plus en plus important à partir de 1871. Toutefois, dès les années 1920, les premiers mouvements nationalistes algériens naissent et agissent, jusqu'au soulèvement de l'année 1954 : 70 attentats marquent le début de la guerre d'Algérie. Les communautés européenne et algérienne s'affrontent ouvertement : en 1955, 171 civils français sont égorgés, tandis que 1 273 musulmans (Algériens français) sont exécutés en représailles. La bataille d'Alger de 1957 voit la résistance algérienne totalement anéantie. Pourtant, lorsque le général de Gaulle est investi des pleins pouvoirs en France en 1958 pour régler la crise algérienne, le conflit s'enlise à Alger. Les Européens croient que le général de Gaulle est favorable à l'Algérie française, alors que parallèlement des négociations sont menées avec le FLN (Front de libération nationale) pour évoquer un référendum sur l'autodétermination de l'Algérie. La réaction des Européens d'Algérie est alors violente. Lorsque le *oui* l'emporte au référendum, une tentative de putsch, organisée par les généraux de l'armée française en Algérie, échoue. Les années 1961 et 1962 sont marquées par les actes terroristes du FLN, puis de l'OAS (organisation pro-Algérie française).

En réponse aux attentats du FLN sur le sol français durant l'été 1961 (22 policiers en sont victimes cette année-là), la préfecture de police de Paris décrète un couvre-feu qui interdit aux Algériens de Paris (appelés « musulmans français d'Algérie » avant l'indépendance de l'Algérie) de circuler dans les rues le soir et la nuit. C'est à la suite de cette mesure qu'est organisée la manifestation pacifique du 17 octobre 1961 telle qu'elle est décrite dans les deux premiers chapitres de *Meurtres pour mémoire*. La répression qui s'ensuit est d'une rare violence. Des milliers de manifestants sont grièvement blessés, des cadavres sont jetés dans la Seine, le bilan est extrêmement lourd : probablement 200 morts du côté des manifestants, aucun du côté des forces de l'ordre. Le massacre est ensuite délibérément occulté, la préfecture de police évoquant seulement 3 morts. Dans *Meurtres pour mémoire*, tous les obstacles rencontrés par l'inspecteur Cadin au cours de son enquête sont d'ailleurs la conséquence de ce silence institutionnel pesant sur les événements de 1961.

Le 18 mars 1962, la guerre d'Algérie se conclut par les accords d'Évian qui consacrent l'indépendance de l'Algérie.

L'Histoire est à la fois le mobile des meurtres de ce roman et le lien entre tous les personnages. Trois des personnages principaux de *Meurtres pour mémoire* sont précisément des historiens.

Victimes et coupables agissent au nom de l'Histoire. Pierre Cazes croit œuvrer pour l'État et contre le terrorisme en assassinant Roger Thiraud. Bernard Thiraud reprend la monographie de son père sur Drancy. Roger Thiraud, que ses recherches historiques sur sa ville natale mènent au nom du responsable de la déportation des enfants juifs vers Drancy est assassiné pour ce motif, en marge de la manifestation d'octobre 1961. André Veillut, lui, est responsable de cette déportation massive vers Drancy, responsable également du massacre de 1961, autrement dit doublement coupable aux yeux de l'Histoire.

Repères chronologiques

1939	**Début de la Seconde Guerre mondiale.**
1940	**La France sous l'Occupation allemande.**
1940	C. Chaplin, *Le Dictateur* (film).
1942	**Maurice Papon secrétaire général de la préfecture de la Gironde. Organisation des rafles et des déportations des populations juives dans la région bordelaise.**
1945	**Fin de la Seconde Guerre mondiale.**
1954	**Début de la guerre d'Algérie.**
1955	La revue *Les Temps modernes* dirigée par J.-P. Sartre dénonce le colonialisme et la guerre d'Algérie.
1956	A. Resnais, *Nuit et brouillard* (film documentaire).
1958	**Proclamation de la V⁰ République; le général de Gaulle est élu président de la République.**
1960	**Procès du réseau Jeanson.**
1961	**Manifestation du 17 octobre 1961 réprimée par le préfet de police de Paris, Maurice Papon.**
1962	**Indépendance de l'Algérie, accords d'Évian.**
1981	**Révélations de «l'affaire Papon» sur les déportations massives de Juifs vers Drancy.**
1984	D. Daeninckx, *Meurtres pour mémoire* (roman).
1985	C. Lanzmann, *Shoah* (documentaire).
1998	**Condamnation de Maurice Papon à dix ans de réclusion criminelle pour complicité de crimes contre l'humanité.**
1998	R. Benigni, *La vie est belle* (film).
2005	A. Tasma, *Nuit noire 17 octobre 1961* (film).
2006	R. Bouchareb, *Indigènes* (film).

Les grands thèmes de l'œuvre

Roman policier ou roman noir ?

Au premier abord, *Meurtres pour mémoire* s'apparente à un roman policier traditionnel réunissant les principaux ingrédients du genre : mystérieux meurtres, enquête d'un inspecteur pour déterminer l'identité des meurtriers, résolution d'énigmes. Toutefois, la complexe structure temporelle de l'œuvre, l'atmosphère sombre et violente qui la caractérise ainsi que la dénonciation politique et sociale qui sous-tend le récit, font de *Meurtres pour mémoire* un roman noir plutôt qu'un roman policier.

Cadin, stéréotype de l'enquêteur ?

En donnant naissance au personnage de l'inspecteur Cadin, Didier Daeninckx façonne un personnage qui correspond à certains stéréotypes du roman policier traditionnel. Cadin traite ses enquêtes, en particulier les enquêtes secondaires, avec une certaine nonchalance tout en prenant à cœur les intérêts des victimes au point de s'attacher parfois sentimentalement à elles (notamment à Claudine Chenet, chapitre 4). Il fait preuve d'une grande force de caractère et d'un courage remarquable dans certaines situations exceptionnelles comme la tentative de meurtre de Lécussan au chapitre 8. Il rejette les apparences et les solutions faciles pour s'attacher à découvrir la vérité en dépit des obstacles qui s'accumulent. Il n'hésite pas à s'opposer à sa hiérarchie pour s'élever seul contre le pouvoir et refuse toutes les compromissions. Cependant, certains aspects de sa personnalité sont plus originaux : il se montre fin psychologue avec Muriel Thiraud et l'amène à surmonter ses traumatismes (chapitre 6) ; il n'accepte pas le racisme ordinaire d'un chauffeur de taxi (fin du chapitre 4).

Dès le chapitre 3 de *Meurtres pour mémoire*, Didier Daeninckx choisit également un mode narratif récurrent dans les romans policiers : l'inspecteur Cadin, qui s'occupe de l'affaire du meurtre de Bernard Thiraud, prend désormais en charge la narration à la première personne. Comme souvent dans un roman policier, le lecteur voit l'intrigue évoluer à travers le point de vue de l'enquêteur. Les ingrédients du roman policier traditionnel sont ainsi réunis dans *Meurtres pour mémoire*, mais l'atmosphère sombre et violente qui caractérise cette œuvre en fait avant tout un roman noir.

Un roman sombre et violent

Voici la définition du roman noir que propose Jean-Patrick Manchette, l'un des maîtres du genre: «Polar signifie roman noir violent. Tandis que le roman policier à énigmes de l'école anglaise voit le mal dans la nature humaine, le polar voit le mal dans l'organisation sociale [...]. Le polar est la littérature de la crise» (Jean-Patrick Manchette, interview dans *Charlie mensuel*, n° 126, juillet 1979). La violence semble être un trait caractéristique de l'écriture du roman noir.

Dans *Meurtres pour mémoire*, la scène narrative est sans cesse traversée par des actes de violence: répression meurtrière de la manifestation des Algériens par la police (chapitre 2), assassinats des différents protagonistes (Roger Thiraud, chapitre 2; Bernard Thiraud, chapitre 3; l'archiviste Lécussan, chapitre 8; André Veillut, chapitre 10). Lorsqu'on examine précisément la manière dont Didier Daeninckx choisit de décrire ces différents meurtres, on comprend que ce n'est pas tant l'identité du coupable – que l'on devine assez rapidement ou que l'on connaît même déjà dans le cas des deux derniers meurtres – que la description du meurtre lui-même qui fait sens. À cet égard, la scène de l'assassinat de Roger Thiraud, est intéressante et originale puisqu'elle est présentée au lecteur à travers le point de vue du meurtrier: «Mais l'homme, méthodiquement, appliqua le canon de l'arme sur la tempe droite de Roger Thiraud [...] et appuya sur la détente. Il repoussa le corps en avant, recula. Le professeur s'effondra sur le trottoir, le crâne éclaté» (p. 39).

C'est souvent le fait divers – cambriolage, disparition ou meurtre d'un individu – qui inspire l'écriture d'un roman policier. Mais dans le roman noir, et particulièrement dans ce roman de Daeninckx, c'est l'Histoire qui nourrit l'intrigue policière. Au-delà des quatre morts individuelles évoquées dans les chapitres 2 à 10, ce sont deux meurtres collectifs perpétrés indirectement par le même coupable (André Veillut, double de Maurice Papon) qui sont dénoncés: le massacre d'octobre 1961 et la déportation des enfants juifs vers Drancy. *Meurtres pour mémoire* s'inspire alors, non pas de faits divers comme le roman policier, mais de faits historiques graves qui situent dès lors cette œuvre dans le genre du roman noir. La violence est également présente dans la description de la répression d'octobre 1961, encore renforcée par le réalisme de la scène. L'évocation précise des moyens utilisés par les CRS pour écraser la manifestation (armes, matraques, grenades lacrymogènes) vise à dénoncer le rôle de l'État et des forces de l'ordre dans ce qui est présenté comme un massacre.

Mémoire et oubli

L'Histoire est au cœur de l'intrigue policière de *Meurtres pour mémoire* : c'est pour étouffer la mémoire de certains faits historiques que des crimes sont commis, et c'est pour sortir de l'oubli certains pans de l'Histoire du XXe siècle que les historiens Thiraud, puis l'enquêteur Cadin font leurs recherches.

Le rôle de la mémoire

Dès le seuil du livre, le titre (*Meurtres pour mémoire*) ainsi que l'épigraphe (« en oubliant le passé, on se condamne à le revivre », p. 11) indiquent au lecteur l'importance des thèmes de la mémoire, du souvenir et de l'oubli. Les traces du passé jouent un rôle décisif dans l'intrigue policière en étant à la fois le mobile des crimes et des indices déterminants dans l'enquête de Cadin. C'est au nom de la mémoire que le père et le fils Thiraud sont assassinés : le scandale du lourd passé d'André Veillut ne doit pas compromettre sa carrière présente de préfet de police. Les supports de la mémoire constituent toute la matière de l'intrigue dans *Meurtres pour mémoire* : archives de la préfecture de Toulouse, monographie de Drancy rédigée par Roger Thiraud, témoignages du photographe Rosner ou de Pierre Cazes, document vidéo de la RTBF. Ces supports sont présents jusqu'aux dernières lignes du roman. Dans l'épilogue, sous les yeux de Cadin et Claudine Chenet, une affiche est arrachée du mur d'une station de métro et laisse apparaître des bribes de langue allemande, témoignant d'un passé enfoui et presque oublié : celui de l'Occupation allemande.

Le refus de l'oubli

Didier Daeninckx a placé au cœur de son roman deux faits historiques liés à des questions douloureuses, brûlantes et taboues de l'histoire contemporaine française : les responsabilités du régime de Vichy dans la déportation des Juifs, et la guerre d'Algérie. À cet égard, le récit de la répression du 17 octobre 1961 et la monographie sur la déportation des enfants juifs ont dans une certaine mesure le caractère d'une révélation pour le lecteur. Le décret d'amnistie sur les actes commis pendant la guerre d'Algérie agit comme une censure, justifiant l'oubli que dénonce le personnage de Cadin à plusieurs reprises dans le roman. La structure narrative de *Meurtres pour mémoire* traduit bien cette articulation de l'intrigue entre mémoire et oubli : l'ellipse de vingt ans entre le chapitre 2 et le chapitre 3 est une forme narrative de l'oubli et du déni historique concernant les événements d'octobre 1961, tandis que les analepses (retours en arrière), qui caractérisent les témoignages des personnages, et les archives dans lesquelles se plonge Cadin, expriment la mémoire des faits passés.

L'enquêteur et l'historien

Dans *Meurtres pour mémoire*, la démarche de l'enquêteur s'apparente à celle de l'historien. Le premier tente de reconstituer les faits passés grâce aux traces qu'il découvre (pistes, pièces à conviction...), le second s'appuie sur les archives pour faire revivre la mémoire de ces faits. Pour l'inspecteur Cadin comme pour les Thiraud, la méthode et les moyens mis en œuvre sont similaires : il s'agit de remonter dans le temps à l'aide de supports variés. Les témoignages visuels (la vidéo de la RTBF, la photo de Pierre Cazes) et oraux (chapitres 5 et 6) permettent à l'enquêteur d'identifier le coupable, tout comme les documents de la préfecture de Toulouse conduisent Roger et Bernard Thiraud à découvrir le nom du responsable des déportations d'enfants juifs vers le camp de Drancy. Certes, l'objectif initial n'est pas le même puisque les historiens veulent recueillir des informations sur leur ville d'origine dont ils rédigent une monographie, tandis que l'enquêteur de ce roman recherche un meurtrier. Pourtant la conclusion de ces recherches historiques et de cette enquête policière est la même. C'est ainsi qu'André Veillut ne peut effacer un passé que les différents protagonistes de *Meurtres pour mémoire* finissent par faire ressurgir.

Une écriture engagée

Lorsque paraît en 1898 l'article d'Émile Zola intitulé « J'accuse » dans le journal *L'Aurore* et dont le propos est de défendre Alfred Dreyfus, un officier juif accusé à tort de trahison par l'armée française, on évoque alors la notion d'« engagement » des écrivains. Il s'agit de donner à la littérature la possibilité d'agir sur le réel, et d'inviter le lecteur à partager certaines convictions ou certains idéaux de l'auteur.

Cette notion d'engagement n'est pas nouvelle puisque Voltaire, au XVIIIe siècle, avait déjà par ses écrits obtenu la révision d'un procès lors d'une erreur judiciaire dans l'affaire Calas. Au XIXe siècle, les textes de Victor Hugo contre la peine de mort, dont le plus célèbre est la préface de 1832 du *Dernier jour d'un condamné* (1829), présentent également les arguments d'un combat contre ce que l'auteur qualifie de « meurtre légal ». Mais l'engagement dans la littérature prend toute sa mesure au XXe siècle, lorsque la violence des guerres et l'intensité des affrontements politiques incitent de nombreux écrivains à mettre leur œuvre au service d'une idéologie. Ainsi Jean-Paul Sartre (*Les Chemins de la liberté*, 1943-1949) et Albert Camus (*La Peste*, 1947) conçoivent leur plume comme une arme susceptible de défendre les causes auxquelles ils croient.

Peut-on dès lors considérer que *Meurtres pour mémoire* est un roman engagé ? Certes, la voix de l'auteur se fait entendre, même de façon implicite, lorsque l'inspecteur Cadin évoque au détour d'une antiphrase indignée l'horreur de la déportation conçue comme une tâche administrative effectuée machinalement et docilement : « Contre la barbarie, direction Buchenwald et Auschwitz ! » (p. 72, l. 701). Mais l'écriture a surtout ici pour vocation d'éveiller la conscience du lecteur et de le prendre à témoin des tragédies contemporaines sur lesquelles il ne doit pas fermer les yeux. Le travail de mémoire qui est à l'œuvre dans tout le roman invite à réfléchir au présent en s'appropriant le passé. À travers le personnage d'André Veillut, c'est la répression policière pendant la guerre d'Algérie et la déportation des Juifs sous l'Occupation que l'auteur dénonce, ainsi que le système politique et administratif qui a permis à un tel homme de faire une carrière plus qu'honorable sans rencontrer aucun obstacle pendant près d'un demi-siècle.

Fenêtres sur...

Des ouvrages à lire

Romans policiers

• Gaston Leroux, *Le Mystère de la chambre jaune* [1907], Gallimard, « Folioplus classiques », 2003.

Au château du Glandier, le professeur Stangerson et sa fille Mathilde vivent paisiblement et poursuivent leurs travaux de recherches scientifiques. Un jour, Mathilde est victime d'une tentative de meurtre, alors qu'elle dormait dans la chambre jaune. Qui a tenté d'assassiner la jeune femme ? Et comment le meurtrier a-t-il pu réussir à s'enfuir d'une chambre fermée de l'intérieur ? Le jeune Rouletabille, reporter à L'Époque, essaie de résoudre cette mystérieuse affaire.

• Maurice Leblanc, *L'Aiguille creuse* [1909], Librairie générale française, « Le livre de poche », 1973.

Il se passe des choses mystérieuses au château du comte de Gesvres : un inconnu, surpris la nuit dans la propriété, est atteint d'un coup de fusil par Raymonde de Saint-Véran, nièce du comte. Peu après, la jeune Raymonde est enlevée. Arsène Lupin a-t-il encore frappé ? Le jeune lycéen Isidore Beautrelet, détective amateur, mène l'enquête. Mais Arsène Lupin n'a pas dit son dernier mot...

• Agatha Christie, *Le Crime de l'Orient-Express* [1934], trad. de l'anglais par Jean-Marc Mendel, Le Masque, 1999.

Alors qu'il voyage à bord de l'Orient-Express, le détective Hercule Poirot doit résoudre une étrange affaire : M. Ratchett, un collectionneur d'art américain, a été sauvagement assassiné à coups de couteaux dans sa cabine. Une tempête de neige bloquant le train, l'assassin ne peut plus s'enfuir...

• Anne de Leseleuc, *Les Vacances de Marcus Aper* [1992], 10-18, 2005.
À Rome, en l'an 74, l'avocat Marcus Aper décide de passer quelques jours dans sa Gaule natale. Mais ses vacances ne vont pas être de tout repos : à peine arrivé dans la demeure de son ami Quintus Solem, Marcus Aper se trouve confronté à un premier meurtre, puis à un second. Il décide de se charger de l'enquête.

• Anne Perry, *Bedford Square* [2000], trad. de l'anglais par Anne-Marie Carrière, 10-18, 2006.
Le général Balantyne ne décolère pas contre cet inconnu qui a eu le mauvais goût de venir mourir sur son perron de Bedford Square! Pour Thomas et Charlotte Pitt, l'existence d'un lien entre la victime et le vieux militaire ne fait cependant aucun doute, mais pour le prouver, il va leur falloir explorer les arcanes de la haute société victorienne.

La Seconde Guerre mondiale

• Anne Frank, *Journal* [1947], trad. du néerlandais par Nicolette Oomes et Philippe Noble, Librairie générale française, «Le livre de poche», 2007.
Anne Frank est une adolescente juive qui connaît une enfance heureuse à Amsterdam jusqu'en 1942, malgré la guerre. À partir de cette date, elle et sa famille vivent clandestinement dans l'annexe d'un immeuble pour échapper à la déportation. La jeune fille a tenu son journal de 1942 à 1944, et son témoignage reste l'un des plus émouvants sur la vie quotidienne d'une famille juive pendant la Seconde Guerre mondiale.

• Fred Uhlman, *L'Ami retrouvé* [1971], trad. de l'anglais par Léo Lack, Gallimard, «Folio», 1978.
Âgé de seize ans, Hans Schwarz, fils unique d'un médecin juif, fréquente le lycée le plus renommé de Stuttgart. Il mène une existence solitaire, sans ami véritable, lorsqu'en février 1932 arrive dans sa classe Conrad, un garçon protestant qui lui permet de vivre son idéal d'amitié. Mais l'avènement d'Adolf Hitler au pouvoir séparera les deux adolescents.

• Joseph Joffo, *Un sac de billes*, Librairie générale française, «Le livre de poche», 1973.
Paris, 1941 : la France est occupée par les Allemands. Le père Joffo est patron d'un salon de coiffure. Un jour, ses deux fils, Maurice et Joseph, sont contraints de porter l'étoile jaune conformément aux lois anti-juives en vigueur. Ils subissent alors les moqueries et les vexations de leurs camarades d'école. Mais l'un d'eux propose d'échanger par jeu cette étoile contre un sac de billes...

• Jean-Claude Moscovici, *Voyage à Pitchipoï*, L'École des loisirs, « Medium », 1995.

Ce livre raconte la tragédie d'une famille juive pendant la Seconde Guerre mondiale. En 1942, l'auteur de ce livre a six ans. Sa famille est arrêtée par des gendarmes allemands et français, puis dispersée pour être déportée. Le narrateur et sa sœur de deux ans, d'abord confiés à des voisins, sont ensuite transférés vers le camp de Drancy, antichambre d'Auschwitz.

La guerre d'Algérie

• Jeanne Benameur, *Ça t'apprendra à vivre*, Le Seuil, 1998.

Algérie, 1958. Un père, une mère et quatre enfants sont au cœur des affrontements. Ils vivent dans... une prison dont le père est le directeur. Mi-Arabes, mi-Français, ils doivent bientôt déménager en métropole et se retrouvent à La Rochelle. Comment s'intégrer ? La cadette raconte sa vie, partagée entre deux cultures.

• Michel Le Bourhis, *Les Yeux de Moktar*, Syros, « Les uns les autres », 2003.

Alors qu'il est au cinéma, Adrien remarque la présence de Souad, jeune fille aux cheveux noirs. Ce jour-là, elle est accompagnée de son grand-père Moktar qui a perdu la vue lors de la répression sanglante de la manifestation du 17 octobre 1961. Amoureux de Souad, Adrien se rapproche aussi de Moktar et écoute le récit bouleversant de la vie du vieil homme.

Des films à voir

• *Meurtres pour mémoire* de Laurent Heynemann, téléfilm policier, couleur, d'après le roman de Didier Daeninckx, 1985.

Adaptation du roman de Didier Daeninckx, ce téléfilm atténue les aspects politiques de l'intrigue et approfondit l'analyse des sentiments des personnages.

• *Les Roseaux sauvages* d'André Téchiné, comédie dramatique, couleur, 1994.

En 1962, en pleine guerre d'Algérie, alors que les attentats de l'OAS se multiplient, l'intrusion d'un garçon pied-noir exilé bouleverse la vie paisible de l'internat d'un lycée du Sud-Ouest de la France.

• *Au revoir les enfants* de Louis Malle, drame, couleur, 1987.

En janvier 1944, Julien rejoint le collège des Carmes à Provins après les vacances de Noël. Il se lie d'amitié avec Jean, un nouveau pensionnaire, qui semble avoir un secret. Mais un jour la Gestapo vient arrêter Jean parce qu'il est juif, ainsi que le directeur du pensionnat catholique qui l'a accueilli clandestinement.

• *La vie est belle* de Roberto Benigni, comédie dramatique sur la guerre, couleur, 1998.

Guido et son fils sont juifs. Ils sont déportés en 1943, au moment où les lois raciales entrent en vigueur en Italie. L'épouse de Guido, Dora, qui n'est pas juive, monte de son plein gré dans le train qui les emmène tous les trois vers un camp de concentration. À l'intérieur du camp, Guido transfigure la réalité pour adoucir aux yeux de son fils l'enfer de leur vie quotidienne.

Notes

Notes

Notes

Notes

Dans la même collection

Anthologie
14-18 Lettres d'écrivains (1)

Guillaume Apollinaire
Calligrammes (2)

Chrétien de Troyes
Yvain ou le Chevalier au lion (3)

William Golding
Sa Majesté des Mouches (5)

Victor Hugo
Claude Gueux (6)

Guy de Maupassant
Histoire vraie et autres nouvelles (7)

Prosper Mérimée
Mateo Falcone et *La Vénus d'Ille* (8)

Molière
Les Fourberies de Scapin (9)

Jules Romains
Knock ou le Triomphe de la médecine (10)

Antoine de Saint-Exupéry
Lettre à un otage (11)

Paul Verlaine
Romances sans paroles (12)

Imprimé en France par CPI en janvier 2016.
Maquette intérieur : 2015. Dépôt légal : 1000 sont pour

Imprimé en Espagne par Novoprint (Barcelone)
Numéro d'édition : 004875-01 - Dépôt légal : août 2008